Révélations

Du même auteur
aux Éditions J'ai lu

Blue Bayou :

Retrouvailles en Louisiane, *J'ai lu* 7490
Le cas Julia Summers, *J'ai lu* 7581

JoAnn Ross

Blue Bayou – 3
Révélations

Traduit de l'américain
par Béatrice Pierre

Titre original :

MAGNOLIA MOON
Pocket Books, New York

© The Ross Family Trust, 2003
Pour la traduction française :
© Éditions J'ai lu, 2005

*À Patty Gardner-Evans, en remerciement
pour toutes ces années.
Et, comme toujours, à Jay avec
tout mon amour.*

1

La Nouvelle-Orléans, Louisiane

— J'ai toujours adoré les hommes Balance, roucoula la blonde et voluptueuse Charlene.

— Et là, tu as aimé ? fit Nate Callahan en l'attirant à lui.

Pour lui, il n'y avait rien d'aussi délicieux que faire l'amour à une jolie femme.

— Oh, absolument ! répondit-elle en se blottissant contre lui avec les battements de cils dont seule était capable une vraie belle du Sud. Un homme Balance sait charmer les oiseaux et les faire s'envoler, et quand il flatte une fille, elle tombe forcément dans ses bras.

— Ce n'était pas de la flatterie, chérie, répliqua-t-il. Je n'ai dit que la pure vérité.

Depuis le jour où Nate avait regardé les *Playboy* de son frère Finn, tout ce qui était féminin le séduisait. Il aimait les femmes, leurs gestes, leur peau douce, leur parfum et leurs doigts longs et fins. Heureusement, elles le lui rendaient bien.

Il tripotait une mèche blonde de Charlene, encore raide de laque malgré leurs ébats tumultueux – ce à quoi Nate était habitué, ses conquêtes arborant en général des crinières abondantes et solides. Beaucoup de cheveux, une poitrine opulente et, songea-t-il avec un agréable regain de désir, un gros appétit sexuel.

— Ta lune est dans la septième maison, dit Charlene en passant un ongle corail sur la poitrine de Nate.

— Et c'est bien ?

Il plaqua une main sur les reins de la jeune femme, qui se cambra comme un chat habitué aux caresses.

Dehors, la lune s'élevait dans un ciel constellé d'étoiles. Dans la chambre, un agréable feu de bois crépitait, et les bougies répandaient un parfum de gardénia.

— Mais oui. Te voilà sous le signe de Vénus, la déesse de la beauté.

— Ça t'irait mieux qu'à moi, répondit-il en embrassant la courbe douce de son épaule.

L'accent de Nate, toujours plus prononcé lorsqu'il faisait la cour à une femme, semblait aussi épais qu'un *gumbo* cajun.

— Tu embellis d'année en année depuis que tu as été couronnée Miss Louisiane, ajouta-t-il.

— Tu sais bien que je n'ai été que deuxième, protesta-t-elle avec une moue charmante.

— Officiellement. Mais tout le monde s'est rendu compte que les juges étaient aussi aveugles que des chauves-souris du marais.

— Que tu es gentil ! s'exclama-t-elle en s'esclaffant joyeusement, avant de continuer sur le thème des signes astrologiques.

Nate ne l'écouta que d'une oreille. Il n'avait guère réfléchi aux horoscopes et autres méthodes divinatoires jusqu'au jour où il était venu proposer à Charlene, astrologue de son état, un devis pour rénover sa chambre à coucher.

Bien qu'il eût dix minutes de retard, elle était encore sous la douche lorsqu'il était arrivé. Hors d'haleine et embaumant le jasmin, elle avait ouvert la porte en s'excusant de ne pas être prête. Plus tard seulement, il s'était rappelé qu'elle avait les cheveux secs et avait compris qu'il s'était fait piéger. Ayant toujours apprécié les ruses féminines, il ne s'en était pas formalisé.

Pendue à ses lèvres, elle avait trouvé brillantes ses suggestions pour accroître le volume de la pièce –

dont la pose d'une fenêtre à tabatière au-dessus du lit – et l'avait engagé sur-le-champ.

— Vous êtes le premier entrepreneur qui comprenne qu'une chambre n'est pas seulement faite pour dormir, avait-elle déclaré avec un accent traînant aussi doux que devaient l'être les cannes à sucre que cultivait le grand-père de Nate. Après tout, c'est la pièce la plus importante de la maison.

Lorsqu'un ongle écarlate avait effleuré sa main, Nate avait senti une onde chaude de désir le parcourir.

— Vous avez été tellement charmant, pourriez-vous me rendre un tout petit service ?

— Bien sûr, *chère*[1]. Si c'est dans mes cordes.

Les yeux verts de Charlene avaient lentement épluché Nate.

— Oh, je crois que vous en êtes capable.

Elle avait dénoué la ceinture de son peignoir en soie, révélant une chair parfumée et poudrée.

— J'ai absolument besoin d'exorciser cette pièce et d'en chasser tout souvenir de mon horrible ex-mari.

Le peignoir avait glissé sur la moquette.

Depuis cette scène, six mois s'étaient écoulés. Non seulement Nate n'avait pas ménagé sa peine en matière d'exorcisme, mais il avait fait du bon boulot en ce qui concernait la rénovation de la chambre. À présent, allongé sur le lit défait, il regardait avec satisfaction la lune dériver comme un vaisseau fantôme dans le ciel et se demandait pourquoi il n'avait pas posé une fenêtre à tabatière au-dessus de son propre lit.

— Et Vénus est aussi la déesse de l'amour, disait Charlene.

Le mot tant redouté l'arracha à ses songeries.

— Ah, bon ? fit-il, un peu inquiet.

— Absolument. « Faites l'amour, pas la guerre », c'est la devise des Balance. Tu t'es intéressé très jeune

---

1. En français dans le texte (N.d.T.).

aux femmes, tu fais des rapports sexuels une expérience enrichissante et tu tiens à satisfaire ta partenaire, quitte à ce que cela dure toute la nuit.

— J'essaie, en tout cas, admit-il avec modestie.

Charlene avait effectivement eu l'air satisfaite, quelques instants plus tôt.

Elle sourit et l'embrassa.

— Non seulement tu y arrives, chéri, mais tu es un modèle dans ce domaine. Les hommes Balance sont les meilleurs associés du monde.

— Tes étoiles se sont un peu fourvoyées, dit-il en posant une main sur les fesses de sa compagne pour la rapprocher de lui. J'ai toujours aimé travailler seul.

Sans être sauvage, Nate appréciait le fait d'être son propre patron, de pouvoir travailler et s'amuser quand il en avait envie.

— Tu n'étais pas seul il y a quelques minutes, et tu semblais y prendre plaisir.

— J'aime toujours passer un bon moment avec toi, chérie.

— Si la compagnie d'autrui te pesait, tu ne te serais pas présenté aux élections municipales, décréta-t-elle en se hissant sur lui. Les Balance ne sont pas des ours solitaires, chéri. Un mâle Balance a besoin d'une partenaire permanente.

Nate eut soudain du mal à respirer.

— Permanente ?

Son enfance et sa jeunesse en Louisiane du Sud, où l'eau et la terre se livraient d'incessants combats que remportait souvent l'eau, lui avaient appris que bien peu de choses étaient permanentes. Les relations entre hommes et femmes n'y faisaient pas exception.

— Cela fait six mois que nous sommes ensemble, lui rappela-t-elle.

Cette durée excédait toutes celles des liaisons précédentes de Nate. Mais il fallait en soustraire les voyages de Charlene pour présenter et vendre ses livres d'astrologie dans des festivals New Age. Un bref calcul mental rassura Nate : ils n'avaient passé ensemble qu'un total de trois semaines, dont l'essentiel au lit.

— J'ai réfléchi, murmura-t-elle en glissant la main entre eux pour s'emparer du sexe de Nate. À nous.

— À nous ?

— Et hier, alors que mon avion survolait le Nouveau-Mexique, je me suis dit que nous devrions nous marier.

Se marier ? N'ayant pas prévu l'attaque – car à aucun moment Charlene n'avait manifesté d'envie matrimoniale –, Nate ne sut que répondre.

— Tu ne veux pas ! s'écria-t-elle d'une voix dure, en s'écartant de lui.

En soupirant, il se redressa et vit disparaître tous ses projets pour la nuit.

— Tu es merveilleuse, chérie, protesta-t-il avec un sourire charmeur. Mais nous nous étions mis d'accord. Ni toi ni moi ne sommes du genre à convoler en justes noces.

— C'était vrai avant.

Elle se leva et ramassa la chemise de Nate, qui gisait par terre.

— Les choses changent, poursuivit-elle d'une voix hargneuse. La lune est aussi un signe de maternité.

— Ah, bon ? fit Nate en attrapant la chemise qu'elle lui lançait.

Seigneur, il avait besoin d'air.

— Oui.

Elle releva le menton, et ses yeux se plissèrent jusqu'à devenir de petites fentes vertes.

— Les Balance reprennent inlassablement la même attitude enfantine dans leurs différentes relations.

L'adjectif blessa Nate, qui avait quitté l'enfance dès l'âge de douze ans, le jour où un ivrogne avait abattu son père d'un coup de revolver.

— Si j'avais un peu moins de bon sens, je pourrais me sentir offensé, chérie.

11

Comme il se penchait pour prendre son jean, une botte vola au-dessus de sa tête.

— Mon Dieu, Charlene… fit-il en évitant la seconde botte.

— Sais-tu combien de demandes en mariage je reçois par mois ? rugit-elle en se ruant sur lui pour enfoncer un doigt dans sa poitrine.

— Beaucoup, j'en suis sûr.

— Des quantités ! cria-t-elle tandis que la poitrine nue de Nate se couvrait de griffures rouges. Rien que durant les six dernières semaines, j'en ai rejeté deux – d'hommes qui gagnent bien mieux leur vie que toi –, parce j'ai fait la sottise de croire que nous avions un avenir, toi et moi.

— Tu es une femme admirable, chérie, dit-il en sautillant pour enfiler son jean. Intelligente, belle…

— Et qui vieillit de jour en jour ! hurla-t-elle.

— Tu fais à peine vingt-cinq ans.

Grâce au scalpel d'un chirurgien de Houston qui en avait raboté dix.

La voyant prête à repartir à l'assaut, Nate recula et ramassa ses clés et son portefeuille sur la table de nuit.

— Vingt-six, tout au plus, ajouta-t-il en prenant ses chaussures à la main.

— Tu ne t'en tireras pas comme ça, Callahan.

Une flûte de champagne s'écrasa contre le mur.

— Si j'avais pris le temps d'étudier ton signe avant de t'engager, jamais je ne t'aurais laissé me séduire.

Prudence étant mère de sûreté, Nate ne lui rappela pas qu'elle n'avait pas eu besoin de lui pour dénouer son fichu peignoir.

— J'aurais compris tout de suite que tu souffrais d'un énorme complexe de Peter Pan.

Peter Pan ? Nate grinça des dents.

— Je te téléphonerai, chérie, promit-il en évitant la seconde flûte.

Plus exactement, il lui enverrait un texto.

— Plus tard. Quand tu auras repris tes esprits.

Des hurlements lui répondirent. Nate s'échappa de cette pièce suffocante et dévala l'escalier en sautant une marche sur deux. Un objet heurta le mur de la chambre. Pourvu qu'elle n'ait pas bousillé le plâtre tout neuf !

Abasourdi, il monta dans sa voiture et roula jusque chez lui, tout en essayant de comprendre à quel moment cette nuit si prometteuse avait dérapé.

— Peter Pan, marmonna-t-il.

Où diable était-elle allée pêcher ça ?

La pleine lune avait un éclat que Nate ne lui avait jamais vu et soulignait d'une étrange lumière blanche les silhouettes noueuses des cyprès. Il espéra qu'après l'ouragan Charlene, cela ne présageait pas un autre cataclysme.

2

Los Angeles

— Quel beau mec! Il est craquant, tu ne trouves pas?

L'inspecteur de police Regan Hart leva les yeux vers l'affiche qui dominait Sunset Boulevard.

— Pas vraiment.

L'acteur était trop blond, trop beau et, malgré ses cheveux hirsutes et sa barbe, trop parfait. Regan préférait les hommes qui avaient l'air d'avoir vécu.

— Toute femme que Brad Pitt laisse indifférente devrait se faire examiner le cerveau, décréta Vanessa Kante, la collègue de Regan. Sans parler d'autres parties vitales de son corps.

— Ma tête et toutes les parties vitales de mon corps fonctionnent très bien, merci.

Du moins Regan le supposait-elle, car il y avait longtemps qu'elle ne les avait pas utilisées.

— Et au cas où tu l'aurais oublié, tu es mariée, reprit-elle. Tu n'es pas censée réserver ces appétits à ton époux?

— Je suis mariée, mais pas morte. Une des raisons qui rendent notre union aussi solide est que Rasheed se fiche bien de ce qui suscite mon désir, du moment que c'est sur sa grande carcasse que je me jette au retour… Vu ton humeur grognon, j'imagine que le chirurgien esthétique de Santa Monica n'était pas Monsieur Parfait, ajouta Vanessa en lançant à sa partenaire un regard entendu.

Regan poussa un soupir.

— Même pas Monsieur Peut-être. Si une météorite frappait la planète et que nous soyons les seuls survivants, je doute de pouvoir me résoudre à perpétuer l'espèce humaine avec lui.

— Je suis désolée.

— Je ne comprends même pas pourquoi je t'ai laissée m'arranger ce rendez-vous.

— Ça fait trop longtemps que tu mènes une vie de nonne.

— Qu'y puis-je ? Nous vivons dans une ville de femmes superbes qui, dès qu'elles ont besoin d'une taille supérieure au 38, se font faire une liposuccion.

— Je ne fais pas du 38, et Rasheed m'aime comme je suis, protesta Vanessa.

— Quel homme n'en ferait pas autant ? À ta vue, les plus insensibles des tueurs se mettent à saliver. En outre, Rasheed vient du Nigeria où, selon toi, les hommes aiment les femmes aux formes plantureuses.

— C'est ce qu'il dit, et si j'en juge par ses actes, ses compliments sont sincères. Je pense que ça vient de l'époque où l'homme de Neandertal cherchait une femme capable de faire une bonne nourrice, même pendant les périodes de famine. Rasheed, lui, prétend qu'il aime avoir quelque chose de solide à quoi se raccrocher pour éviter de tomber du lit.

— Je ne plairais donc pas à l'homme de Neandertal. Mes hormones de l'adolescence sont toutes parties en hauteur sans rien laisser en largeur. Le docteur Bill m'a même suggéré d'envisager la pose d'implants.

— Ouille ! Je ne le savais pas aussi grossier.

— Ça n'aurait pas marché, de toute façon. Ce genre de mec, soit il est intimidé par une femme qui porte un revolver, soit ça l'excite et il réclame des détails croustillants sur les cadavres qu'on a pu rencontrer.

— À quelle catégorie appartient le docteur Bill ?

— À la première. Nous ne dansions que depuis deux minutes lorsqu'il a déclaré qu'il ne supportait pas une telle intimité avec mon Beretta.

Vanessa lui jeta un regard ahuri.

— Tu ne t'es quand même pas rendue à ce rendez-vous avec ton arme ?

— J'avais reçu un appel pendant que je témoignais au tribunal dans l'affaire Sanchez. Un membre du gang des Front Street Crisps avait des informations à me fournir sur le type de Diamond Street qui a été tué en prélevant l'impôt de la mafia mexicaine. Tu irais dans ce quartier sans arme, toi ?

— Non, tu as raison.

— D'ailleurs, j'étais très chic. Je portais le tailleur que tu m'as convaincue d'acheter la semaine dernière.

Vanessa avait découvert dans une boutique de Melrose les créations fort bon marché d'un dénommé Armini. Le changement de voyelle empêchait toute poursuite pour contrefaçon. Et le vêtement coûtait plusieurs centaines de dollars de moins que l'original.

— Tu n'aurais pas pu laisser ton arme dans le coffre de ta voiture ?

— Pour qu'on me la vole comme celle de Malloy ? Ça n'aurait pas arrangé ma carrière.

Devon Malloy, un jeune inspecteur encore novice, avait laissé arme dans son coffre afin que ses enfants n'y touchent pas. Malheureusement, on lui avait volé sa voiture, et l'arme avait été utilisée lors d'un braquage. Lorsque le pauvre Malloy en aurait fini avec les affaires internes, ses chances d'avancement seraient nulles.

— En fait, c'était plutôt drôle, reprit Regan. On dansait un slow, et chaque fois qu'il essayait de me peloter, ses doigts butaient sur un truc froid en acier. À la troisième tentative, il a suggéré qu'on en reste là. Non seulement j'anéantissais sa libido – apparemment, sortir avec une femme qui peut vous tirer dans les testicules est un peu déconcertant –, mais le métal de mon

Beretta perturbait son *qi*. Je ne sais pas ce que c'est que ce truc.

— C'est du feng shui. Dans la philosophie taoïste, tout est fait de *qi* – autrement dit d'énergie. C'est l'essence de l'existence.

— Et moi qui croyais que c'était l'ADN !

La pluie reprit. Regan enclencha les essuie-glaces, qui balayèrent le pare-brise avec un grincement désagréable semblable à celui des ongles sur un tableau noir. La police de Los Angeles ne mettait jamais à la retraite ses vieilles voitures, elle les attribuait à Regan. Cela faisait six semaines que le chauffage ne marchait plus. Le temps qu'il soit réparé, il ferait beau et elle n'en aurait plus besoin. Ce qui, songea-t-elle avec amertume, était sans doute le raisonnement du service technique.

— Si le feng shui n'existait pas, je ne serais pas tombée enceinte, reprit Vanessa.

— Tu es tombée enceinte parce que, lorsque Rasheed et toi êtes allés batifoler sous les tropiques, tu as bu trop de *mai tai* et tu as oublié de prendre ta pilule.

— Exact. Mais avant cela, le stress dû à nos boulots respectifs faisait que nous avions quelques problèmes sexuels. C'est pourquoi nous sommes descendus au *Crouching Dragon Inn*.

— Ah, le fameux hôtel pour obsédés sexuels.

— À t'entendre, on dirait un endroit sordide avec une télé qui passe en boucle des films pornos. Le *Crouching Dragon Inn* respecte le principe du feng shui, qui recommande de vivre en accord avec la nature et non contre elle. Tout là-bas te mène du lit à la plage et en sens inverse. Bref, nous avons fait l'amour matin, midi et soir.

— C'est ce que tu m'as dit.

Regan était même étonnée qu'après cela Vanessa ait été encore capable de marcher.

— Toute cette énergie amoureuse a permis aux éléments vitaux de Rasheed de s'associer aux miens et de créer la vie de Denzel.

— On appelle ça la nage éperdue d'un spermatozoïde vers l'œuf qu'il doit féconder.

Hormis quelques vérités comme l'action de la pleine lune sur la démence de certains individus ou l'averse inévitable le jour où l'on étrenne des chaussures neuves, Regan ne croyait ni au feng shui, ni au vaudou, ni au destin, bref à rien de ce qu'elle ne pouvait voir ou toucher.

Selon le psychologue que la police l'avait obligée à consulter après qu'elle avait échappé de peu à la mort, ce scepticisme était la conséquence des années passées à attendre que son père revienne du Vietnam. Dans son esprit d'enfant, elle le voyait entrer, déclarer qu'elle était la plus jolie et la plus charmante petite fille du monde ; ensuite, il s'agenouillait devant sa mère, comme le prince de Cendrillon, et lui demandait de l'épouser de nouveau. Et commençait pour eux trois une longue vie de bonheur.

Rien de cela n'était arrivé. Le lieutenant John Hart des Marines n'était pas revenu du Vietnam. Sa mère, qui avait demandé le divorce avant la naissance de Regan, avait poursuivi sa carrière d'avocate, confiant l'enfant à une succession de nounous dont aucune n'avait répondu aux critères élevés de Karen Hart. Comme son père n'avait pas surgi dans son armure étincelante pour l'emmener sur son destrier vers son palais, Regan en avait conclu que les contes de fées ne se trouvaient que dans les livres aux tranches dorées, et non dans la vraie vie.

D'une certaine façon, cette déception à un âge très jeune lui avait rendu service. C'était grâce au scepticisme que le psy lui avait recommandé de surmonter qu'elle était devenue un bon flic.

— La naissance est un miracle, répéta pour la énième fois Vanessa. Rasheed affirme qu'il a su que j'étais enceinte le jour où je me suis mise à briller de l'intérieur.

— Tu n'avais pas avalé ta torche électrique ?

— Très drôle. Ce qui brillait était l'onde lumineuse provenant du cœur du bébé, déclara Vanessa en tapotant son ventre arrondi.

Regan secoua la tête.

— Il n'y a qu'à Los Angeles qu'on trouve des flics New Age.

Tout en se réjouissant du bonheur de son amie, Regan regrettait de perdre sa coéquipière. Vanessa et son mari avaient estimé que les exigences du métier d'inspecteur de la criminelle étaient incompatibles avec une vie de famille, et la future mère devait quitter la police six semaines plus tard.

— Le feng shui n'est pas nouveau, tu sais. Il remonte à huit mille ans. Tu devrais demander à un maître d'analyser ton appartement. Tu es très stressée.

— Je suis flic. Le stress fait partie du métier.

— C'est pourquoi tu as besoin d'aide.

— Ce qui m'aiderait, ce serait que les bons citoyens de Los Angeles établissent un cessez-le-feu de quarante-huit heures.

— Ne rêve pas, répliqua sèchement Vanessa. Tu sais, le mois dernier, je suis allée à une conférence du type qui a convaincu Donald Trump de déplacer ses portes-fenêtres. Si tu n'étais pas aussi têtue...

— Je n'ai pas besoin d'un architecte d'intérieur. Je veux seulement clore l'affaire Lancaster. Et le fait que Donald Trump paie un type pour fiche en l'air sa baraque prouve seulement que certaines personnes ont plus d'argent que de bon sens.

— J'espère que tu n'as pas raconté tout ça au docteur Bill. C'est un adepte du feng shui.

— Je sais. Nous avons dû attendre une heure pour qu'une table orientée dans la bonne direction se libère.

Une heure passée à siroter un verre de vin en mangeant des cacahuètes.

— Je lui ai seulement dit qu'imaginer la lame d'un scalpel sur mes seins me faisait le même effet négatif que les armes sur lui. Puis j'ai ajouté que, puisqu'il y avait toujours un objet métallique entre nous, nous ferions aussi bien d'accorder une trêve à nos *qis* respectifs et d'abréger la soirée.

— J'espérais vraiment que vous vous entendriez bien. Et le banquier de Century City, Mike quelque chose, qu'est-il devenu ? Il était beau garçon.

— Il s'appelait Mark Mitchell.

Celui-ci ayant découvert le cadavre d'un promoteur immobilier dans un garage, Regan l'avait interrogé et lui avait donné sa carte au cas où il se souviendrait de quelque chose. Il l'avait appelée le soir même pour l'inviter à dîner. Elle avait refusé, en accord avec la règle qu'elle avait toujours respectée : ne pas mélanger vie privée et vie professionnelle.

L'assassin, un tueur à gages débutant, avait été rapidement arrêté et condamné. Mark Mitchell avait aussitôt rappelé Regan, qui avait commis l'erreur d'accepter l'invitation.

— Il hébergeait un iguane nommé Gordon Gekko dans sa chambre à coucher.

Et il s'était vanté de prendre pour modèle le personnage arriviste et cupide qu'incarnait Michael Douglas dans *Wall Street*.

— Oui, ça n'a rien d'emballant, admit Vanessa. Tu pourrais sortir avec un type du service.

— Je préférerais me tirer une balle dans la tête plutôt que de fréquenter un flic.

Elle regretta aussitôt sa remarque. Rasheed était shérif adjoint du comté de Los Angeles.

— Euh… pardon. Rasheed est une exception.

— C'est vrai qu'il est exceptionnel, dit Vanessa en souriant. Nous étions censés sortir ce soir pour fêter le cinquième anniversaire de notre rencontre.

Puis elles avaient été appelées pour suivre ce qui risquait d'être une fausse piste. Il était déjà difficile de mener une vie normale lorsqu'on était simple flic, mais les inspecteurs de la criminelle pouvaient faire une croix sur l'amour, l'amitié et toute espèce de vie sociale, surtout les week-ends.

Les rares fois où Regan prenait le temps d'y réfléchir, elle trouvait ironique d'être aussi différente de sa mère et d'avoir cependant choisi, comme elle, une carrière peu propice au mariage et à la vie de famille.

Une immense limousine blanche roulait à leur hauteur. Lorsqu'elle travaillait aux mœurs, Regan avait démantelé un réseau de prostitution qui utilisait des limousines en guise de chambres. Celle-ci arborant un panneau «Jeunes mariés» sur le pare-brise arrière, elle la laissa passer.

La nuit s'annonçait paisible dans la Cité des Anges, comme si on l'avait aspergée de Valium, mais Regan et Vanessa n'y firent aucune allusion, car, selon une loi de Murphy en vigueur dans la police, un fléau épouvantable punissait l'innocent qui se félicitait d'une trêve entre truands.

La pluie qui ruisselait sur le pare-brise avait poussé les ivrognes, les bagarreurs et les voleurs à s'abriter. Seuls restaient dehors les SDF du quartier, assoupis sous des journaux détrempés et des sacs-poubelles dégoulinants. Les boutiques de souvenirs qui vendaient des posters de Marilyn Monroe, des affiches de cinéma et des plans signalant l'emplacement des demeures de stars étaient fermées, leurs lourds rideaux de fer tirés jusqu'en bas.

Ce quartier avait été jadis le cœur de l'industrie du cinéma. De superbes stars buvaient du champagne au *Brown Derby* et montaient dans des limousines pour aller assister à des premières au Grauman's Chinese Theater. Mais, peu à peu, des boutiques de fripes, des prêteurs sur gages, des librairies pornos avaient envahi ces avenues et ces rues où les drogués, les prostituées et les SDF étaient à présent aussi nombreux que les touristes japonais.

Hollywood amorçait un *come-back* dans le coin, mais si jamais ce quartier parvenait à offrir une version californienne de Time Square à New York, les déshérités se contenteraient de ramasser leurs affaires et de s'installer ailleurs.

— Ce tuyau a intérêt à être bon, marmonna Regan comme elles passaient devant le *Rock & Roll Denny's*. Même les filles ont eu le bon sens de s'abriter.

À l'intérieur du restaurant ouvert vingt-quatre sur vingt-quatre, les prostituées buvaient des litres de café, fumaient des paquets de cigarettes et massaient leurs pieds douloureux d'avoir arpenté les trottoirs sur des talons aiguilles, tout en guettant par la fenêtre l'arrivée improbable d'une Lexus argentée.

Malheureusement, le micheton moyen qui fréquentait ces parages ne ressemblait en rien à Richard Gere, et le conte de fées *Pretty Woman*, dans lequel un magnat s'éprend d'une prostituée au grand cœur, était si éloigné de la réalité de ces filles qu'il aurait pu être filmé sur une autre planète.

— En résumé, Double D est revenu de Fresno pour corriger un type des Eight Street Regulars qui braconne sur ses terres, expliqua Vanessa. Il est hébergé chez la grand-mère de sa nouvelle petite amie. La vieille dame s'est fait arrêter il y a deux ans pour vente de crack avec son fils et ses petits-enfants.

— Et on se plaint du déclin de la famille américaine ! Comment se fait-il que grand-maman ne soit pas en prison ?

— Elle a plus l'air d'une brave mémé qui prépare des cookies dans sa cuisine que d'un dealer. Le procureur n'a pas réussi à convaincre le grand jury de l'inculper.

Écœurée, Regan secoua la tête. Elle avait choisi ce métier pour changer les choses et améliorer la vie des gens, mais, depuis quelque temps, elle avait l'impression d'être un château de sable que grignotait jour après jour la marée, emportant chaque fois un peu de l'idéalisme qui l'animait lorsqu'elle avait enfilé l'uniforme à la sortie de l'école de police.

— Tu recommences, dit Vanessa.

— Quoi donc ?

— À fredonner cette fichue chanson.

— Pardon. C'est plus fort que moi.

You are my sunshine. La chanson s'était gravée dans son esprit à son insu, et sa manie de la chantonner agaçait son entourage.

Une Lexus noire à la plaque d'immatriculation boueuse les croisa.

Le passager regardait droit devant lui. Le conducteur se détourna, mais elle eut le temps de l'apercevoir. L'adrénaline étincela en elle comme un fil électrique heurtant un sol humide.

— Je parierais mon prochain salaire que c'est notre bonhomme.

— Il lui ressemble, en tout cas.

Regan fit un demi-tour complet et dut s'arrêter pile. Un drapeau américain planté dans son sac à dos, un homme grisonnant, vêtu d'une tenue de camouflage, traversait la rue avec la détermination tranquille du soldat qu'il avait été.

Mad Max était un personnage célèbre du quartier. Comme il prétendait être un vétéran du Vietnam, Regan lui avait demandé, dans un moment d'aberration, s'il avait connu son père. Il avait jeté un coup d'œil à la photo dont elle ne se séparait jamais, puis avait secoué la tête et débité un charabia incompréhensible, produit d'un cerveau brûlé par la drogue, l'alcool et Dieu seul savait quels souvenirs.

Tentative stupide.

Elle appuya sur l'accélérateur dès que Mad Max eut libéré la chaussée. Il ne se retourna pas lorsqu'elle enclencha la sirène, ce qui en disait long tant sur le quartier que sur lui-même.

Regan rattrapa la Lexus à un feu rouge, juste après Hollywood High. Vanessa nota son immatriculation sur son ordinateur. Le feu passa au vert.

Le conducteur de la Lexus redémarra lentement, sans doute pour évaluer la situation et jauger Regan.

Elle était convaincue qu'il s'agissait du suspect qu'elle traquait depuis quarante-cinq jours. Si, d'ici à deux semaines, elle ne l'avait pas coincé, elle serait affectée à une autre affaire.

La Lexus prit de la vitesse.

— Grouille-toi, voyons, grommela Regan à l'intention de l'ordinateur obsolète.

— Ça y est ! s'écria Vanessa. C'est bien notre homme. Son copain et lui ont volé la voiture après un braquage à main armée au *Hollywood Stars Motel*.

— Je suppose que ce salaud avait claqué les cinq dollars qu'il avait piqués à la vieille dame, marmonna Regan.

Le spectacle de cette femme de quatre-vingt-huit ans battue à mort avait été ce qu'elle avait vu de pire durant ses douze années de métier – cinq à bord d'une voiture de patrouille, la suivante à l'hôpital puis dans les bureaux, deux autres aux mœurs, et les quatre dernières à la criminelle. Regan n'avait que trente-trois ans, mais parfois, elle se sentait centenaire.

Elle alluma son gyrophare. Le conducteur de la Lexus accéléra, ce qui ne la surprit pas. Elle s'élança derrière lui, sirène hurlante, tandis que Vanessa annonçait à la radio le code 3.

3

Blue Bayou, Louisiane

— Alors, demanda Jack Callahan à son frère, où en sont tes recherches de shérif ?

— À zéro, répondit Nate, qui s'attaquait à un nouveau carton.

Ayant décidé de rénover le poste de police, il rangeait le débarras et examinait les pièces à conviction accumulées au cours des années. Ouvrir ces cartons et ces enveloppes lui donnait l'impression de déterrer une cité antique.

— J'ai perdu la matinée de lundi à interroger un flic de Shreveport qui a pris sa retraite afin d'éviter la radiation pour avoir brutalisé un prisonnier.

Une enveloppe marron contenait une balle qui, selon les papiers qui l'accompagnaient, avait été extirpée d'un mur.

— Tu te rappelles le duel entre Henri Dubois et Julian Breaux au *Lafitte's Landing* ?

— Bien sûr, dit Jack, qui sortait d'un sac les sandwiches de leur déjeuner. C'était un Mardi gras. Ils avaient eu l'idée stupide de laisser aux armes à feu le soin de décider qui obtiendrait la première danse de Christelle Marchaud. Je me souviens qu'ils étaient tous les deux trop ivres pour viser correctement, mais j'ai oublié ce qui s'est passé ensuite.

Nate feuilleta les pages.

— Papa les a arrêtés pour trouble à l'ordre public, ils ont plaidé coupables et ont été condamnés à donner à la banque alimentaire de la paroisse dix pour cent des écrevisses pêchées pendant les six mois suivants.

— Ça ressemble bien aux décisions du juge.

— Tirer dans un dancing est inexcusable, mais je comprends qu'ils aient cédé à la passion. Moi aussi, j'étais fou amoureux de Christelle Marchaud, à l'époque.

La reine du Mardi gras de Blue Bayou était devenue Miss Louisiane avant de présenter la météo sur la chaîne KATC de Lafayette. Puis elle avait grimpé les échelons, avait changé de chaîne, et était alors correspondante à l'étranger pour les informations du soir de NBC. Elle avait coupé sa longue chevelure noire, et ses cheveux blonds coiffés au carré lui donnaient un petit air coquin auquel Nate ne restait pas insensible.

— Ça ne me surprend pas, vu que tu tombais systématiquement amoureux de toutes les filles de la région, remarqua Jack. Mais je reconnais que Christelle était très mignonne. Alors, tu n'as pas d'autre shérif en vue ?

— Hélas, non.

L'affaire du duel étant classée depuis douze ans, Nate jeta à la poubelle les papiers et la balle.

— Et le type à l'air ahuri qui sortait quand je suis arrivé ? Celui avec les cheveux longs et la boucle d'oreille ?

— La critique est étrange, venant d'un homme qui arbore une queue de cheval et un anneau à l'oreille.

— Je ne brigue pas le poste de shérif. D'ailleurs, mon look ne déplaît pas à Dani. Elle dit que je lui fais penser à un pirate, déclara Jack avec un sourire désinvolte.

Jack avait toujours été le plus rebelle des frères Callahan. Et le plus insupportable aussi, durant son adolescence de petit voyou.

— C'était un bouffeur de racines de l'Oregon qui m'a fait savoir dès le début qu'il était pacifiste et refusait de porter une arme. Puis il m'a demandé s'il y avait au moins un bon restaurant végétarien dans le coin.

— Les hamburgers de tofu, on n'en sert guère par ici.

— C'est ce que je lui ai dit, déclara Nate en prenant un sandwich.

— Pourquoi diable voudrait-il ce poste ?

— Il était éducateur et il a fait des études de sociologie.

Une bouchée confirma que le sandwich était aussi bon que l'annonçait son odeur.

— Apparemment, il a du maintien de l'ordre une conception très libérale qu'aucune des autres villes où il s'est porté candidat ne semble vouloir adopter.

— Laisse-moi deviner. Selon sa théorie, tous les criminels enfermés au pénitencier d'Angola sont les victimes d'une société impitoyable et vengeresse. L'idée n'est pas neuve.

— Elle n'est pas non plus très populaire. Ce qui explique qu'il ait dû venir jusqu'ici.

— Il pensait que nous étions désespérés au point de l'accepter.

— C'est mon avis. Je lui ai dit que, bien que le dernier délit remonte au jour où le fils d'Anton Beloit s'est emparé d'un bidon de peinture verte afin de proclamer son amour pour Lurleen Woods sur tous les piliers des ponts de la région, je désirais que le chef de la police de Blue Bayou porte une arme. Et qu'il sache s'en servir. Il m'a répondu qu'il y réfléchirait. Et moi, je lui ai dit de ne pas se donner cette peine.

— Tu as de la chance que Blue Bayou soit une ville paisible.

— Vu que les forces de police de la ville se limitent actuellement à Ruby Bernhard, qui confectionne au crochet des couvertures afghanes pour ses petits-enfants en attendant qu'un coup de fil lui permette de jouer au dispatcher ; à Henri Petrie, qui refuse de me dire son âge mais que je soupçonne d'avoir largement dépassé les soixante-dix ans ; et à Dwayne Johnson, très ardent mais aussi vert que la peinture utilisée par Billy Bob Beloit, j'espère vraiment que tout restera calme.

Nate examina par-dessus la croûte dorée de son sandwich l'ancien agent de la brigade des stupéfiants devenu auteur à succès de thrillers.

— À tout hasard, tu ne regrettes pas d'avoir quitté les forces de l'ordre ?

— Pas le moins du monde, répondit Jack. Comment pourrais-je m'ennuyer avec une jolie femme enceinte, deux enfants beaux et intelligents, un chien formidable et, pour métier, le droit de raconter tous les mensonges qui me passent par la tête ?

Le chien jaune en question leva la tête pour quémander à manger. Le morceau de fromage que lui jeta Jack disparut en une bouchée.

— C'est gentil de ta part d'avoir cité Dani en premier.

— Nous avons eu beau faire un détour de treize ans, elle a toujours tenu la première place dans mon cœur. Tu sais, le mariage est une invention astucieuse, au même titre que le moteur à explosion. Tu devrais essayer, un jour.

— Sans t'offenser, frangin, je préférerais…

— Je sais, coupa Jack. Te jeter à poil dans un bayou grouillant d'alligators. On ne t'a jamais dit que tu radotais ?

Nate fronça les sourcils. L'incident avait beau dater de trois semaines, la diatribe de Charlene l'irritait toujours.

— Tu crois que je souffre du complexe de Peter Pan ?

— Probablement.

Ce n'était pas la réponse qu'espérait Nate.

— Du coup, ce serait follement amusant de te voir chuter, toi aussi, déclara Jack avec son sourire de pirate.

— Tu peux toujours attendre. Ça ne risque pas d'arriver.

— C'est aussi ce que je disais avant le retour de Dani. Et je parie que Finn n'avait jamais imaginé épouser une actrice de Hollywood… Mais quand on tombe sur l'âme sœur, le mariage, c'est vraiment bien.

— Peut-être que le mariage vous convient, à tous les deux, mais ce n'est pas pour moi. Les longues relations sont trop pesantes.

— Je ne savais pas que tu avais peur de l'effort.

— C'est différent dans le bâtiment où, un jour, on arrive enfin au bout du travail commencé.

— Je doute que la restauration de Beau Soleil soit jamais finie.

— Ça n'a rien à voir. Quand je construis ou rénove une maison, il reste une preuve de mes efforts, quelque chose dont je peux être fier. Plus on consacre de temps à une demeure comme Beau Soleil, plus elle embellit. Plus on consacre de temps à une liaison, plus on risque de tout bousiller. Résultat, tout le monde est fâché et souffre. Le truc, c'est de repérer le moment où l'on peut se quitter à l'amiable.

Il n'y était pas parvenu avec Charlene, alors que, d'ordinaire, il restait ami avec ses ex longtemps après que les draps avaient refroidi.

— Je n'ai jamais rencontré de femme qui n'éprouve pas le besoin de me changer, marmonna-t-il.

— Dani n'a jamais essayé de me changer. Sans doute parce que je suis déjà parfait.

— Ce doit être ça, riposta Nate, sarcastique.

Il regarda la pluie de janvier ruisseler sur les vitres.

— Tu n'as jamais envie de partir ? demanda-t-il.

— C'est ce que j'ai fait il y a treize ans, lui rappela Jack. Mais rien ne vaut le pays natal.

— Ça t'est facile de dire ça. Toi, tu as sillonné le monde.

— C'est vrai, répondit Jack en regardant attentivement son cadet. Pourquoi dis-tu ça ?

— Je ne suis jamais allé nulle part.

— Tu oublies l'université.

— Aller à la fac de Tulane, à La Nouvelle-Orléans, ne représente pas un grand voyage. Et je suis rentré avant la fin de la première année.

— Parce que maman était en train de mourir, ajouta Jack. Je ne te remercierai jamais assez…

— C'est à ça que servent les frères. Tu poursuivais de gros dealers quelque part dans la péninsule du Yucatán.

Ayant tendrement aimé sa mère, Nate ne regrettait pas d'avoir quitté l'université. Il était heureux à Blue Bayou ; c'était là qu'habitaient ses amis, qu'était sa vie. Une bonne vie. Et, pour dire la vérité, il ne désirait vivre nulle part ailleurs.

Mais certains dimanches, quand il regardait les matchs de base-ball à la télévision, il se demandait si, en restant à l'université grâce à la bourse que lui avaient value ses qualités d'athlète, il aurait pu passer professionnel. Après tout, les sélectionneurs l'avaient trouvé excellent, probablement le troisième base le plus doué depuis Brooks Robinson.

Il réprima un soupir. Tout cela appartenait au passé. Il ouvrit une autre enveloppe marron.

— Hé, regarde ça, fit-il en agitant des feuilles jaunies.

— On dirait des actions.

— Oui. De Melancon Petroleum.

Jack émit un sifflement.

— Cela fait plus de vingt ans que Melancon a cessé de délivrer des bons au porteur. S'ils sont authentiques, ça vaut cher. Surtout maintenant que l'on raconte que l'entreprise va être rachetée par Citgo.

30

— Il y a aussi le certificat de décès de Linda Dale.

— Ce nom ne me dit rien.

— Ça date d'il y a trente et un ans. Du premier mandat de papa comme shérif, précisa Nate. Elle est morte d'empoisonnement au monoxyde de carbone.

— Un accident de chauffage ?

— Non, répondit Nate, dont le visage s'assombrit. Un suicide… Mais papa n'y a pas cru, ajouta-t-il en feuilletant un petit carnet.

— Il pensait à un assassinat ?

— Oui.

— Les crimes de sang à Blue Bayou, c'est rare. Je me souviens de celui qui s'est produit quand nous étions au lycée. Remy Renaud était bourré et avait tiré sur le représentant de commerce qu'il avait trouvé en train de peloter sa femme.

— Ah, oui…

Nate se rappelait cet été, chaud et frustrant, durant lequel Mme Renaud l'avait engagé pour tondre sa pelouse et nettoyer sa piscine. Elle aimait prendre des bains de soleil les seins nus. Lorsque, plus tard, il avait compris qu'elle l'avait tourmenté à dessein, Nate s'était félicité de ne pas avoir été le type que Remy avait trouvé dans les bras de la femme à côté de laquelle les filles des *Playboy* de Finn avaient l'air anorexiques.

Il parcourut les notes griffonnées d'une grande écriture assez semblable à la sienne.

— Papa est même allé à Baton Rouge pour obtenir de la police de l'État qu'elle étudie l'affaire, mais pendant son absence la sœur de Linda Dale a fait incinérer le corps.

— Ce qui a empêché toute investigation supplémentaire ?

— Oui. Mais la sœur n'a pas emporté que les cendres. Il y avait un enfant dans la maison, une petite fille de deux ans qui a dû rester seule pendant quarante-huit heures. Elle avait visiblement fureté partout à la

31

recherche de nourriture. Papa a retrouvé des boîtes de cookies vides sur le sol de la cuisine et l'enveloppe d'un pain de mie dans une chambre.

— Merde. Et M. Dale, où était-il pendant ce temps ?

— Il semble qu'il n'y avait pas de M. Dale.

— À l'époque, ce ne devait pas être facile d'être mère célibataire dans une petite ville catholique comme Blue Bayou.

Les gens n'étaient pas plus coincés à Blue Bayou qu'ailleurs. Ils aimaient s'amuser et savaient profiter de la vie. Mais s'il y avait eu une révolution sexuelle, elle s'était déroulée derrière des portes closes.

— Linda Dale chantait au *Lafitte's Landing*. Je doute qu'elle ait pu économiser de quoi acheter ces actions.

— Ça se monte à combien ?

Nate effectua un rapide calcul.

— Vingt-cinq mille dollars de l'époque.

Jack siffla.

— Ce qui signifie qu'il y a quelque part une riche héritière de trente-trois ans. Il est étrange que le meurtrier ait laissé cet argent derrière lui.

— La sœur venait de Los Angeles. Papa a essayé de la retrouver, sans succès.

— Ça n'a rien d'étonnant. L.A., c'est gigantesque.

— Regarde, dit Nate en montrant un petit cahier. Linda Dale tenait son journal. Si nous n'avions pas connu maman et que quelqu'un tombe sur son journal intime, tu n'aimerais pas que cette personne cherche à nous le rendre ?

— Bien sûr. Mais si papa n'a pas pu retrouver la sœur de la victime à l'époque, comment penses-tu y arriver après toutes ces années ?

— Il ne disposait pas d'Internet. Ni d'un parent agent spécial.

— Finn a quitté le FBI.

— Ce qui ne signifie pas qu'il a perdu ses talents d'enquêteur et ses relations. Et le fait qu'il vive à Los Angeles facilitera les choses.

Nate décrocha le téléphone et composa un numéro.

4

Regan enfonça la pédale de l'accélérateur, tandis que Vanessa inspectait les rues qu'elles croisaient. Sirène hurlante, la Crown Vic dérapa dans un virage sur la chaussée mouillée.

La voiture de police ne pouvait rivaliser avec la Lexus, mais Regan était une excellente conductrice. À chaque croisement, la peur lui glaçait la nuque. Sept ans s'étaient écoulés depuis la poursuite qui avait failli lui coûter la vie et dont elle garderait toujours les cicatrices.

— Merde !

Un éclair jaillit de la Lexus. Une balle frappa le pare-brise, le fissurant telle une toile d'araignée, et alla se ficher dans le dossier de la banquette arrière.

L'adrénaline inonda le cœur battant de Regan. Si elle avait travaillé dur pour intégrer ce service, c'était pour la satisfaction de rassembler tous les morceaux d'un puzzle et de le montrer achevé aux douze hommes et femmes qui composeraient le jury et déclareraient un être humain coupable d'en avoir tué un autre. Les flics de la criminelle n'étaient pas censés mettre en péril la vie de citoyens innocents, sans parler de la leur, en se pliant au mythe de la folle poursuite dont étaient si friands les scénaristes de la télévision et du cinéma.

— Coups de feu, annonça Vanessa.

— Coups de feu, répéta le dispatcher. 10-4.

— Ce n'est pas passé loin.

— Non, fit Regan, qui tentait d'oublier que son gilet pare-balles avait été fourni, après appel d'offres, par le fabricant le moins cher.

Cinq voitures de police au moins s'étaient jointes à la course et formaient un défilé illuminé et glapissant. À toute vitesse, elles quittèrent Sunset Boulevard et traversèrent un paisible quartier résidentiel. Les dossiers que Regan avait laissés sur la banquette arrière glissèrent sur le sol.

La Lexus prit brutalement un virage et se retrouva en équilibre sur ses deux roues droites. Regan freina pour l'éviter. À peine la Lexus se fut-elle retrouvée sur ses quatre roues qu'elle franchit la ligne centrale, frôlant deux véhicules garés de l'autre côté, arrachant des boîtes aux lettres et un panneau de signalisation. Dans un crissement de freins, elle s'arrêta en frémissant dans le jardin soigné d'un bungalow des années trente.

Deux hommes sautèrent de la voiture et s'éloignèrent en courant dans l'obscurité.

— Les suspects s'enfuient à pied, annonça Vanessa.

— À toutes les unités, les suspects s'enfuient à pied. 10-20. L'officier a besoin d'aide, dit la voix désincarnée, tandis que Regan s'élançait entre deux maisons.

Elle rejoignait le passager de la Lexus lorsqu'il fit un écart et tomba dans une piscine, éclaboussant le blouson et le jean déjà mouillés de Regan.

— Un des deux suspects vient de tomber dans une piscine, annonça-t-elle dans la radio accrochée à sa poitrine. Tu t'occupes de Flipper le Dauphin, cria-t-elle à Vanessa, qui arrivait. Je suis Double D.

Elle avait commencé à s'entraîner à la course après être passée entre les mains des chirurgiens, pour retrouver la forme, et courait régulièrement depuis. Le seul de ses collègues qui pouvait la battre était un ancien athlète universitaire qui mesurait vingt centimètres de plus qu'elle et avait des jambes de girafe.

Le cœur battant douloureusement, Regan traversa une haie. Malgré les branches qui lui écorchaient le visage et les mains, elle ne quitta pas des yeux la silhouette sombre du voyou. Le *whop-whop-whop* d'un hélicoptère annonça l'arrivée de la cavalerie, et un projecteur illumina la zone aussi brillamment qu'en plein jour.

— Pas un geste! Police! cria-t-elle comme on lui avait appris à le faire, bien que, en douze ans de métier, elle n'eût jamais constaté l'efficacité de cette injonction. Arrête-toi, bon Dieu!

Elle parvint à saisir le dos du tee-shirt du garçon, mais celui-ci, plus jeune et plus costaud qu'elle, se libéra, s'élança de nouveau et sauta avec agilité par-dessus une clôture.

Regan l'imita. Un fil de fer barbelé lui déchira le bras.

— Trente dollars de fichus! marmonna-t-elle en songeant au chemisier qu'elle avait acheté la veille.

Ils dévalèrent une ruelle, passant devant de gros chiens qui aboyaient derrière des grillages. Les poumons au bord de l'explosion, Regan agrippa le garçon. Tous deux roulèrent sur des gravillons et atterrirent dans une rangée de poubelles métalliques.

— Quand un officier de police te dit de t'arrêter, tu obéis!

— Comment je pouvais savoir que vous étiez policier? riposta-t-il. Vous êtes pas en uniforme.

— Tu croyais que ces gyrophares et ces sirènes n'étaient là que pour faire joli?

Furieuse, elle lui enfonça un genou dans le dos en lui maintenant le nez à terre, tandis qu'arrivaient deux policiers en uniforme.

— Une giclée de poivre, ça ne lui ferait pas de mal, proposa l'un d'eux, sans doute un débutant qui prenait encore plaisir à ce genre d'intervention.

— Non, dit-elle.

Une autre loi de Murphy du métier voulait que le vent tourne dès qu'on aspergeait un suspect de poivre. Le nouveau le découvrirait un jour, mais Regan préférait ne pas se trouver à proximité à ce moment-là. Le coude du garçon la heurta en pleine poitrine, lui coupant le souffle.

— Félicitations, dit-elle lorsqu'il fut enfin maîtrisé. Tu as gagné le gros lot, ce soir, en accumulant une bonne centaine d'infractions. Et je ne parle pas du vol de voiture et du braquage du motel, ni du meurtre et du viol qui ont précédé.

Regan s'empara de l'un des poignets du garçon. Ignorant le chapelet d'épithètes dont il l'accablait, toutes très imagées mais dont certaines étaient anatomiquement absurdes, elle prit son autre poignet et le menotta. Les dents en plastique se refermèrent avec un bruit satisfaisant, moins cependant que celui des anciennes menottes en métal, que Regan regrettait.

— Et mes droits ? cria-t-il entre deux insultes. J'ai des droits, salope !

Elle repoussa en arrière ses cheveux mouillés. Elle était hors d'haleine, mais elle se sentait sacrément bien.

— Bien sûr que tu en as. À commencer par celui que t'accorde la Constitution d'être un furoncle sur l'arrière-train de la société. Même tes copains n'iraient pas jusqu'à tuer une vieille dame dont la seule faute est de t'avoir embauché pour nettoyer sa cour et de t'avoir préparé un verre de citronnade.

Avec l'aide des autres policiers, elle le remit debout et lui lut ses droits. Puis, ignorant la douleur qui lui vrillait le plexus solaire et la brûlure de son bras, elle le poussa vers la voiture de police qui l'attendait.

Bien que satisfaisante, cette arrestation déclenchait une avalanche de paperasserie. Regan aurait de la chance si elle parvenait à grappiller deux heures de sommeil avant de se rendre au tribunal le lendemain matin.

Six heures plus tard, Regan avait eu le temps de se doucher et de se changer. Penchée sur son ordinateur portable, elle attaquait la masse de rapports qu'exigeait un système légal byzantin.

La télévision ne montrait jamais les flics plongés dans la paperasserie. Chargés de deux enquêtes au maximum, ils les bouclaient en une heure, moins le temps des pubs. Dans la vraie vie, un inspecteur était obligé de jongler avec une douzaine de vieilles affaires, tout en s'efforçant de faire face au déluge des nouvelles.

La devise de la criminelle de Los Angeles était : « Notre journée commence lorsque la vôtre s'achève », mais elle omettait d'ajouter qu'il n'était pas rare qu'un inspecteur travaille vingt-quatre heures sur vingt-quatre.

— Alors, disait du bureau voisin Barnie Williams, qui se trouvait à deux mois de la retraite et d'une villa sur une plage mexicaine, ce type compose le 911 et dit que sa femme a vu une lumière dans le garage, qu'il est allé regarder par la fenêtre et a repéré des types qui avaient l'air d'emporter des trucs. Le dispatcher lui explique qu'on est samedi soir, qu'il n'y a pas de patrouille à proximité, que des trucs plus graves mobilisent les flics et qu'on lui enverra quelqu'un dès que possible. Le type raccroche. Une minute plus tard, il rappelle et dit que ce n'est pas la peine de se dépêcher, parce qu'il a déjà abattu tous les mecs.

— Qu'est-ce qui s'est passé ensuite ? demanda Regan, intriguée.

— Eh bien, il a fallu moins de trois minutes pour que cinq ou six voitures arrivent sur place, y compris la nôtre, ainsi qu'un journaliste et un cameraman de l'émission *Flics* qui, ce soir-là, accompagnaient justement deux policiers.

— Super Jojo et la nouvelle au petit popotin à la Jennifer Lopez qui réussit à être belle en uniforme, précisa Case Rockford, l'équipier de Williams.

— Son pare-chocs n'est pas mal non plus, renchérit un inspecteur du fond de la pièce.

— Elle s'est payé un uniforme sur mesure, intervint Dora Jenkins. Si elle ne l'avait pas fait, son popotin aurait paru aussi gros que le Montana. Quant au pare-chocs, il est en silicone.

— Sûrement pas, protesta Williams.

— Si. Ça date de l'époque où elle était serveuse au *Hooters*. Le restaurant lui a prêté de quoi s'offrir l'intervention.

— Tu prétends que les appas des filles du *Hooters* ne sont pas naturels? fit un autre policier en feignant la surprise.

Regan tenta de ramener cette conversation typique d'une salle de police à son sujet originel.

— Que s'est-il passé avec le type qui a tiré sur les cambrioleurs?

— Oh, en fait, ils étaient tous vivants, et Jojo et sa partenaire ont pu effectuer une arrestation devant la caméra, répondit Rockford. Ils jubilaient, mais Barnie et moi, on était furieux, parce qu'on était au drive-in du *Burger King* et qu'on venait de nous servir nos Whoppers quand on a entendu l'appel.

— Je déteste les hamburgers froids, marmonna Williams.

— Alors, Barnie s'est planté devant le type et a crié : « Je croyais que vous aviez dit que vous les aviez tués ! » reprit Rockford. Le type est resté imperturbable, la cigarette au bec, et a répliqué : « Et moi, je croyais que vous aviez dit qu'il n'y avait pas de flic disponible. »

L'histoire déclencha un mélange de rires et de ronchonnements. Tout en regrettant de ne pouvoir s'injecter de la caféine directement dans les veines, Regan secoua la tête et se remit au travail.

— Hé, Hart! appela une voix éraillée par des années de tabagie.

Une autre loi de Murphy décrétant que les ordinateurs effaçaient les rapports lorsqu'on avait presque fini de les taper, Regan prit soin d'enregistrer son travail avant de se tourner vers le policier en uniforme qui se tenait sur le seuil de la pièce.

— Qu'y a-t-il, Jim ?

— Un type veut te voir. Il dit que c'est personnel.

— Manifestement, il n'a jamais mis les pieds dans un commissariat de police.

Elle regarda autour d'elle. Les bureaux alignés à touche-touche, les dossiers qui s'empilaient sur le sol, les sonneries des téléphones, le cliquetis des ordinateurs et les conversations empêchaient tout entretien privé.

— Je te l'amène ?

— Inutile, dit une voix à l'accent traînant du Sud.

Le policier pivota sur lui-même, et sa main se porta instinctivement à son arme. Regan en fit autant en se levant et examina rapidement l'inconnu.

Grand, mince, yeux bleus, cheveux châtains. Ni cicatrice ni tatouage visible, pas de signe particulier. Un jean délavé par l'âge et non par un bain de Javel pour sacrifier à la mode. Un blouson ouvert sur une chemise bleue qui, que ce soit par hasard ou à dessein, était assortie à ses yeux. Des bottes en cuir qui avaient fait leur temps. Une grande enveloppe marron à la main.

Il n'avait pas l'air dangereux. Mais Ronald Lawson non plus, le tueur en série qui ressemblait à Robert Redford et que le FBI avait arrêté l'été précédent.

— Comment êtes-vous entré ici ? demanda-t-elle sèchement.

— L'inspecteur Kante a eu la gentillesse de me montrer le chemin.

Il décocha un sourire ravageur à Vanessa, qui entrait dans la salle, un gobelet de café à la main.

— Il a une lettre de recommandation, dit-elle en rendant son sourire à l'inconnu.

— Une lettre de recommandation ? répéta Regan, que cet échange de sourires laissait de glace.

— Du FBI, dit-il en sortant de sa poche de poitrine une feuille pliée qu'il lui tendit. Enfin, pour être exact, d'un ancien agent spécial. Il a travaillé avec vous sur l'affaire Valdez.

Valdez étant l'une des victimes de Lawson, la lettre devait venir de Finn Callahan. Regan la parcourut. Quelques lignes laconiques lui conseillaient d'écouter ce que Nate Callahan avait à lui dire. C'était signé « Finn-les-faits-rien-que-les-faits ».

La signature faisait allusion à une discussion qu'ils avaient eue un soir de canicule, après avoir exploré durant dix-huit heures le campus de l'université de Los Angeles, à la recherche d'éventuels témoins. La méthode expéditive de Finn, qui consistait à ne jamais s'écarter du sujet, permettait certainement d'interroger plus de gens, mais, d'après Regan, bavarder un peu donnait parfois l'occasion d'apprendre un détail important. Elle s'emportait rarement, mais le manque de sommeil et l'excès de caféine l'avaient fait exploser. D'où une altercation et cette injure, « Finn-les-faits-rien-que-les-faits », qu'elle lui avait jetée à la figure.

L'éclat de rire de l'intéressé l'avait surprise et, au lieu d'envenimer la situation, avait détendu l'atmosphère. À dater de cet instant, ils avaient joué au gentil flic et à son collègue bourru.

Il avait fallu à Finn une année supplémentaire pour arrêter Lawson. Celui-ci était mort, mais l'enquête approfondie avait rassemblé tant de preuves que, si le procès avait eu lieu, le procureur aurait aisément obtenu une condamnation à perpétuité.

— Je ne savais pas que Finn Callahan avait un frère.

— En fait, il en a deux, dit Nate. Vous avez peut-être entendu parler de l'autre, Jack. Il écrit des bouquins.

Regan hocha la tête. Qui ne connaissait pas Jack Callahan? Ancien agent de la brigade des stupéfiants, il avait atteint la célébrité dès son premier roman. Regan avait lu tous ses livres, dont elle trouvait les personnages féminins convaincants, contrairement à ceux d'autres auteurs masculins – surtout les anciens flics, qui, quand ils ne tombaient pas dans le stéréotype vierge ou putain, en faisaient systématiquement des victimes.

— Avec un agent du FBI et un autre des stups dans votre famille, vous devriez savoir que se promener dans un commissariat de police sans y avoir été invité peut vous valoir une balle dans la peau.

Pourquoi les hommes beaux étaient-ils aussi les plus bêtes?

— J'en suis conscient, madame.

— Inspecteur, rectifia Regan qui, sans bien savoir pourquoi, éprouvait le besoin d'affirmer son rang.

— Inspecteur, répéta-t-il avec un sourire séduisant. C'est pourquoi j'ai requis l'aide de l'inspecteur Kante.

— Tu veux que je le mette dehors? demanda le policier de l'accueil.

— Non, ça va, répondit Regan en cherchant des ressemblances entre Nate et son frère agent spécial.

Ses yeux étaient d'un bleu plus profond que ceux de Finn, ses cheveux plus clairs, et si son allure efflanquée lui donnait l'air d'un gamin, il possédait la même assurance virile que Finn, qu'on retrouvait aussi sur les photos de Jack.

Elle tendit la main vers le téléphone.

— Si vous comptez demander à Finn la raison de ma présence ici, il ne pourra pas vous répondre car il l'ignore.

Regan croisa les bras sur son chemisier en soie noire et fronça les sourcils.

— Pourquoi?

— Parce que je ne voulais pas l'ennuyer avec des broutilles.

Des broutilles. Elle en avait déjà plus que son compte.

— Écoutez, si votre voiture s'est fait embarquer à la fourrière, vous tombez mal parce que ce n'est pas mon rayon. Je ne fais pas non plus sauter les contraventions. Si vous voulez que j'arrête quelqu'un, je ne m'intéresse qu'aux assassins. Bref, pour les broutilles, ce n'est pas ici. Mais vous pouvez déposer plainte à l'accueil.

Sur ce, elle ramassa un gros dossier bleu qui contenait les éléments qu'elle avait tenté de mémoriser en vue de son témoignage devant la cour.

Les pouces enfoncés dans les poches de son jean, Nate se balança sur ses talons et parut réfléchir.

— Ma voiture, je l'ai laissée chez moi, dit-il enfin. Je ne connais personne qui ait été assassiné, du moins récemment, et à part le bruit des marteaux-piqueurs qui, cette nuit, ont défoncé la rue devant mon hôtel, rien ne m'a indisposé au point de vouloir porter plainte.

Son sourire affable contrastait avec son regard scrutateur. Regan avait beau savoir que, grâce à la chirurgie, ses cicatrices étaient plus imaginaires que réelles, cet examen silencieux la mit mal à l'aise. Surtout de la part d'un homme aussi beau.

— Quant à la raison de ma venue, c'est une longue histoire.

— Alors, vous n'avez vraiment pas de chance, car je dois être au tribunal dans… vingt-cinq minutes, acheva-t-elle après un coup d'œil à sa montre.

— Très bien. Je vais vous accompagner, et nous pourrons parler en route.

— La police de Los Angeles ne fait pas le taxi. Et même si j'acceptais d'emmener un particulier, je ne bavarderais pas avec lui, parce que je profiterais de cet instant pour revoir les détails de mon témoignage.

— Finn est très à cheval sur les détails, lui aussi, déclara-t-il en passant dans ses cheveux une main couturée de minuscules cicatrices. Eh bien, nous discuterons pendant le déjeuner.

— Le déjeuner n'est pas prévu dans mon emploi du temps, répliqua Regan, qui s'estimerait heureuse si elle avait le temps de prendre une barre chocolatée au distributeur. Alors, allez droit au but et dites-moi ce que vous faites ici.

— Comme je vous l'ai dit, c'est une longue histoire. Et personnelle.

— Je ne veux pas vous offenser, monsieur Callahan, mais à moins que vous n'ayez commis un meurtre, votre vie personnelle ne m'intéresse pas.

— Il ne s'agit pas de moi, *chère*, mais de vous.

Chère… Le mot français la fit tiquer. Et en quoi sa vie privée était-elle concernée ?

— Si j'avais voulu vous communiquer cette histoire sans explication, je vous aurais envoyé un e-mail et ne me serais pas donné la peine de prendre l'avion, insista-t-il. Je ne repars que ce soir. Laissez-moi vous accompagner au tribunal, et nous parlerons quand vous aurez fini de témoigner.

Sa voix était chaude et charmeuse, mais Regan ne céda pas.

— Il n'y a pas le téléphone en Louisiane ?

— Si, même à Blue Bayou. C'est une jolie petite ville au sud de l'État, près du golfe du Mexique. J'en suis le maire.

— Toutes mes félicitations.

Il ne ressemblait vraiment pas au politicien du Sud tel qu'on se l'imaginait – corpulent et transpirant, vêtu d'un complet en lin blanc froissé, et qui, assis dans un rocking-chair sur la véranda d'une demeure élégante quoique délabrée, portait à sa bouche une flasque de bourbon.

— Et vous n'avez pas décroché le téléphone parce que…

— J'ai pensé que vous préféreriez vous entretenir avec moi de vive voix.

Il fallait vraiment qu'elle parte. Modèle de ponctualité, le juge Otterbein menait ses audiences avec la précision d'une montre suisse.

De nouveau, Nate Callahan parut deviner ses pensées.

— Je vous promets de ne pas dire un mot durant le trajet.

Un silence inhabituel s'était établi dans la salle. Se rendant compte que tous les inspecteurs présents les écoutaient, elle tendit la main pour prendre la veste suspendue au dossier de son fauteuil. Avec une rapidité surprenante, il la devança, s'en empara et la tint ouverte devant elle.

— Je peux le faire, marmonna-t-elle, déconcertée.

— Bien sûr, répondit-il d'un ton aimable. Mais mon papa m'a appris à aider les dames.

— Je suis un inspecteur de police, pas une dame du Sud, riposta-t-elle en glissant les bras dans les manches. Votre papa devrait songer à rejoindre le XXIe siècle.

— Ça lui sera un peu difficile, vu qu'il est mort.

— Pardon. Je l'ignorais.

Il haussa les épaules.

— Ne vous inquiétez pas. Je ne suis pas étonné que Finn ne vous l'ait pas dit, car, même dans ses bons jours, il n'est pas bavard. De toute façon, ça s'est passé il y a longtemps.

Une femme moins observatrice n'aurait pas remarqué l'ombre qui avait brièvement voilé son regard bleu. Nate Callahan n'était pas vieux, se dit-elle comme ils se dirigeaient vers le garage. Trente ou trente et un ans. Que voulait dire «longtemps» pour lui?

La télécommande ne marchant plus depuis des semaines, elle déverrouilla les deux portes avec sa clé.

— J'accepte de vous écouter parce que j'aime bien votre frère et que je le respecte, dit-elle. Mais pas maintenant. Un seul mot, et je vous tire une balle dans la tête.

— Entendu, répondit-il gentiment, en s'asseyant à côté d'elle.

— Attachez votre ceinture, ordonna-t-elle en bouclant la sienne.

Ils se glissèrent dans la circulation dense et roulèrent dans un silence que troublaient seulement les vibrations des soupapes. L'accusé étant le fils d'une conseillère municipale, ce procès pour meurtre était un événement médiatique. Des camionnettes de télévision encombraient les abords du tribunal. Regan les contourna et entra dans le parking souterrain.

— Je sais que j'ai promis de me taire, mais puis-je dire un mot sans que vous me tiriez une balle dans la tête ?

— Quoi donc ?

Il se tourna vers elle et posa la main sur le dossier de son siège – une ruse qui ne marchait plus depuis ses quatorze ans, lorsque Tom Hardinger l'avait pelotée tandis que, assis au dernier rang du Village Theater de Westwood, ils regardaient *Indiana Jones et le temple maudit*.

Manifestement peu impressionné par l'arme qu'elle portait à la ceinture, il s'inclina vers elle, si près qu'elle put sentir l'odeur de café et de chewing-gum aux fruits de son haleine. Trop près, songea-t-elle en ouvrant sa portière.

— Vous sentez très bon, *chère*.

— Inspecteur, rectifia-t-elle en mettant pied à terre. Et je ne me suis pas parfumée.

Nate Callahan sortit de la voiture, et ses yeux bleus se rivèrent à ceux de Regan par-dessus le toit de celle-ci. Elle sentit quelque chose palpiter dans son estomac. Voilà ce que c'était que de sauter le petit déjeuner, se dit-elle sans grande conviction.

— Je sais, répondit-il avec le sourire désinvolte qui avait dû séduire des légions de belles du Sud.

Ignorant ce sourire ravageur, Regan se détourna et traversa le parking à grandes enjambées déterminées qui firent claquer ses talons sur le ciment.

Par amitié pour Finn, elle écouterait ce que son frère avait à dire. Puis, avant que le soleil sombre dans le Pacifique, elle le renverrait chez lui et se remettrait à traquer les truands.

5

Cette Regan Hart était une sacrée bonne femme. Pas du tout son type, bien sûr, s'était répété Nate depuis l'instant où il l'avait vue en train de taper sur son clavier à une vitesse incroyable. En fait, il n'était même pas sûr qu'elle lui plaise – phénomène inhabituel, car, d'ordinaire, il aimait tout le monde. Surtout les femmes.

Elle était grande, mince et musclée. Ses longues mains aux ongles dénués de vernis paraissaient plus faites pour jouer de la harpe dans un salon que pour manier la gâchette. Sa bouche bien dessinée ne portait pas de rouge à lèvres. Elle gardait ses cheveux courts, sans doute pour avoir l'air plus flic que femme. Ce qui était raté, car quel homme n'aurait pas eu envie de glisser ses doigts dans ces mèches soyeuses ?

Les discrètes boucles d'oreilles en perle qu'elle portait étaient une erreur. Nate les échangea mentalement contre des anneaux dorés assortis à ses yeux couleur de whisky. Le col de son chemisier était déboutonné et, toujours mentalement, Nate défit le bouton suivant, puis un autre.

Que portait-elle sous ce chemisier très simple ? Un soutien-gorge en coton confortable ? Ou bien de la dentelle très féminine ? La combinaison de ce tailleur en laine gris sombre et de ce chemisier en soie suggérait en tout cas une femme de contrastes.

Sa jupe droite lui arrivait aux genoux quand elle était debout, mais révélait un séduisant morceau de cuisse ferme lorsqu'elle s'asseyait et croisait les jambes. Comme les boucles d'oreilles, cette tenue stricte était une erreur. Cette femme était faite pour des vêtements colorés et luxueux. Nate imaginait sans peine la chair lisse de sa gorge encadrée de soie émeraude.

Tout en marchant de long en large devant la barre, l'avocate de la défense interrogeait Regan Hart d'une voix stridente, contestant chaque détail de l'enquête, l'authenticité des pièces à conviction, la véracité des rapports, et soupçonnant le témoin de nourrir des préjugés contre l'accusé.

— J'ai effectivement un préjugé, admit Regan.

Le prévenu, qui portait un costume si neuf que Nate s'étonna de ne pas apercevoir l'étiquette de prix, ricana.

— Je réprouve l'idée qu'une vie humaine a moins de valeur dans certains quartiers de Los Angeles que dans d'autres. Si plusieurs dizaines de soldats américains trouvaient la mort lors d'une mission à l'étranger, des politiciens se lèveraient un peu partout dans le pays et réclameraient un changement de politique, alors que des centaines de citoyens meurent chaque année dans des zones de cette ville où un politicien ne s'aventure jamais sans protection policière, et ce uniquement à l'occasion d'une campagne électorale…

— Objection, Votre Honneur, protesta l'avocate de la défense.

Les yeux fixés sur les jurés, Regan finit sa déclaration.

— Il semble y avoir une tolérance envers certains meurtres. Et j'espère nourrir toujours des préjugés à l'égard du meurtre de sang-froid d'un enfant.

— Objection ! répéta l'avocate de la défense avec plus de vigueur.

— Retenue, approuva le juge. Le témoin doit se contenter de répondre à la question et s'abstenir de discourir.

— Excusez-moi, maître, dit Regan en se tournant vers l'avocate. Pouvez-vous répéter la question ?

Une cascade de rires parcourut l'assistance. Le juge fronça les sourcils et réclama le silence. Visiblement exaspérée, l'avocate de la défense reprit :

— Nourrissez-vous des préjugés envers la race ou le statut social de mon client ?

— Non, répondit Regan d'un ton ferme.

Les deux femmes s'affrontèrent du regard, et Nate fut convaincu que toutes les personnes présentes entendirent les sabres s'entrechoquer.

— Alors, enchaîna l'avocate, racontez-nous ce que vous avez fait lorsque vous êtes arrivée sur la scène du crime. Étape par étape.

— Si nous devons en passer par là, allons d'abord déjeuner, décréta le juge. L'audience reprendra à 13 h 30.

Il donna un coup de marteau sur son bureau. Tandis que Regan se retirait avec le procureur pour mettre au point leur stratégie, Nate sortit et alla manger un sandwich dans un bar du quartier. Sur l'écran disposé au-dessus du comptoir, une journaliste blonde racontait les derniers rebondissements du procès qui captivait la ville. Malgré l'objection du procureur général, des caméras avaient été installées dans la salle d'audience, ce dont devait se féliciter l'avocate de la défense, si encline aux effets dramatiques.

— Jolie fille, commenta le barman en regardant Regan témoigner, tout en remplissant des verres d'eau minérale. Pour un flic.

Nate approuva.

— Elle vient ici de temps en temps. Elle parle peu, elle commande juste un Coca, ou un verre de vin blanc en fin de journée. Elle a dû être serveuse, car elle laisse de bons pourboires.

Nate but une gorgée de bière.

— Quelle est l'opinion générale sur ce procès ?

— Les preuves sont solides, mais la mère de l'accusé a engagé une équipe d'avocats célèbres. Qui sait comment voteront les jurés ? Les gens sont sensibles aux stars.

Lorsque la séance reprit, Nate examina le jury avec inquiétude. Contrairement à la défense, Regan Hart gardait un ton froid et pragmatique. Bien qu'il ne fût pas expert en la matière, Nate se demanda si elle ne ferait pas mieux de s'adresser autant aux cœurs des jurés qu'à leurs cerveaux. Elle lui rappelait de plus en plus Finn. Que faudrait-il faire pour qu'elle se détende ?

Garderait-t-elle son calme lorsqu'elle apprendrait la raison de sa venue ?

C'était fini. Malgré le malaise initial dû au regard insistant de Nate Callahan, Regan avait réussi à rester froide et professionnelle. À la fin de son témoignage, la culpabilité du prévenu au visage poupin ne faisait de doute pour personne. Regan, les avocats de la défense, le juge en étaient convaincus, ainsi que les jurés, qui ne parvenaient plus à regarder le garçon dans les yeux.

C'était la raison pour laquelle, quelques minutes avant la fin de l'audience, la défense avait demandé une pause. Un compromis avait rapidement été trouvé entre le procureur et les avocats, qui avaient finalement décidé de plaider coupable.

Nate attendait Regan dans le couloir.

— Bon boulot. Vous m'avez impressionné, dit-il.

— Merci, monsieur Callahan, mais vous impressionner ne figure pas sur la liste de mes priorités.

— Appelez-moi Nate, dit-il en ajustant sa foulée à celle de la jeune femme. Vous n'avez pas l'air satisfaite du résultat.

Elle s'arrêta et le regarda.

— Pourquoi devrais-je être satisfaite ?

— Il va en prison.

— Pour meurtre au second degré ! s'écria-t-elle. Qu'est-ce que ça signifie, bon Dieu ? Le petit Ramon Consuelo, lui, est mort à cent pour cent !

— Vous avez fait de votre mieux, protesta-t-il. Ce qu'a visiblement apprécié Mme Consuelo.

— C'était son dernier enfant vivant, dit Regan, qui se demandait comment une femme pouvait survivre à cela. Sa fillette de sept ans a été tuée il y a six ans par un chauffard ivre qui a fauché des gamins devant l'arrêt du car scolaire. Dans les années quatre-vingt-dix, elle a perdu une petite fille de deux ans à cause du sida que son drogué de mari lui avait transmis. Elle ne s'est rendu compte qu'il l'avait contaminée qu'en apprenant la séropositivité du bébé. Elle vit toujours, mais pas le bébé. Ramon était son dernier enfant, et maintenant, elle l'a perdu, lui aussi.

— Ce doit être difficile de faire ce métier quand on s'implique autant.

— Il y a des jours plus pénibles que d'autres.

Certaines nuits aussi, lorsque les morts qu'elle n'avait pu venger venaient hanter son sommeil.

— À quelle heure est votre avion ? demanda-t-elle en se dirigeant vers l'ascenseur qui menait au parking.

— Plus tard. On peut parler en dînant.

— Vous avez de quoi écrire ?

— Bien sûr.

Il sortit un stylo bille de la poche intérieure de son blouson.

— Eh bien, notez ceci : je ne dînerai pas avec vous. Son regard dur ne semblait pas le voir.

— Il faut que vous repreniez des forces pour continuer à jouer aux gendarmes et aux voleurs.

— Je ne considère pas mon boulot comme un jeu.

— Ce n'était qu'une image, inspecteur. Tous ceux qui vous ont vue au tribunal aujourd'hui peuvent confirmer que vous prenez votre travail très au sérieux.

— C'est devenu un cliché, murmura-t-elle, mais si les livres et les films répètent que les inspecteurs de la criminelle parlent pour les morts, c'est que c'est la vérité… Étant le frère de Finn, vous le savez déjà, j'imagine, acheva-t-elle en lui jetant un regard en coin.

— Oui. Finn est un type très sérieux, lui aussi. Mais il s'est un peu détendu depuis son mariage.

— J'ai appris la nouvelle.

Le mariage de cet homme austère et grave à l'excès avec une actrice de Hollywood avait sidéré Regan. Et il ne s'agissait pas de n'importe quelle actrice, mais de la nouvelle James Bond Girl ! On ne pouvait pas allumer la télévision sans tomber sur la bande-annonce du film.

— Au début, Julia et lui ont eu un peu de mal à se comprendre, mais aujourd'hui, ils sont très heureux.

— Je suis contente pour eux.

Elle était sincère. Ayant vu de près les horreurs que pouvaient s'infliger des gens qui s'étaient aimés, Regan était devenue objecteur de conscience en ce qui concernait la guerre des sexes.

— Raconter mon histoire va prendre un peu de temps, reprit Nate. Achetons des hamburgers et allons les manger sur la plage. Je n'ai jamais vu l'océan Pacifique, mais on m'a dit que c'était très beau.

Cette avalanche de boniments sudistes marchait peut-être sur une fille de Louisiane, mais pas sur Regan.

— Écoutez, monsieur Callahan…

— Nate, lui rappela-t-il avec un bref sourire.

Elle écarta sa remarque d'une geste impatient.

— Pourquoi ne m'exposez-vous pas, aussi succinctement que possible, la raison de votre venue, afin que je retourne au travail et vous à Big Bayou ?

— Blue Bayou, corrigea-t-il. Le nom originel était Bayou Bleu, à cause des hérons bleus qui nichent dans le coin, mais il s'est anglicisé au cours des ans.

— Très intéressant.

Elle se fichait éperdument des origines du nom de ce bled paumé. Une chose était sûre, en tout cas : cet homme ignorait la signification du mot « succinct ».

— Alors, si on entrait dans le vif du sujet ?

— Vous savez, parfois, ce n'est pas une mauvaise idée de faire une pause, histoire de s'éclaircir les idées, dit-il en lui effleurant les épaules, ce qui la fit se crisper. Vous avez l'air tendue, inspecteur *cher*.

— En réalité, je perds patience.

Comme un doigt rugueux caressait sa joue, son pouls s'accéléra.

— Et je ne sais pas comment ça se passe dans le bayou, mais ici, si vous touchez une femme armée sans lui en demander la permission, vous risquez de vous retrouver avec une balle dans la tête.

— Vous me tireriez dessus ?

— L'idée commence à me séduire.

La légère caresse de son doigt avait réveillé des hormones qu'elle avait crues en sécurité dans un endroit bien frais. Regan s'écarta. Au même instant, un collègue avec qui elle avait travaillé passa près d'eux. Durant leur collaboration, qui avait duré une semaine, elle n'avait cessé d'éviter ses avances maladroites. Le sourire qu'il lui décocha suggérait qu'il l'imaginait en plein flirt.

— Écoutez, reprit Nate en enfonçant les mains dans ses poches, en discutant comme ça, nous perdons beaucoup de temps, alors que vous vous plaignez d'en manquer. Achetons à manger et emmenez-moi à la plage, où je vous raconterai ma petite histoire. Ensuite, vous pourrez me déposer à l'aéroport et vous serez débarrassée de moi.

Regan poussa un soupir excédé. Ce type était aussi têtu que son frère. Ils en finiraient plus vite si elle acceptait sa proposition.

Sa reddition ne parut pas surprendre Nate, ce qui accrut l'exaspération de Regan tandis qu'ils roulaient vers le *Code Ten*, un bar nommé selon le chiffre qui signalait la pause déjeuner des policiers. Après un autre bref conflit, qu'elle remporta, chacun paya son hamburger, et ils se dirigèrent vers la côte.

allumait la critique, sur des positions adverses
prêts à s'écharper, quand ils ne geignaient pas sur
leur impuissance et se gargarisaient d'insolence.

6

— C'est superbe, dit Nate comme ils s'asseyaient sur un banc de la jetée de Santa Monica.

L'air frais était chargé d'iode et d'images de pays lointains.

— Ça valait le voyage, ajouta-t-il.

— Qui avait quel but ?

Elle sortit son hamburger du sac, et l'odeur de viande grillée et de fromage fondu faillit la faire gémir. À force de sauter les repas, elle s'était habituée à la faim, mais elle se rendait soudain compte qu'elle était au bord de l'inanition.

— Comme je vous l'ai dit, c'est un peu difficile à expliquer. Pour commencer, il faut que vous sachiez que mon père était le shérif de Blue Bayou. Il a été tué dans l'exercice de ses fonctions.

La bouche pleine, Regan eut du mal à avaler. Ayant assisté à de nombreux enterrements, elle savait à quel point la mort d'un policier pouvait être tragique pour la communauté tout entière. Elle savait aussi que grandir sans père était difficile.

— C'est très triste.

Petite, elle avait été le seul enfant de sa classe dont le père était mort. Bien sûr, beaucoup d'enfants de divorcés ne voyaient leurs pères que le week-end. D'autres n'avaient aucun rapport avec eux, car ils avaient disparu sans laisser d'adresse avant ou après leur naissance. Mais être orphelin de père vous plaçait complètement à l'écart.

— Oui, c'était dur. Mais, comme je vous l'ai dit, c'était il y a longtemps.

— Combien de temps ?

— Cela fera dix-neuf ans en mai prochain.

Il n'avait pas eu à compter. Le souvenir était encore frais.

— Quel âge aviez-vous ?

— Douze ans. Bref, je vidais le débarras avant de rénover le poste de police… Je suis entrepreneur…

— Je croyais que vous faisiez de la politique.

— Être maire, c'est du bénévolat. C'est mon entreprise qui me fait vivre. Donc, j'examinais des cartons de pièces à conviction lorsque je suis tombé sur quelque chose qui vous appartient.

— C'est impossible.

Elle n'était allée que deux fois en Louisiane, la première pour faire un exposé sur la protection des scènes de crimes lors d'un congrès à La Nouvelle-Orléans, et la seconde, le mois précédent, pour amener à Shreveport un homme suspecté de meurtre.

— Votre mère s'appelait Karen Hart, n'est-ce pas ?

— C'est Finn qui vous l'a dit ?

— Oui, fit-il avec le sourire qui avait dû séduire ses électeurs. Mais c'est un vieux rapport de police qui m'a conduit à l'interroger. Quelle coïncidence amusante, que vous ayez travaillé ensemble !

Il avait réussi à piquer la curiosité de Regan.

— Quel rapport de police ?

— Celui qui portait le nom de votre maman.

— Écoutez, Finn Callahan est le meilleur enquêteur que je connaisse. Mais même lui peut se tromper. Ma mère était associée dans un cabinet d'avocats. Ce n'était pas le genre de personne à se retrouver dans un rapport de police.

— Quel âge avez-vous, inspecteur ?

— Je ne vois pas ce que mon âge vient faire là-dedans.

— Selon ce rapport, votre mère avait une sœur. Une sœur qui est morte en laissant une petite fille qui aurait aujourd'hui trente-trois ans.

— Callahan, je ne suis pas la seule femme au monde à avoir trente-trois ans. En outre, ma mère était fille unique.

Il sortit des papiers de l'enveloppe marron qu'il n'avait pas lâchée de la journée.

— Karen Hart figure ici comme la seule parente vivante de Linda Dale, à l'exception d'un bébé dont l'acte de naissance porte le nom de Regan Dale.

Regan prit les papiers avec une hésitation qui lui fit honte. Elle s'obligea à respirer calmement et parcourut ce qui semblait être un rapport de police en bonne et due forme de la ville de Blue Bayou, Louisiane. Puis elle regarda l'acte de naissance. Une dénommée Linda Dale âgée de vingt-cinq ans avait donné le jour à une fille de trois kilos quatre cent cinquante. De père inconnu.

— Je n'ai jamais entendu le nom de Linda Dale, ni celui de Regan Dale. Je m'appelle Hart. Depuis toujours.

— Il y a aussi une photographie, dit-il en glissant la main dans l'enveloppe. Linda Dale était une jolie femme. Vous pourriez remarquer des ressemblances.

La photographie avait été prise devant la grille en fer forgé tarabiscotée d'un bâtiment en brique rouge. Regan reconnut l'architecture de La Nouvelle-Orléans. La femme portait un costume rouge, blanc et bleu, comme si elle s'était déguisée pour Halloween ou Mardi gras. Les années avaient estompé les couleurs, mais pas les traits du visage souriant.

Et, bien que les cheveux de l'inconnue soient roux et non bruns, c'était celui de sa mère. C'était aussi le visage que Regan avait vu tous les matins dans le miroir de sa salle de bains avant la nuit fatale où elle avait failli perdre la vie, le visage que les chirurgiens s'étaient efforcés de lui rendre.

La différence essentielle était dans le regard. Regan était sûre de n'avoir jamais éprouvé l'émotion qui illuminait les yeux noisette de Linda Dale. Il était évident que cette femme était passionnément amoureuse de la personne qui tenait l'appareil photo.

Nate la regardait, attendant sa réaction.

— Intéressant, fit-elle. Mais cela ne prouve rien.

— Elle vous ressemble beaucoup.

— Son nez est plus retroussé et sa mâchoire moins marquée. Et elle a les cheveux roux.

— Les femmes sont connues pour aimer se teindre les cheveux. Et même avec cette différence, la ressemblance est assez prononcée.

— Même si nous nous ressemblions comme des jumelles séparées à la naissance, cela ne prouverait rien. On a tous un sosie. Au *Code Ten*, il y a une barmaid qui est le portrait craché de Julia Roberts.

— Selon le dossier, cette femme s'appelait Linda Dale et était la sœur jumelle de Karen Hart, insista-t-il.

— Cela ne prouve toujours rien. Les pièces à conviction peuvent s'interpréter de nombreuses façons. C'est pourquoi la justice est si lente et les tribunaux si encombrés.

— Exact.

Il pencha la tête et l'examina tranquillement, sérieusement.

— Finn est méfiant, lui aussi.

Une émotion familière envahit Regan. Bien qu'elle eût les pieds sur terre, elle admettait que des défunts puissent s'adresser aux vivants de leurs tombes. Elle en avait déjà fait l'expérience lorsque les yeux aveugles d'une victime semblaient l'implorer de trouver son meurtrier.

— Je vais vous raconter quelques histoires, monsieur Callahan. Celle-ci, par exemple : peu avant Noël, j'étais assise à côté d'un sapin couvert de guirlandes lumineuses dans le salon d'une maison confortable, et j'écoutais une femme me raconter que la dernière fois qu'elle avait vu sa petite fille de quatre ans, c'était dans un centre commercial où elle avait emmené l'enfant embrasser le Père Noël. Deux jours plus tard, j'ai arrêté le petit ami et complice de cette dame, un dealer. Pour toucher une assurance de mille dollars, ils avaient confié l'enfant à un troisième complice qui l'avait emmenée dans le désert, où il lui avait tiré une balle dans la tête. La fillette n'avait pas eu le temps de s'asseoir sur les genoux du Père Noël. Et il se serait peut-être écoulé des années avant que justice lui soit rendue si des adolescents, qui étrennaient leurs motos toutes neuves dans les dunes, n'avaient découvert son corps.

« Autre anecdote édifiante : j'ai dû enjamber le corps d'une femme que son mari avait abattue d'un coup de revolver tout en maintenant un couteau sur la gorge de leur petit garçon. Lorsque nous sommes arrivés, prévenus par un voisin, le type portait toujours ses vêtements ensanglantés, mais cela ne l'a pas empêché de protester de son innocence et de réclamer un avocat.

« Et ceci encore : je vois régulièrement des enfants assassinés sur un terrain de jeux uniquement parce qu'un gamin avait besoin de tuer un inconnu pour être accepté dans un gang. Enfin, j'ai travaillé avec votre frère vingt-quatre heures sur vingt-quatre durant l'une des pires canicules de la décennie pour coincer un pervers qui prenait son pied en torturant des jeunes femmes. Tout cela, monsieur Callahan, pour vous expliquer pourquoi je ne fais pas facilement confiance.

Il inclina de nouveau la tête. Le soleil de Californie, brillant même en hiver, allumait dans ses cheveux des éclats dorés que le plus habile coloriste de Beverly Hills n'aurait pu réaliser. Regan, qui travaillait depuis des années à perfectionner son allure de flic intimidant, s'étonna du malaise que lui inspirait l'examen silencieux qu'il lui faisait subir.

— C'est une bonne cervelle de flic que vous avez dans votre jolie tête, inspecteur *cher*.

Elle déchiqueta une frite. Cet adjectif français qu'il employait à tout bout de champ lui mettait les nerfs en pelote.

— Et vous, c'est une cervelle de macho que vous avez, monsieur le maire.

— Parce que j'ai remarqué votre beauté ? Les hommes ont le droit de regarder ce qui est beau. Ça ne signifie pas qu'ils se sentent autorisés à aller plus loin sans permission.

— Un bon conseil : n'y songez même pas !

Et voilà ! Une fois de plus, l'émotion la rendait agressive. Elle écrasa le sac en papier vide.

— Bon, si vos preuves se limitent à cela...

— Seigneur, vous êtes toujours aussi pressée ? On ne vous a jamais dit que la précipitation était mauvaise pour la santé ?

Il sortit d'autres papiers de l'enveloppe.

— Voici des actions qui feraient de Regan Dale une femme riche.

— Elles pourraient aussi faire de vous un homme riche, puisqu'elles sont au porteur.

— Elles ne m'appartiennent pas, protesta-t-il, offensé. Je suis sûr qu'elles sont à vous.

Satan ne se présentait pas avec des cornes, une queue fourchue et une haleine puante, mais avec des manières agréables et un sourire séduisant, se rappela Regan.

— C'est ce que vous dites. Je maintiens que vous vous trompez.

— Prenez-les quand même. Faites une petite enquête. Vous pourriez tomber sur quelque chose qui vous ferait changer d'avis.

Regan haussa les épaules. Cette histoire ne la concernait pas, elle en était certaine, mais...

— Nous ferions mieux de partir pour l'aéroport.

— Nous avons le temps.

— Vous ne connaissez pas cet aéroport. C'était déjà compliqué avant qu'ils ne renforcent les mesures de sécurité. Maintenant, ça tient du cauchemar.

Elle jeta le sac dans une poubelle.

— Vous savez, le Pacifique est encore plus beau que ce qu'on m'avait dit, reprit-il comme ils se dirigeaient vers le parking. Merci de m'y avoir emmené.

— Comme vous l'avez dit vous-même, il fallait bien que je mange quelque chose.

Comprenant qu'il valait mieux ne pas insister, Nate Callahan ne parla plus de Linda Dale durant le trajet vers l'aéroport, mais vanta avec lyrisme sa région natale.

— Je comprends pourquoi on vous a élu maire, dit Regan en s'arrêtant devant le terminal. Vous êtes un bon ambassadeur.

— Blue Bayou est une jolie petite ville, répondit-il en prenant son sac de voyage sur la banquette arrière. Aussi charmante qu'une carte postale et très paisible.

Il se tourna vers elle avant d'ouvrir sa portière.

— Il se trouve qu'en ce moment nous cherchons un shérif. Si vous en avez assez de vivre à cent à l'heure, venez faire un essai chez nous.

— Merci pour la proposition, mais je suis très bien ici.

Ce n'était pas totalement vrai, mais elle n'avait pas envie de confier ses pensées intimes à un parfait inconnu.

D'un geste preste qui la surprit, il lui ôta ses lunettes de soleil.

— Loin de moi l'idée de contredire une belle femme, dit-il en caressant du pouce les cernes de Regan. Mais un peu de repos ne vous ferait pas de mal, inspecteur *cher*.

— Voyons, Callahan !

— Ce n'était qu'une observation.

Il descendit de voiture. Puis, indifférent au conducteur qui klaxonnait derrière eux, il lui tendit ses lunettes de soleil et un cahier relié de cuir blanc qu'il avait pris dans la poche de son blouson.

— Qu'est-ce que c'est ?

— Le journal de Linda Dale. Je me suis dit que vous aimeriez le lire. Ce n'est pas un chef-d'œuvre de la littérature, mais elle parle de son bébé et de sa sœur, Karen Hart. J'ai glissé sous la reliure un papier avec mon numéro de téléphone, au cas où vous voudriez m'appeler.

Sur ce, il se redressa et entra dans le terminal.

Un coup de klaxon retentit de nouveau derrière Regan. Un policier siffla et s'approcha d'elle.

— Ça va, ça va.

Résistant à l'envie de verbaliser le conducteur impatient pour trouble à l'ordre public – troublée, elle-même l'était déjà par la faute de Nate Callahan –, elle démarra.

7

— Alors, demanda Jack, comment ça s'est passé ?

À peine arrivé à Blue Bayou, Nate s'était rendu à Beau Soleil, l'antique demeure qu'il restaurait. Les travaux avaient commencé près de deux ans plus tôt et n'étaient pas près d'être finis, mais, heureusement, ni Jack ni Dani – dont la famille avait possédé la propriété avant que Jack ne l'achète – ne semblaient souffrir de vivre au milieu d'un chantier. Dani avait créé une atmosphère chaude et douillette dans ce qui aurait pu être un chaos.

Les enfants faisaient leurs devoirs à l'étage et, assise dans un coin de l'ancienne bibliothèque, Dani tricotait. Plus exactement, elle essayait d'apprendre à tricoter, ce qui se révélait beaucoup plus difficile que ne le prétendait *Le tricot est un jeu d'enfant*, manuel qu'elle avait rapporté de la bibliothèque de Blue Bayou.

— Ç'aurait pu être pire, répondit Nate.

Il se pencha sur la table de billard et envoya deux boules dans une poche.

— Ç'aurait pu être mieux.

Adossé au mur lambrissé, Jack passait de la craie sur sa queue de billard.

— Comment est-elle ?

— Intelligente.

Une autre boule disparut dans une poche de côté.

— Et très jolie, malgré les allures de dure à cuire qu'elle essaie de se donner.

La boule rayée de rouge ricocha sur un côté et roula jusqu'au coin opposé.

— Elle m'a rappelé Finn avant qu'il tombe amoureux de Julia.

— Sinistre à ce point ?

— Pas vraiment sinistre.

Nate réfléchit, tout en se déplaçant autour de la table.

— Comme notre frère aîné, elle croit à la vérité, à la justice et aux valeurs américaines. Bref, c'est le contraire de nos belles du Sud.

Jack éclata de rire.

— Quel est le problème, frérot ? Le charme légendaire de Nate Callahan se serait-il heurté à un mur ?

— J'ai obtenu qu'elle m'écoute.

Au souvenir du regard troublé de Regan lorsqu'il lui avait caressé la joue, il s'imagina, et ce n'était pas la première fois, la caressant partout. Distrait, il rata son coup.

— Elle a fini par prendre les papiers.

— Qu'a-t-elle dit du rapport d'autopsie ?

— Rien, parce qu'à la dernière minute j'ai décidé de ne pas le lui donner. Elle avait eu une dure journée au tribunal, et je n'avais pas arrêté de la harceler. Je me suis dit que j'attendrais qu'elle m'appelle.

— Elle pourrait te le reprocher.

— Eh bien, il ne me restera plus qu'à me faire pardonner.

— Si elle ressemble autant à Finn que tu le dis, ce n'est pas gagné.

Ayant, durant sa jeunesse, passé plus de temps dans les bars et les salles de billard que son frère, Jack envoya coup sur coup trois boules dans les poches.

De l'autre côté de la pièce, Danielle Dupree Callahan sauta une maille et jura. Le tricot pour bébé qu'aurait dû devenir la pelote de laine jaune clair ne ressemblait à rien de connu.

— Tu crois qu'elle appellera ? demanda Jack en tirant de nouveau.

— Oui.

Les boules disparaissaient de la table aussi vite que les écrevisses d'un buffet.

— Elle est flic. La curiosité la poussera à appeler… Tu sais, j'en ai marre que mon arnaqueur de frère me fiche toujours la pâtée, dit-il comme Jack continuait à nettoyer le billard.

— C'est l'un des avantages d'avoir vécu une folle jeunesse, répliqua Jack en riant. Tu me dois vingt dollars, *cher*.

Nate sortit l'argent de sa poche tout en regardant l'horloge. Il devait être 20 heures à Los Angeles. Regan avait-elle lu le journal de Linda Dale?

Elle l'avait lu. Les notes étaient sporadiques, avec des trous de plusieurs semaines, voire de mois et d'années. Linda Dale avait quitté le foyer familial à dix-sept ans pour devenir chanteuse de country. Elle était passée de ville en ville et de concert en concert, mais n'avait pas semblé souffrir de cette existence de nomade. Elle prenait pour amants des musiciens qu'elle quittait lorsque la relation menaçait de devenir trop pesante. C'était une femme libérée, désireuse à la fois de profiter de la vie et de sauver les âmes perdues, même celles qui ne voulaient pas être sauvées.

Elle écrivait, semblait-il, au début d'une histoire d'amour et à la fin. Entre les deux, elle était manifestement trop occupée pour prendre un stylo.

Aucun des hommes qu'elle avait connus n'avait été le prince charmant dont elle rêvait – quelques-uns tenaient même plutôt du crapaud. Mais Linda restait optimiste, convaincue que, quelque part dans le monde, l'âme sœur l'attendait.

Après un silence de près de deux ans, une petite fille nommée Regan avait surgi dans le paysage. Et les choses étaient devenues vraiment personnelles. Regan s'adossa à la tête de lit, ferma les yeux et inspira profondément.

En tant que femme, elle était remplie de compassion pour cette jeune chanteuse qui tentait de poursuivre sa carrière tout en élevant une petite fille. En tant qu'inspecteur de police, elle voulait en savoir plus. Elle tourna la page et se remit à lire.

1er janvier. J. m'a fait la bonne surprise de me rejoindre dans ma loge avec une bouteille de champagne pour fêter la nouvelle année. L'alcool m'a moins grisée que la promesse de J. : cette année, enfin, nous vivrons ensemble au grand jour. Nous avons fait l'amour, rapidement et en silence à cause du manque d'intimité, mais c'était aussi merveilleux que la première fois, à La Nouvelle-Orléans, lorsqu'il est entré au Camellia Club *et a changé ma vie.*

15 janvier. J'ai l'impression que mon excitation s'est communiquée à Regan. Parfois, je me demande si je ne me suis pas trompée en décidant de l'élever seule, sans l'influence équilibrante d'une famille composée d'un père et d'une mère.

Bien sûr, Karen, qui n'aime de toute façon pas parler de Regan, s'est moquée de moi quand j'ai évoqué ce problème au téléphone, l'autre jour. Elle a prétendu que les femmes avaient autant besoin des hommes que les poissons de bicyclettes ! À mon avis, elle me trouve stupide de me réjouir d'avoir un homme dans ma vie et de vouloir en introduire un dans la vie de Regan. Mais Karen a toujours été la personne la plus indépendante que je connaisse. Comparé à mon avocate de sœur, le rocher de Gibraltar est un château de sable.

C'était délicieux de voir Regan tournoyer dans la pièce comme un petit derviche. Quelle enfant radieuse ! J'aime à penser qu'elle a hérité de mon talent. En tout cas, elle a plus d'assurance que je n'en avais à son âge. Ou même aujourd'hui. Je sais bien que toutes les mères trouvent leurs enfants beaux et talentueux, mais je crois sincèrement qu'elle peut devenir une star. Lorsque je lui ai dit qu'à mon mariage elle danserait avec son nou-

veau papa, elle a pouffé de rire, m'a jeté les bras autour du cou et m'a donné un énorme baiser. Je ne me rappelle pas avoir jamais été aussi heureuse.

14 février, jour de la Saint-Valentin. J. et moi avons réussi à nous éclipser à l'heure du déjeuner. Nous nous sommes rendus à notre endroit secret et nous avons fait l'amour. Ensuite, J. m'a offert un magnifique pendentif, un cœur orné d'un rubis. Il a dit que j'avais pris son cœur dès le premier jour. J'ai pleuré, ce qui l'a affolé, mais je lui ai assuré que c'étaient des larmes de joie, et non de chagrin.

15 février. C'est l'attente qui est pénible. Mais je sais que la situation de J. n'est pas simple et que je dois être patiente. Ce soir, il est venu au cabaret avec des amis, et le voir sans pouvoir le toucher m'a été insupportable. Bientôt, dit-il. Bientôt.

4 mars. Regan a fêté ses deux ans. J. est arrivé dans la soirée avec un éléphant en peluche, une adorable petite chose verte et rouge parsemée de points dorés, avec des perles et une couronne de Mardi gras.

— Non ! cria Regan.

Elle appuya les paumes sur ses yeux jusqu'à ce que des étoiles tourbillonnantes apparaissent sous ses paupières. Des émotions contradictoires l'envahirent tandis que l'incrédulité à laquelle elle s'était cramponnée commençait à se fissurer.

Le cœur battant, elle s'obligea à achever sa lecture.

Il m'a paru un peu distrait, ce qui n'a rien d'étonnant, étant donné qu'il doit annoncer son départ à sa femme demain. L'excitation me monte à la tête comme si j'avais bu du champagne. Je ne vais pas fermer l'œil de la nuit.

C'étaient les dernières lignes. Bouleversée, Regan posa le journal et ferma les yeux. Elle passa dans ses cheveux une main qui lui parut peser une tonne.

Elle avait déjà éprouvé cette sensation d'abattement total par deux fois : durant les semaines passées à l'hôpital, et lorsque sa mère était décédée inopinément d'un accident vasculaire cérébral, trois ans plus tôt. Karen Hart, la Wonder Woman de Los Angeles, avait succombé à un mal plus fort qu'elle.

Regan avait survécu à ces épreuves. Sa prompte guérison avait surpris le corps médical. Elle avait repris le travail dès que cela avait été possible, même s'il lui avait fallu ensuite s'absenter pour de nouvelles opérations. De même, surmontant son choc et son chagrin, elle avait organisé elle-même les funérailles de sa mère.

Elle se leva et, les jambes aussi tremblantes que lors des premiers mois de sa rééducation, alla prendre la boîte en cèdre qu'elle gardait sur sa commode.

Le souffle court, elle en sortit l'éléphant en peluche auquel, pour une raison inconnue, elle avait donné le nom de Gabriel. Ayant été son jouet préféré, il était aujourd'hui usé et dépenaillé. Et, bien qu'il ne fût sûrement pas le seul éléphant en peluche du monde, Regan comprit qu'elle tenait là la preuve que l'histoire de Nate Callahan était vraie.

La couronne dorée avait disparu depuis longtemps, et les perles s'étaient brisées lors d'une bagarre enfantine avec Johnny Jacobs. Elle avait gardé son éléphant, et le petit garçon était rentré chez lui en hurlant avec un œil au beurre noir, ce qui avait valu à Regan d'être privée de télévision durant une semaine.

Elle avait supporté vaillamment la punition, car le sentiment d'avoir eu raison l'emportait sur l'intérêt de *Starsky and Hutch*. Son père aurait compris, s'était-elle répété à l'époque.

Son père… Une idée lui traversa l'esprit. Si Karen Hart n'était pas sa mère, John Hart n'était sans doute pas son père. À moins qu'il ne soit le J. du journal intime.

Avait-il eu une liaison avec sa belle-sœur ? La distance qui séparait la Louisiane de la Californie aurait compliqué les choses, mais rien ne prouvait que Linda Dale vivait en Louisiane lorsqu'elle était tombée enceinte.

Et quelle femme aurait adopté l'enfant que son mari avait conçu avec une autre, surtout si cette autre était sa sœur jumelle ?

Aucune, sauf Karen. Non par amour ou respect de la famille, mais par sens du devoir. Cela pouvait expliquer que Regan ne se souvînt d'aucun geste de tendresse maternelle de la part de la femme qu'elle avait toujours prise pour sa mère.

— Zut, zut, zut.

L'aube jetait dans la pièce une douce lueur lavande. Les larmes aux yeux, Regan pressa la peluche contre sa poitrine. Sa vie entière était-elle bâtie sur une montagne de mensonges ? Et si ce n'était pas le cas, quelle partie était vraie ?

Elle prit le papier sur lequel Nate Callahan avait inscrit son numéro de téléphone et le fixa longuement. Une foule de questions tourbillonnaient dans son cerveau.

Elle décrocha le téléphone, composa le code local, puis reposa brutalement l'écouteur. Il lui fallait du temps. Du temps pour encaisser le choc et savoir ce qu'elle voulait faire.

Elle avait besoin de sortir, de s'éclaircir les idées, de se remettre à penser en flic, et non en femme dont le monde vient de basculer.

Encore abasourdie, elle se déshabilla et, malgré la bruine froide et le brouillard qui montait de l'océan, enfila des vêtements de sport. Puis elle s'élança dans les rues encore sombres. Penser que la femme qui l'avait nourrie, vêtue et élevée, sinon affectueusement, du moins consciencieusement, avait fait de sa vie un énorme mensonge lui laissait dans la bouche un goût amer.

Sous les nuages gris qui venaient de l'océan blanchi par l'écume, Regan courut jusqu'à l'épuisement.

8

Une reprise de la guerre des gangs maintint Regan occupée nuit et jour, ce qui, malgré la fatigue, eut le mérite de la distraire de ses propres problèmes.

Elle garda son secret pour elle pendant un mois. De temps à autre, elle y pensait brièvement, comme à une vieille affaire à laquelle elle reviendrait lorsque les enquêtes en cours seraient réglées. Finalement, les marches de protestation organisées par les habitants des communautés défavorisées attirèrent enfin l'attention de la presse, et les politiciens desserrèrent les cordons de la bourse afin d'augmenter le nombre de policiers de terrain, ce qui entraîna une ribambelle d'arrestations fructueuses.

Les choses s'étant calmées, Regan appela Finn, dont le conseil rejoignit ce qu'elle pensait elle-même. Elle ne pouvait espérer comprendre son passé si elle ne se rendait pas à Blue Bayou, où avait vécu et était morte Linda Dale.

Regan organisa son voyage. Puis, après un long jogging matinal sur la plage, elle appela sa coéquipière.

— Je te réveille ?

— Bien sûr que non, répondit Vanessa d'une voix pâteuse qui prouvait le contraire.

La voix de Rasheed s'éleva dans le fond, demandant qui appelait. Vanessa lui répondit, puis reprit à l'adresse de Regan :

— Qu'y a-t-il ?

— Je pars en vacances.

— Bonne idée. Tu as bien besoin d'une pause. Cela fait plus de dix-huit mois que tu n'as pas pris le temps de souffler.

Dix-neuf. Mais à quoi bon compter ?

— Où vas-tu ?

— En Louisiane.

— Oh, la veinarde ! Les restaurants de La Nouvelle-Orléans sont fabuleux, le jazz y est excellent, et en plus, c'est bientôt Mardi gras. Tu ne vas pas t'ennuyer.

— Je ne vais pas à La Nouvelle-Orléans, mais à Blue Bayou. C'est une petite ville près du golfe du Mexique.

— Je n'en ai jamais entendu parler.

— Je doute que beaucoup de monde la connaisse. Ce n'est qu'un point sur la carte.

— Comment l'as-tu trouvée ?

— J'ai fait une recherche sur Internet.

Ce demi-mensonge mit Regan mal à l'aise, même s'il était vrai qu'elle avait consulté le site de la ville et constaté que Nate Callahan en était bien le maire.

— Combien de temps comptes-tu rester là-bas ?

— Je ne sais pas.

Un long silence s'établit. Regan pouvait presque entendre tourner les rouages dans la tête de sa coéquipière.

— Ce brusque voyage aurait-il quelque chose à voir avec un homme ?

— D'une certaine façon.

— Tu aimerais te confier à ta meilleure amie ?

— Je ne peux pas. Pas encore.

La curiosité de Vanessa se changea en inquiétude.

— Je peux faire quelque chose pour toi ?

Regan ne se sentait pas prête à lui confier des détails dont elle-même n'était pas sûre.

— Non. Mais ne t'en fais pas. C'est juste un petit malentendu que je dois éclaircir. En cas d'urgence, je serai au *Plantation Inn*.

— Ça a l'air sympa.

— Oui, n'est-ce pas ? De toute façon, c'est l'unique hôtel de la ville.

Elle lui donna le numéro, puis, après lui avoir assuré que tout allait bien, commença à préparer ses bagages.

Josh Duggan n'avait que quatorze ans mais croyait savoir beaucoup de choses. En particulier, qu'il faisait chaud en Louisiane. Eh bien, c'était une erreur et, si personne ne s'arrêtait, il allait se transformer en glaçon.

Faire du stop était dangereux, il le savait, mais il avait vu un flic parler au cuisinier du restaurant de la gare routière de Jackson. Remonter dans le car lui avait paru stupide, et il avait décidé de tenter sa chance en dressant le pouce sur les petites routes.

Hélas, jusqu'à présent, un seul véhicule était passé. À la vue de la carrosserie blanc et bleu d'une voiture de police, il avait plongé dans un fossé et attendu qu'elle s'éloigne. Résultat, ses vêtements étaient mouillés, sa jambe droite lui faisait mal, et il s'était écorché la joue sur une pierre.

Son estomac protesta bruyamment. Cela faisait douze heures qu'il lui promettait quelque chose à manger, mais, comme il n'avait que trente-cinq cents en poche, il lui faudrait sauter le dîner. Pour la énième fois.

La première des priorités était d'atteindre une ville quelconque.

En apercevant une masse sombre dans les tourbillons gris de la brume, il reprit courage. Un bruit de moteur diesel perça le silence. C'était un camion, et il roulait vite. Trop vite. Le conducteur le verrait-il ? Le désespoir de Josh était tel qu'il songeait à bondir devant le véhicule lorsque les freins du semi-remorque gémirent.

L'énorme camion s'arrêta dix mètres après l'avoir dépassé. Craignant que le chauffeur ne redémarre,

Josh courut le long des deux remorques, malgré sa jambe douloureuse. La porte de la cabine s'ouvrit. Un homme que Josh n'aurait pas aimé croiser dans une rue déserte passa la tête au-dehors. Il avait des yeux noirs comme la nuit, et une cicatrice entaillait sa joue depuis la pommette jusqu'à sa barbe hirsute.

— Qu'est-ce que tu fous là, gamin ?

Josh n'avait aucun scrupule à mentir. Tout le monde le faisait. Pourquoi pas lui ?

— Ma voiture est tombée en panne. J'allais chercher un garagiste.

Les yeux noirs se plissèrent.

— Je vois pas de voiture.

— Je l'ai laissée sur une petite route, pas loin.

— T'as pas l'air d'avoir l'âge de conduire.

Josh redressa le menton et soutint calmement le regard sceptique du chauffeur.

— Je suis petit pour mon âge.

— Quelle blague ! dit l'homme en l'examinant durant ce qui lui parut durer une éternité. En principe, j'ai pas le droit de prendre des passagers, mais ma bourgeoise me botterait les fesses si elle apprenait que j'ai laissé un gosse dehors par un froid pareil… Allez, monte !

Sans se faire prier, Josh grimpa sur le siège du passager. La chaleur de la cabine et l'odeur de beignet qui y flottait lui firent tourner la tête.

— Merci. Je voudrais bien vous payer, mais…

— Ton fric, j'm'en fiche. Ce que je veux, c'est la vérité. T'as pas les flics aux trousses, par hasard ?

Il jeta un coup d'œil dans le rétroviseur, comme s'il s'attendait à voir surgir un gyrophare.

Sur ses bras, épais comme des troncs d'arbre, étaient tatoués des dessins bleus et rouges. Josh se demanda brièvement s'il s'agissait de souvenirs de prison, puis décida qu'il ne tenait pas à le savoir.

— Je ne suis pas un fugueur et je n'ai rien commis d'illégal, si c'est ça qui vous inquiète, mentit-il.

Il suffisait que le chauffeur prenne son portable et interroge la police pour que l'aventure s'arrête là et qu'on le renvoie en Floride. Mais cela ne changerait rien. Il reprendrait le large. Autant de fois que nécessaire.

Le chauffeur ne répondit pas tout de suite. Il s'empara de la canette de Coca vide accrochée au tableau de bord et y cracha un jet de jus de tabac.

— J'aime pas trop la police moi-même, dit-il enfin.

Il tendit la main derrière lui et prit sur sa couchette un sac de beignets.

— T'en veux ?

Josh accepta en s'efforçant de ne pas montrer trop d'empressement. Le goût du gâteau enrobé de sucre glace faillit le faire brailler comme un bébé. Une fois rassasié, il appuya la tête contre la vitre et regarda les essuie-glaces balayer le pare-brise. Et, tandis que le hululement d'un train retentissait au loin, il s'autorisa à se détendre un peu.

Debout sur une échelle, Nate arrachait du mur des clous rouillés lorsqu'elle entra dans le poste de police. Le radar personnel qui lui permettait de détecter toute présence féminine dans un rayon de cinquante mètres fonctionna parfaitement. Il jeta un coup d'œil par-dessus son épaule et vit Regan debout sur le seuil du débarras.

Des gouttes de pluie étincelaient comme des diamants sur ses cheveux. Elle portait un jean et un blouson noirs, et des chaussures à talons plats.

— Je ne m'attendais pas à vous voir là, dit-elle.

Au lieu de : « Bonjour, enchantée de vous revoir, quelle jolie petite ville vous avez là ! »

— Je travaillais un peu.

— Je suis venue voir le shérif. Il n'y a personne à l'accueil.

Son ton trahissait une vive réprobation.

— Nous n'avons toujours pas de shérif. Mme Bernhard, la personne qui reçoit les appels, cesse de travailler à 17 heures car son mari tient à dîner devant les informations de 18 heures.

Tandis qu'il regardait les yeux couleur de whisky bordés de longs cils, Nate sentit s'éveiller en lui une sensation délicieuse et familière.

— C'est une petite manie que je n'ai jamais comprise, poursuivit-il, car il me semble que la guerre, la politique, les crimes, ça coupe plutôt l'appétit, mais Emil aime ça. Et Ruby dit qu'après cinquante ans de mariage on ne change pas un homme.

— La ville n'a pas de dispatcher de nuit ?

— Non.

Visiblement, elle n'approuvait pas cela non plus. Nate raccrocha son marteau à panne fendue dans sa ceinture à outils. Comment pouvait-elle à la fois lui rappeler Finn et lui donner envie de mordiller son menton têtu ? se demanda-t-il.

— Que se passe-t-il en cas de crime, la nuit ?

— Ça sonne chez Henri Petrie. C'est le shérif adjoint le plus âgé. Le soir, les trois quarts des problèmes se produisent au *Sans Nom*, un bar à l'extérieur de la ville, ou au *Chien assoiffé*, un autre bistrot, à deux kilomètres du *Sans Nom*. Comme Henri passe toutes ses soirées, sauf le dimanche, au *Chien assoiffé*, à jouer au bourré – c'est un jeu de cartes qui tient du poker et du bridge –, il est déjà sur place.

Il descendit de l'échelle. Regan recula d'un pas, comme pour fixer les limites à ne pas dépasser, ce qui donna à Nate l'envie de les repousser.

— Bien sûr, il se plaint que cela nuit à sa vie sociale, car il ne peut pas picoler, au cas où quelque chose arriverait.

— Il ne serait pas le premier flic à boire pendant le service.

— Sans doute. Mais tant que je serai maire, il n'en sera pas question... Cela vous étonne ? demanda-t-il devant son regard dubitatif.

— Je vous aurais cru un peu plus détendu en matière d'interdits.

— Restez ici quelque temps, *chère*, et vous découvrirez que je suis plein de surprises.

Les cheveux de Regan Hart sentaient la pluie. Habitué aux femmes qui s'aspergeaient de parfums capiteux, préparés sur commande à La Nouvelle-Orléans, Nate n'aurait pas imaginé que la pluie et le savon puissent sentir aussi bon. À cela s'ajoutait la propre odeur fraîche de la jeune femme.

— C'est très agréable d'avoir un boulot qu'on aime, mais ça ne signifie pas qu'on peut mélanger travail et plaisir. Surtout quand ce travail oblige à être armé, dit-il avec le sourire langoureux qui, comme le lui avaient répété nombre de femmes, était irrésistible.

Apparemment, elles se trompaient. À moins que Regan ne soit plus coriace qu'elles.

— C'est pourtant ce que vous faites, non ? fit-elle d'un ton encore plus réprobateur. Mélanger travail et plaisir. Un usage cajun, sans doute.

Seigneur, quelle enquiquineuse ! Mignonne, certes, mais enquiquineuse.

— Eh bien, je le répète, c'est agréable d'avoir un boulot qu'on aime. Quant à l'interdiction de boire pendant le service, nous n'avons pas besoin qu'un touriste jeté en prison pour cuver son vin nous fasse un procès parce que le flic qui l'a arrêté sentait l'alcool. La ville a assez de mal comme ça à payer sa prime d'assurance.

— Je vois, fit-elle d'un ton méprisant.

Devinant que la bombe qu'il lui avait lâchée sur la tête lui avait fait passer de mauvais moments, il s'abstint de lui reprocher son attitude dédaigneuse.

— Que savez-vous des Cajuns ? demanda-t-il.

— Je connais de nom le chef cuisinier Paul Prud-
homme. J'apprécie la cuisine cajun et je sais que les
Cajuns aiment faire la fête.

— *Laissez le bon temps rouler*. C'est le titre d'une
chanson qui est devenue une devise locale.

Des années avaient dû s'écouler depuis la dernière
fois où elle avait laissé le bon temps rouler, songea-
t-il. Que faudrait-il faire pour adoucir ce rictus sarcastique ? Il n'avait jamais embrassé de femme flic.
Son expérience en la matière se limitait à une
aventure avec Jenna Jermain, une journaliste qui
accompagnait les policiers de la ville d'Ascension.
Ils avaient passé de bons moments ensemble, jusqu'à ce qu'elle trouve un boulot au *Houston Chronicle*.

— J'ai lu le journal intime, dit-elle.

— J'espérais bien que vous le feriez. Et vous êtes
venue à Blue Bayou pour en savoir plus.

Il s'approcha un peu plus. Elle ne recula pas.

— Vous êtes très intuitif.

— J'ai agi comme je pense que Finn l'aurait fait à
ma place.

Il fit un pas de plus, et cette fois elle recula légèrement.

— Et votre père aussi, s'il en avait eu l'occasion.

— Oui.

Les longues jambes de Regan butèrent contre le
bureau.

— C'était un chic type, mon père. Et un bon flic.

— Ne l'ayant pas rencontré, je dois vous croire sur
parole.

Cette petite pique rappela à Nate qu'elle n'était pas
venue pour réveiller agréablement sa libido.

— Papa ne croyait pas aux conclusions du rapport
d'autopsie, révéla-t-il.

Regan blêmit.

— Vous l'avez, ce rapport ? s'écria-t-elle.

— Oui.

Elle lui décocha un regard sévère. Il crut se retrouver à l'âge de quinze ans, devant un Finn courroucé par l'une de ses bêtises.

— Vous n'avez pas jugé utile de me le communiquer ?

— Je n'étais pas sûr à cent pour cent que vous étiez la bonne personne.

Cette fois, ce fut lui qui recula d'un pas.

— Vous en étiez pourtant assez convaincu pour me donner quelques papiers.

— Pas les plus pénibles à consulter.

— Oh, je vois. Vous avez voulu protéger ma prétendue sensibilité féminine.

— Ce n'est pas tout à fait ça. Le rapport d'autopsie est un document officiel. Le journal, c'est autre chose. Jack et moi, on s'est dit que si nous n'avions pas connu notre mère mais qu'elle ait laissé un journal, nous aurions aimé le lire.

— Vous l'avez lu ?

— Non. Cela ne me regardait pas.

Elle le dévisagea comme si elle cherchait à sonder un suspect.

— Mais vous avez lu le rapport d'autopsie.

— Je vous le répète, c'est un document officiel. Étant maire de cette ville, je me suis dit que j'en avais le droit. Le journal, c'est personnel.

— Pourtant, votre père l'a gardé.

— Il ignorait où habitait la sœur de Linda Dale, et il a sans doute voulu le garder à titre de pièce à conviction.

— Au cas où il rouvrirait l'affaire.

— Oui. Ses notes montrent d'ailleurs qu'il a essayé.

— En général, les shérifs des petites villes n'ont pas les moyens d'enquêter sur les homicides.

— Vous avez raison, mais papa n'était pas le shérif *lambda*, bedonnant et ignorant. Il avait été inspecteur de la criminelle, à Chicago, et avait un tiroir rempli de récompenses.

— En général, les flics les accrochent aux murs.

— Papa n'était pas homme à se vanter de ses succès passés. Il n'aurait sans doute pas gardé tout ce bazar si maman n'y avait pas accordé autant d'importance. Elle les fourrait sous le nez de ceux de ses parents qui critiquaient son Yankee de mari. Ça leur clouait le bec très vite.

— Pourquoi a-t-il quitté Chicago et renoncé à la criminelle pour venir...

— S'enterrer dans ce trou perdu ?

— Professionnellement, cela revenait à descendre de plusieurs échelons.

— Jake Callahan aimait son métier de policier. Il disait qu'il était né pour ça. Mais il aimait encore plus sa famille. Maman avait le mal du pays, et il a pensé que Blue Bayou serait un endroit agréable et paisible pour élever des enfants. Ça n'a pas dû être facile pour lui au début. Vu les histoires qu'il nous racontait, il avait aimé travailler dans une grande ville, et les gens d'ici ont mis un moment à l'accepter. Ils attendaient de voir s'il avait vraiment envie de s'intégrer.

— C'était le cas ?

— Mais oui ! Il nous a appris qu'on était sur terre pour aider les autres et faire partie d'une communauté. Être policier, pour lui, c'était veiller sur cette communauté. Il disait qu'organiser une équipe de base-ball pour les jeunes, apporter à une vieille dame isolée un repas chaud ou changer la roue de la voiture d'une femme enceinte pouvait être aussi utile que traquer des assassins.

— Votre père a l'air d'avoir été quelqu'un de bien.

— C'était un type génial.

Elle regarda par la fenêtre les pavés que la pluie avait rendus luisants et le ciel qu'embrasait le soleil couchant.

— Quelle est la cause de la mort, selon le rapport d'autopsie ?

— La même que sur le certificat de décès. Empoisonnement au monoxyde de carbone.

— A-t-elle été classée comme mort naturelle ? insista-t-elle en le regardant de nouveau.

Les flics de la criminelle avaient sûrement l'habitude de la mort, mais Nate savait d'expérience que le décès d'un proche était quelque chose d'entièrement différent, même pour un policier. Jack avait raison. Il aurait mieux fait de jeter cette fichue enveloppe.

— Non.

— Ce qui laisse le choix entre le suicide et le meurtre.

Seigneur, cette femme avait donc de la glace dans les veines ? Le seul signe d'émotion qu'elle avait manifesté avait été un bref battement de paupières.

— Le coroner a opté pour le suicide, répondit-il en sortant le dossier d'un des tiroirs du bureau.

— Eh bien, je n'y crois pas plus que votre père. Je vais aller voir la maison où elle est morte.

— Il y a un petit problème.

— Ah bon ?

— Elle a été emportée par un ouragan dans les années quatre-vingt-dix, et le terrain où elle se dressait est sous l'eau.

— Il ne manquait plus que ça, marmonna-t-elle.

Les sourcils froncés, elle entreprit de lire le rapport d'autopsie.

Nate se demandait si elle faisait l'amour avec autant d'application lorsqu'un bruit assourdissant ébranla le bâtiment.

9

— Nom de Dieu ! s'écria-t-il. On dirait l'explosion d'une plate-forme.

Les plates-formes pétrolières du Golfe avaient toujours présenté des risques. Le grand-père maternel de Nate avait été tué lors d'une explosion avant la naissance des trois fils Callahan. Un nuage de fumée s'éleva en tourbillonnant au-dessus du tribunal.

— Ça vient de la voie ferrée !

Il se tourna vers Regan.

— Il vous reste des souvenirs des premiers soins à donner de l'époque où vous patrouilliez ?

— J'ai suivi un entraînement il y a six semaines.

— Bien. Je vais avoir besoin d'aide.

Il ouvrit un tiroir du bureau et jeta à Regan un insigne de shérif.

— Je n'en veux pas, protesta-t-elle, tout en l'attrapant au vol.

— Les catastrophes attirent les badauds et les bons Samaritains. Cet insigne vous donnera le droit de les écarter.

Il se rua dehors, Regan sur ses talons. Elle sauta sur le siège du passager de la voiture noire garée devant le poste de police et agrafa l'insigne sur sa poitrine. Trois minutes plus tard, ils s'arrêtaient devant la caserne des pompiers. Un camion attendait, prêt à partir.

Nate enfila prestement un pantalon marron ignifugé, des bottes, une veste épaisse et un casque.

— Je monte dans le camion. Prenez la voiture et suivez-nous. On se retrouve au passage à niveau.

Contrairement aux villes qu'elle avait traversées en venant et dont les maisons étaient alignées le long de la route pour laisser le maximum de terrain aux cultures, Blue Bayou formait un grand carré traversé de rues perpendiculaires. Des parterres de jonquilles illuminaient de leur teinte joyeuse des jardins entourés de jolies grilles en fer forgé, et des arbres bordaient les trottoirs pavés de briques. Comme l'avait dit Nate Callahan, cette petite ville respirait la paix.

Mais il n'y avait rien de paisible dans la scène qu'elle découvrit au passage à niveau. Une douzaine de wagons de marchandises dessinaient un zigzag sur les rives boueuses du bayou. Des traverses brisées étaient éparpillées sur la voie aux rails tordus.

De l'autre côté de la voie, la remorque d'un camion reposait sur le flanc. Plus loin, une autre remorque gisait, complètement défoncée. Visiblement, le camion avait été touché de plein fouet alors qu'il tentait de traverser. La cabine était à l'envers, le pare-brise brisé et le toit à quelques centimètres de l'eau. Cela aurait pu être pire. Bien pire.

— Grâce au Ciel, c'était un train de marchandises, dit Nate.

Regan approuva d'un hochement de tête. Combien de morts et de blessés aurait-on eu à déplorer si les wagons avaient transporté des passagers ? Elle préférait ne pas y songer.

— J'ai cru que ma chaudière avait explosé, dit un homme qui devait friser les quatre-vingt-dix ans à un autre qui ne semblait guère plus jeune. J'ai entendu un grincement effrayant, puis un énorme boum ! Mon vieux Duke a sauté de la véranda en aboyant comme un fou, acheva-t-il en désignant un chien qui humait l'air.

L'un des wagons avait fauché un poteau électrique dont les fils, emmêlés aux branches d'un chêne, pendaient au-dessus de la cabine du camion. Des étincelles mirent le feu à une branche, et les fils se rapprochèrent de la cabine.

— Le chauffeur est toujours à l'intérieur, cria quelqu'un. Il y a un bras qui pend par la fenêtre.

— Il est vivant? demanda le chef des pompiers en s'approchant.

— Il ne bouge pas.

— Bon Dieu! rugit un autre pompier. On n'a aucun moyen de le tirer de là.

— On ne peut pas le regarder mourir sans rien faire, intervint Nate.

— Avec ces fils électriques qui pendent, on risque de déclencher une autre catastrophe. L'une des premières choses qu'on nous apprend à l'école des pompiers, c'est à ne pas aggraver la situation, déclara le chef des pompiers.

Une voiture de la police de l'État arriva, sirène hurlante, suivie de deux autres. Des radios grésillèrent. La foule des badauds s'épaissit.

— Il doit avoir une famille, protesta Nate.

Finn n'était pas non plus homme à se cramponner au règlement lorsqu'une vie était en jeu, se rappela Regan.

— Une mère, peut-être. Une épouse. Des enfants, insista Nate en enfilant ses gants. J'y vais.

— Vous vous rendez compte, j'espère, que le camion peut prendre feu à tout moment, dit Regan.

— C'est pourquoi il faut tirer ce type de là. Le diesel est moins inflammable que l'essence, ça me laisse un peu de temps.

Le silence se fit dans la foule tandis qu'il se mettait à ramper sur les derniers mètres.

— Hé, fit une voix de l'intérieur de la cabine. On est coincés là-dedans!

C'était une voix d'enfant. Regan frémit d'horreur. Malgré l'épaisse veste en cuir que portait Nate, elle vit ses épaules se crisper.

— J'arrive, *cher*, dit-il d'un ton placide, comme si, à Blue Bayou, la collision d'un train et d'un camion était chose courante.

Dans un crissement de métal, la cabine oscilla et s'inclina un peu plus vers l'eau.

— Merde, on va se noyer! cria le garçon.

— Ne t'inquiète pas, dit Nate sans perdre son calme. On va te sortir de là à temps.

Il tira sur la porte, qui ne bougea pas.

— Elle est coincée.

— On ne peut pas utiliser la scie, vous toucheriez les fils, cria le chef des pompiers.

— Et si vous passiez par le plancher? suggéra un autre pompier.

Nate fit non de la tête.

— On est sur le marécage. Même en glissant des pierres dessous, tout s'enfoncerait. Et puis, ce serait dangereux de démarrer le moteur de la scie avec le diesel qui fuit du réservoir.

Il tira de nouveau sur la porte, en vain, et jura.

Une autre branche prit feu, et les fils se rapprochèrent un peu plus.

— Est-ce que quelqu'un a une courroie longue et solide? demanda Nate.

— J'ai un câble pour remorquer les voitures en panne, répondit l'un des policiers de l'État.

— Ça ira. Apportez-le-moi, aussi près que vous le pouvez.

Regan l'entendit ensuite parler à l'enfant d'une voix basse et apaisante, puis il s'adressa de nouveau au chef des pompiers :

— Henri, recule le camion autant que tu peux sans toucher ces fils.

Les fils en question pétillaient en illuminant le crépuscule comme un feu d'artifice du 4-Juillet.

— Et que quelqu'un me lance, très prudemment, une couverture.

Sans attendre, Regan prit une couverture dans l'ambulance qui venait d'arriver et se dirigea à pas précautionneux vers la cabine.

— Arrêtez-vous là, *chère*. Ça suffit.

— Si je la jette, elle risque de toucher les fils.

— Si vous allez plus loin, vous allez frire.

— Vous ne regardez jamais la télé ? Nous autres, flics, on prend notre pied à courir des risques.

Bien qu'elle se fût exprimée aussi calmement que si elle dressait une contravention, l'adrénaline faisait vibrer ses nerfs.

— C'est un fait avéré ? demanda-t-il sur le même ton.

— Parfaitement.

Les fils grésillèrent et plongèrent un peu plus. Regan se mit sur le ventre et continua à progresser vers le camion.

— Une journée sans danger, c'est comme une journée sans chocolat, reprit-elle.

Malgré le froid, la sueur perlait sur son front et ruisselait entre ses seins.

— C'est la première fois que j'entends ça, dit-il.

— Croyez-moi, c'est vrai, répondit-elle en poussant la couverture vers lui. C'est dans notre sang.

— Merci.

Il glissa soigneusement la couverture dans l'ouverture béante du pare-brise.

— Hé, petit ?

— Quoi ?

Le ton du gamin était étrangement méfiant. Regan se rappela que certaines personnes réagissaient à la peur par une attitude agressive.

— Recouvre le chauffeur de cette couverture et glisse-toi dessous. Des morceaux de verre vont voler partout.

Nate attendit que le garçon obéisse. Puis, de son poing ganté, il brisa la vitre du conducteur. Entre-temps, le policier avait étiré son câble entre la route et la cabine. Une des extrémités fut nouée au montant du pare-brise et l'autre au pare-chocs du camion de pompiers, qui se mit à avancer lentement.

Il y eut un horrible grincement métallique, et la cabine oscilla comme si elle se débattait. Pendant un bref instant, Regan crut qu'elle allait s'enfoncer dans l'eau. Puis, soudain, le montant du pare-brise céda, emportant les gonds de la portière.

— Bonjour, là-dedans, dit Nate. Content de vous accueillir parmi nous. Vous êtes blessés ?

Une voix grave marmonna quelque chose.

— Bien. Maintenant, vous, monsieur, prenez mon bras et sortez de là, très prudemment pour ne pas faire basculer la cabine. Je me charge du gosse.

Un gros type barbu aux allures de motard apparut dans l'ouverture et tomba à genoux sur le sol. Le bruit d'une rotule qui se brisait fit frémir Regan. Le chauffeur ne prit pas le temps de s'apitoyer sur son sort et rampa vers la route.

Les fils chutaient, enveloppant le camion, lorsque Nate plongea le bras dans la cabine, agrippa la veste en jean du garçon et l'arracha du véhicule. Ils n'eurent que le temps de rouler à l'écart avant que la cabine ne s'embrase.

Des applaudissements jaillirent.

— Merci, vieux, fit le conducteur, tandis qu'un infirmier enserrait son cou dans une minerve. Sans vous, ma bourgeoise mettrait des fleurs en plastique sur ma tombe.

— Je n'ai fait que mon boulot, *cher*, répondit Nate d'un ton affable. Je n'aurais pas aimé que vous gardiez un mauvais souvenir de notre petite ville... On va t'emmener à l'hôpital, toi aussi, ajouta-t-il à l'intention du garçon. Juste pour s'assurer que tu n'as rien.

Des taches de rousseur se détachaient comme des pièces en cuivre sur le visage livide du gamin, mais ses yeux bruns avaient une expression déterminée.

— C'est pas la peine, merde ! Je vais bien.

— Le problème, c'est qu'après un accident des tas de gens disent ça, et puis, sans prévenir, les voilà qui s'évanouissent, déclara Nate sans s'offenser de cette agressivité incongrue. Je ne veux pas que tu tombes dans le bayou et que tu nourrisses les alligators.

— Les alligators, je m'en tape.

— C'est votre fils ? demanda l'infirmier au chauffeur.

— Non, je l'ai ramassé sur la route, répondit l'homme, sur la défensive. Y a pas de loi qui interdise de donner un coup de main. Surtout quand il fait un froid de loup et que la nuit commence à tomber.

— Que fait un type dans un camion avec un enfant qui n'est pas le sien ? murmura Regan.

— C'est la question que je me pose, fit Nate.

Il n'était pas policier et Blue Bayou était une ville paisible, mais, grâce à ses frères, il connaissait la face sombre du monde.

— Vous devriez demander à l'un de vos shérifs adjoints de l'interroger.

— Les grands esprits se rencontrent. Heureusement, j'ai sous la main un officier expérimenté, dit-il en posant une main sur le dos de Regan. Le brouillard est épais et vous ne connaissez pas le chemin de l'hôpital. Je vais vous y conduire.

— Vous me demandez de l'interroger ?

— Vous êtes la personne la plus qualifiée.

— Voyons, ce n'est pas ma juridiction !

— Mais si, puisque je vous ai nommée shérif adjoint.

— Bon sang, Callahan, on n'est pas au Far West ! Il ne suffit pas de distribuer des insignes pour enrégimenter les gens.

— Si, et je l'ai fait, répliqua-t-il. Pas question de confier cette tâche à Dwayne. Quant à Henri, il fait de son mieux, mais Blue Bayou n'offre guère l'occasion de cultiver d'éventuels talents d'enquêteur. Même s'il en a eu un jour, ils doivent être complètement rouillés à l'heure actuelle.

— Je ne suis pas venue en Louisiane pour chercher du boulot. J'en ai déjà un à Los Angeles.

— Où vous prenez sûrement à cœur la protection de l'enfance, répondit-il en regardant le garçon que l'on poussait dans l'ambulance.

Regan compta jusqu'à dix et s'obligea à se rappeler son serment de servir et de protéger.

— Flûte, marmonna-t-elle. Ce n'est pas juste.

— La vie n'est pas juste, inspecteur *cher*.

— Dites-moi quelque chose que j'ignore.

L'injustice de la vie, elle en avait la preuve tous les jours, avant même de sortir de chez elle pour traquer les truands. Il lui suffisait de se regarder nue dans la glace de sa salle de bains.

— Faisons un marché, proposa-t-il.

— Quel marché ?

— Aidez-moi ce soir, et je vous aiderai à élucider la mort de Linda Dale.

— L'affaire remonte à trente et un ans. Qu'est-ce qui vous fait penser que vous trouverez quelque chose alors que votre père a échoué ?

— Il aurait peut-être eu plus de succès si votre tante n'avait pas disparu.

« Votre tante… » Elle avait beau avoir lu le journal intime de Linda, ces mots la choquaient toujours autant. L'ambulance s'éloigna, sirène hurlante, gyrophare clignotant.

— En plus, je suis du pays et je connais tout le monde, ce qui vous facilitera les choses, car les gens d'ici n'aiment pas répondre aux questions des étrangers.

— La paranoïa des petites villes, marmonna-t-elle.

— Conclusion hâtive. Pour nous, ça s'appelle s'occuper de ses oignons. Je peux comprendre qu'en femme indépendante vous refusiez mon aide pour élucider la mort de votre mère, mais j'ai du mal à croire qu'un flic qui vient de risquer sa vie pour sauver un gosse refuse de chercher à savoir pourquoi il n'est pas chez lui, en train de jouer à un jeu vidéo.

C'était du chantage pur et simple. Mais efficace.

— Vous n'avez aucun scrupule, Callahan.

— Vous n'êtes pas la première personne à me le dire, *chère*. Mais ce n'est pas le sujet. Ce garçon a beau plastronner, il me fait penser à un chiot battu. Je parie qu'il a fugué et qu'il avait de bonnes raisons pour cela.

— Bon, d'accord. Je vais le faire.

— Merci.

Ils prirent le chemin de l'hôpital dans la nuit. La lumière des phares ricochait contre des murs de brouillard. Regan, qui ne parvenait pas à distinguer la route du marais, était contente que Nate ait repris le volant. Un bain de minuit n'aurait pas été le bienvenu. Il alluma la radio, et les paroles françaises d'une ballade un peu triste s'élevèrent dans la voiture.

— J'espère que vous vous repérez facilement, dit Regan.

— Oui, mais ça change tout le temps. Ce qui était de l'eau hier peut être de la terre aujourd'hui. Et *vice versa*.

— Comment faites-vous pour vous y retrouver ?

— Je me laisse guider par mon instinct, comme le pigeon qui regagne son pigeonnier. Une fois qu'on a le bayou dans le sang, on ne peut pas s'en débarrasser, même si on le veut.

— Ce qui n'est pas votre cas.

— Non. Mes racines sont profondément enfouies ici. Il m'arrive de penser à partir explorer le monde, mais en réalité je suis très content de faire ce que je fais là où je le fais.

Comme c'était étrange d'être aussi à l'aise avec ce que l'on était, avec son environnement et la place qu'on y occupait ! Du plus loin qu'elle s'en souvînt, Regan s'était toujours démenée pour faire plaisir à une mère perpétuellement insatisfaite.

Le psy qu'elle avait consulté, un barbu qui s'efforçait de ressembler à Freud – à croire qu'il avait lui-même un problème d'identité –, avait suggéré qu'elle ne devait pas sa nervosité et ses insomnies à l'accident ni aux blessures qui en avaient résulté. Selon lui, elle souffrait du besoin de prouver sa valeur non seulement à une mère perfectionniste, mais aussi au père qu'elle n'avait pas connu, l'homme qui était mort en héros dans la jungle, à l'autre bout du monde.

— Ce qui, bien sûr, est impossible, avait conclu le disciple de Freud.

Regan, qui avait étudié la psychologie à l'université, admettait le bien-fondé de ce raisonnement. Mais entre savoir pourquoi l'on faisait ceci et ne plus le faire, il y avait un gouffre qu'elle n'avait pas franchi.

— C'est remarquable, ce que vous avez fait, murmura-t-elle. Ramper sous ces fils électriques.

— Je n'étais pas seul. Vous étiez là.

— Je vous l'ai dit, c'est mon boulot. Les flics sont payés pour faire ce genre de truc. Risquer sa vie n'entre pas dans les obligations d'un maire.

Il haussa les épaules.

— Je n'aurais plus pu me regarder dans la glace si je n'avais rien tenté. J'ai perdu mon père lorsque j'avais douze ans. Les enfants du chauffeur ont gardé le leur. C'est tout ce qui compte.

— C'était quand même courageux.

Il lui adressa un sourire ravageur. Ses yeux, cernés de suie et de boue, brillaient dans la lueur projetée par le tableau de bord.

— Vous avez enfin trouvé quelque chose en moi que vous ne désapprouvez pas ?

— Que cela ne vous monte pas à la tête.

— Je n'oserais pas.

Cinq minutes s'écoulèrent en silence avant qu'il ne reprenne :

— Vous avez probablement l'habitude de ça.

— Des types qui ont la grosse tête ?

— Non. Je parlais d'accidents, de gyrophares, de blessés, de morts.

— En général, les inspecteurs de la criminelle ne s'occupent pas des accidents, sauf si l'on suspecte un homicide.

La mort et la violence faisaient partie de son quotidien. Lors de sa première semaine dans le métier, elle avait passé des heures au téléphone à discuter avec une femme qui, après avoir composé le 911 pour violences conjugales, refusait de porter plainte contre son mari. Un policier plus âgé lui avait conseillé d'éviter de trop s'impliquer.

— Garde tes distances, Hart, avait-il grommelé en mangeant un sandwich. Les contribuables de L.A. ne te paient pas pour consoler les gens. Si tu veux être assistante sociale, rends ton arme. Pour être flic, il faut garder la tête froide, sinon on est incapable de réfléchir correctement.

Elle avait cru qu'en entrant à la criminelle elle ne s'occuperait plus que de cadavres et que cela lui permettrait de garder ses distances. Elle s'était trompée. Les morts parlaient souvent plus fort que les vivants. Même lorsqu'elle dormait, elle les entendait encore.

— Je ne pense pas qu'on puisse s'habituer à la mort.

D'ailleurs, elle ne le désirait pas.

— C'est aussi ce que Jack a écrit dans son dernier livre, fit Nate en s'arrêtant devant un bâtiment en brique.

— Il y a une bande jaune sur le trottoir, signala-t-elle.

— Je sais.

Il coupa le contact et disposa sur le pare-brise une pancarte « En service ». Ce qu'elle-même avait fait à de nombreuses reprises. Mais…

— Selon le panneau, l'emplacement est réservé aux voitures de police.

— Eh bien, tant mieux, puisqu'à nous deux nous représentons la police et les pompiers. Ça nous donne le droit de nous garer ici.

— Combien de contraventions avez-vous récoltées avant d'être élu maire et de vous octroyer ce privilège ? demanda-t-elle en sortant de la voiture.

— Beaucoup, et ça continue. Le budget de Blue Bayou est trop serré pour qu'on les fasse sauter.

Il ouvrit la boîte à gants, où elle aperçut une liasse de papiers jaunes.

— Je les garde ici et je les paie d'un coup une fois par mois.

— Ce ne serait pas plus simple – et moins cher – de vous garer dans les endroits autorisés ?

— Sans doute. Mais pensez aux revenus dont la ville serait privée.

Il avait de nouveau posé la main sur son dos. Nate Callahan aimait visiblement toucher les gens, à l'inverse de Finn, qui s'entourait d'une zone d'intimité de la taille de Jupiter. Sa femme devait être quelqu'un d'exceptionnel pour avoir pu franchir les barrières que l'ancien agent spécial dressait entre lui et les autres.

— En outre, grâce aux contraventions, Dwayne a quelque chose à faire quand tout est calme. Il est sorti de l'université l'été dernier avec un diplôme de justice criminelle, et j'ai l'impression que nous le décevons beaucoup. Parfois, j'ai envie de payer des gosses pour qu'ils défoncent des boîtes aux lettres, histoire qu'il ait une enquête à mener.

Dans la bouche de n'importe qui d'autre, Regan aurait pris ces mots pour une plaisanterie, mais de la part de Nate Callahan, c'était moins sûr.

10

La porte automatique s'ouvrit en chuintant. L'odeur de désinfectant, de sang et d'angoisse prit Regan à la gorge.

Elle détestait les hôpitaux. Après avoir été extirpée de la carcasse métallique de ce qui avait été une voiture de police, elle avait passé deux semaines en chirurgie, puis un mois à l'étage des soins postopératoires et, durant les deux années suivantes, des semaines et des semaines dans différents services pour subir d'autres interventions ou se rééduquer.

— Ça ne va pas, *chère* ? demanda Nate en se retournant vers elle.

Elle s'aperçut qu'elle s'était arrêtée.

— Si, si. Pourquoi est-ce que ça n'irait pas ?

— Ça, je l'ignore, dit-il en enlaçant ses doigts à ceux de Regan. Votre main est glacée.

Elle se dégagea.

— C'est parce que j'ai froid. Je pensais qu'il faisait chaud en Louisiane.

— Il y a quelques coups de froid en hiver. Et l'humidité vous glace jusqu'aux os.

Il passa le dos de sa main sur la joue de Regan.

— C'est mieux.

— Quoi donc ? fit-elle en s'écartant.

— Vous avez repris des couleurs. Il y a une minute, vous étiez aussi blanche que le fantôme de Lafitte.

— Mais non, protesta-t-elle. J'aimerais bien que vous gardiez vos mains pour vous, Callahan.

— Ça ne va pas être facile, mais je vais essayer.

— Faites un effort, insista-t-elle en se remettant à marcher. Qui est Lafitte ?

— L'un de nos concitoyens les plus hauts en couleur. Un pirate. Je vous parlerai de lui tout à l'heure, en dînant.

— J'ai déjà mangé quelque chose à l'aéroport.

Ne voulant pas perdre de temps, elle avait avalé un hamburger qui pesait comme une pierre sur son estomac.

— L'histoire de Lafitte est intéressante. Elle vous plaira.

Cette petite conversation avait donné à Regan le temps de s'habituer à l'atmosphère de l'hôpital. Assise derrière un comptoir, une femme au crâne surmonté d'un énorme chignon orange mordillait l'extrémité d'un crayon.

— Salut, beau gosse, dit-elle à Nate. Un mot de treize lettres signifiant « doué de magnétisme » ?

— Callahan, répondit-il posément.

Elle compta sur ses ongles pourpres.

— Sans vouloir t'offenser, *cher*, ça ne fait que huit lettres.

— Charismatique, suggéra Regan.

La femme remplit les cases.

— C'est ça. Merci beaucoup.

— Je vois que l'ambulance est arrivée, dit Nate.

— Oui. Le chauffeur du camion est en radiologie. Je me suis dit que quelqu'un voudrait lui parler et j'ai demandé à la technicienne de prendre son temps. De toute façon, il n'irait pas bien loin, avec son camion en bouillie et sa jambe cassée. L'os sort carrément de la chair. Ça doit faire un mal de chien.

Oui, ça faisait très mal, se rappela Regan.

— Et le garçon ?

— Il est dans la salle de soins A. Heureusement, Tiny Dupree était en train de laver le sol quand l'ambulance est arrivée. Il a pratiquement dû s'asseoir sur le gosse pour l'empêcher de se sauver.

— Tiny est le champion des mangeurs d'écrevisses du festival cajun, expliqua Nate à Regan. Il doit peser près de cent cinquante kilos. Le garçon va bien ?

— Il a des contusions aux côtes à cause de la ceinture de sécurité et une écorchure à la tête, mais c'est tout. Pour ce qui est des blessures récentes, en tout cas.

— Il a des cicatrices ?

— Oui. Des traces blanches qui me paraissent suspectes. Le docteur Ancelet devrait bientôt avoir fini de l'examiner.

Ces cicatrices n'étonnaient pas Regan. Les enfants heureux et bien traités fuguaient rarement.

— Nous voudrions parler avec Eve lorsqu'elle aura terminé son examen, dit Nate.

— Entendu, fit la femme, dont le regard se posa sur l'insigne que portait Regan, avant de revenir à Nate. Alors, tu as enfin trouvé un nouveau shérif ?

— Je ne suis pas le nouveau shérif, protesta Regan, fascinée par les boucles d'oreilles en forme d'écrevisses qui clignotaient de part et d'autre du cou de l'infirmière.

— Vous portez l'insigne.

— C'est provisoire. Je ne l'ai épinglé que pour pouvoir donner un coup de main sur la scène de l'accident.

— Quelle histoire ! s'exclama la femme en secouant son chignon orange. Si Dieu n'avait pas veillé sur eux… Une chose que la médecine m'a apprise, c'est que les miracles existent.

— Le mari d'Orélia a été médecin à Blue Bayou durant une éternité, expliqua Nate, qui fit enfin les présentations.

L'infirmière examina attentivement Regan derrière les verres roses de ses lunettes à monture argentée.

— Regan, Regan… répéta-t-elle. Je me souviens que mon mari soignait une petite fille prénommée Regan, il y a très longtemps.

— Était-il l'unique médecin de la ville? demanda Regan en songeant au certificat de décès.

— Non. Il y en avait un autre, un jeune, qu'un programme gouvernemental avait envoyé travailler ici pour qu'il rembourse ses frais d'études. Il venait de New York. À moins que ce ne soit de Boston. Ou de Philadelphie. Une ville du Nord, en tout cas. Il n'est resté que deux ans. Il travaillait ici, à l'hôpital, et aussi au dispensaire.

Sans doute était-ce le médecin qui avait rédigé le certificat de décès, songea Regan.

— Quand mon Léon est parti, il y a deux ans, je me suis retrouvée à tourner en rond dans notre grande maison, reprit Orélia. Pendant un moment, cela n'a pas été trop pénible, car Dani et son fils, Matt, vivaient avec moi.

— Dani est la femme de Jack, intervint Nate.

— Ces deux-là, ils ont mis le temps pour se marier, mais ils y sont arrivés, commenta Orélia. Comme je le disais, Dani et Matt se sont installés chez moi à leur arrivée en ville. Ensuite, ils sont allés vivre au-dessus de la bibliothèque, mais le vieux papa de Dani est resté dans ma maison, pour que je garde un œil sur lui car il a le cœur faible. Mais quand il s'est remis à travailler trois jours par semaine, je me suis retrouvée inoccupée. Je devenais folle lorsque Nate m'a sauvé la vie en me trouvant ce travail de bénévole.

— Orélia exagère, dit Nate.

— Et ce garçon est trop modeste.

Cette remarque amena un sourire ironique sur le visage de Regan.

— Alors, que faites-vous lorsque vous ne vous portez pas au secours des enfants victimes d'accidents de la route? demanda Orélia.

— Je suis inspecteur de police à Los Angeles.

— Ah, bon? Comme c'est intéressant!

Son regard approbateur quitta Regan pour se poser sur une femme qui, les yeux cachés derrière des lunettes de soleil, sortait d'une salle de soins.

— Si cette jeune dame n'est pas notre nouveau shérif, il faut que tu envoies Dwayne chercher Mike Chauvet au *Sans Nom*, dit-elle à Nate.

— Ça a quelque chose à voir avec la présence de Shannon ici ?

— Elle affirme qu'elle est rentrée dans une porte. Mais c'est la seconde fois en dix jours qu'elle vient aux urgences. La première fois, elle avait une côte cassée. Elle a prétendu qu'elle était tombée de cheval et, comme c'était une explication plausible pour sa blessure, Eve Ancelet n'a rien pu faire, sauf lui donner une carte du centre d'aide psychosociale.

— Elle y est allée ?

— Oui. Ce qui lui a attiré d'autres ennuis, car Mike a été furieux qu'elle raconte leur vie privée à des inconnus.

— Mike a toujours été une brute épaisse, s'écria Nate d'une voix coléreuse qui surprit Regan.

— Et un bon à rien, renchérit Orélia. Dieu seul sait à quoi pensait Shannon quand elle l'a épousé. Elle aurait pu trouver beaucoup mieux.

— Excusez-moi une minute, dit Nate à Regan.

Il s'approcha de la femme, lui ôta ses lunettes et secoua la tête en voyant les meurtrissures qui entouraient ses yeux rougis par les larmes.

Cette scène était familière à Regan : une femme battue demandait à être soignée et, parfois, allait jusqu'à quitter son agresseur. Elle avait éventuellement le courage d'appeler la police. Mais, la plupart du temps, elle reprenait la vie commune. Et le cycle des violences recommençait jusqu'à ce que, dans les pires des cas, Regan se retrouve chargée d'enquêter sur un homicide.

Manifestement, les paroles de Nate touchèrent une corde sensible. La femme le gifla. Puis elle serra les bras autour d'elle et se détourna.

— Si quelqu'un est capable de la convaincre d'échapper à ce mariage désastreux, c'est bien lui, dit Orélia, qui observait la scène. Peu de gens peuvent résister à Nate Callahan, une fois qu'il s'est mis quelque chose en tête.

— J'ai remarqué cela. Ils semblent être très proches, ajouta Regan.

— Ils sont sortis ensemble lorsqu'ils étaient à l'université. Nate faisait partie de l'équipe de base-ball de Tulane. C'était le couple chéri de Blue Bayou : le garçon qui semblait promis à une glorieuse carrière de joueur professionnel et la jolie reine de la promo qui se destinait au métier d'institutrice.

— Nate a joué au base-ball en professionnel ?

Cela expliquait son agilité et la fluidité de sa démarche. Et qu'il soit sorti avec une reine de promotion ne l'étonnait pas. Il devait y avoir beaucoup de jolies filles dans son passé.

— Il était doué pour tous les sports, mais c'est grâce au base-ball qu'il a décroché une bourse. Lorsqu'il était en terminale, les recruteurs de plusieurs universités venaient le harceler jusqu'ici. Ça rendait sa mère folle. Selon les experts, il était extrêmement doué, mais, finalement, il a dû revenir à Blue Bayou avant la fin de la première année d'université.

Et voilà ! Le dragueur impénitent avait trop fait la fête, et on l'avait viré.

Nate prit l'ancienne reine de promotion dans ses bras et l'étreignit. Ils restèrent ainsi quelques minutes, puis il posa les mains sur les épaules de la jeune femme et l'écarta légèrement. Son expression était à la fois tendre et résolue.

Shannon Chauvet cligna des yeux pour tenter de retenir ses larmes, se mordit la lèvre, puis hocha la tête.

Il lui sourit, caressa du pouce ses pommettes meurtries et déposa un bref baiser sur ses lèvres tuméfiées.

— Téléphone à Jack, demanda-t-il à Orélia en revenant. Dis-lui de venir chercher Shannon et Ben et de les emmener à Beau Soleil. Ensuite, appelle la police de l'État, demande à parler à Benoît. Tu lui expliques la situation et tu lui rappelles qu'il me doit un service.

— Bonne idée, fit Orélia.

— Accueillir une femme maltraitée peut être dangereux, dit Regan. Vous ne demandez pas d'abord à votre frère s'il est d'accord ?

Les maris violents devenaient souvent fous de rage lorsque leurs proies avaient le culot de leur échapper.

— Jack sera d'accord. Shannon et lui ont eu une petite histoire quand ils étaient gosses, avant qu'il ne tombe amoureux de Dani. Ils sont restés amis.

Les deux frères étaient sortis avec la reine de la promo ?

— Blue Bayou est vraiment une ville très chaleureuse, remarqua-t-elle sèchement.

— Je vous l'avais dit, non ? répliqua-t-il sans relever le sarcasme.

— Peut-être que Jack s'en fiche, mais sa femme ? Cela ne lui plaira peut-être pas que l'ancienne petite amie de son mari couche dans leur maison.

— Dani a un cœur immense, intervint Orélia.

— Il est essentiel de mettre Shannon à l'abri avant qu'elle soit gravement blessée ou que Ben, son fils de quinze ans, reçoive un mauvais coup en tentant de la protéger. D'ailleurs, le béguin de Jack pour Shannon était fini depuis longtemps lorsque Dani et lui sont tombés amoureux, ajouta Nate. Depuis, il est devenu farouchement monogame. Dani n'a rien à craindre.

— On dirait que Shannon et vous êtes aussi restés bons amis, après votre propre petite aventure.

Une lueur amusée pétilla dans le regard de Nate.

— N'êtes-vous pas censée me lire mes droits avant de me poser une question aussi capitale, inspecteur ?

— Laissez tomber, fit Regan, qui se reprochait son indiscrétion. C'est hors sujet.

— Hors sujet, répéta Nate en gloussant. C'est l'expression de Finn. Décidément, vous lui ressemblez, bien que vous sentiez bien meilleur.

Il fit glisser un doigt le long du nez de Regan.

— Nous parlions de votre frère Jack… Et arrêtez de me toucher, s'il vous plaît, grommela-t-elle en repoussant la main qui s'était aventurée sur sa mâchoire.

— Pardon. Vous aviez un peu de boue sur la figure, dit-il en enfonçant les mains dans les poches de son jean. Je touche les gens sans y penser. D'ordinaire, les femmes n'y trouvent rien à redire.

— Peut-être qu'elles n'osent pas.

— Peut-être, dit-il en réfléchissant. Mais je ne crois pas. Les Yankees jugent nos femmes un peu trop accommodantes, et certaines le sont sans doute. Mais aucune ne cacherait son mécontentement à un homme, lequel en tiendrait compte. Nous autres, Sudistes, sommes très bien élevés.

— Quel remarquable témoignage en faveur des femmes du Sud ! Scarlett O'Hara applaudirait.

— Vous avez de la repartie, inspecteur. Heureusement, j'ai toujours préféré Scarlett à Mélanie. Quant à Jack, il faut l'empêcher de punir Mike d'avoir frappé Shannon. C'est pourquoi je préfère confier l'arrestation à un flic de l'État.

— Sage décision.

— Merci, *très chère*.

Les portes d'une salle de soins s'ouvrirent, et une mince jeune femme vêtue d'une blouse blanche les rejoignit.

— Je suis le docteur Eve Ancelet. Merci à vous et à Nate d'avoir sauvé la vie de ce garçon.

— Enchantée de faire votre connaissance. Je m'appelle Regan Hart. Je suis contente d'avoir pu être utile.

Le regard du médecin se posa sur l'insigne de Regan.

— On dirait que Nate a trouvé la personne idéale pour être notre nouveau shérif.

— Je ne suis pas le nouveau shérif.

— L'inspecteur Hart n'arrête pas de répéter qu'elle regagnera Los Angeles quand elle aura réglé certaines affaires ici, intervint Nate. Mais je ne désespère pas de la convaincre de rester ici.

— Blue Bayou vous changerait agréablement de Los Angeles, déclara le médecin, dont Regan sentit le regard s'attarder sur ses cicatrices.

— Sûrement, répondit-elle d'un ton neutre.

— Comment va le gamin ? demanda Nate.

— Plutôt bien, vu ce qu'il a traversé. Il est trop maigre, mais j'ignore si c'est un vieux problème ou si c'est dû à sa fugue.

— Vous a-t-il dit depuis combien de temps il est sur la route ? demanda Nate.

— Il prétend avoir oublié tout ce qui a précédé l'accident, ce qui pourrait être vraisemblable, car un choc à la tête ou un incident traumatisant provoque parfois une amnésie. Mais, à mon avis, il essaie d'éviter qu'on ne le renvoie chez lui.

— Avez-vous repéré des signes de maltraitance lors de votre examen ? s'enquit Regan.

— Oui, plusieurs.

— De quel genre ?

— Des petites cicatrices rondes et blanches sur le dos et le torse.

— Des brûlures de cigarette ?

Le médecin hocha la tête.

— Seigneur, souffla Nate. C'est de la torture pure et simple. Quel genre d'individu peut faire ça ?

— Un monstre, répondit Regan. Qu'avez-vous remarqué d'autre ? demanda-t-elle au médecin.

— Des cicatrices longues et étroites sur les fesses, sans doute dues à des coups de fouet ou de ceinture.

L'expression écœurée de Nate reflétait ce qu'éprouvait Regan. Malgré toutes ses années de métier, découvrir que des individus blessaient délibérément des enfants la révoltait toujours.

— A-t-il subi des violences sexuelles ?

— Je n'en ai pas vu de signes physiques.

— Bon, c'est toujours ça, commenta Nate.

— Ça ne laisse pas toujours de traces, dit Regan.

— C'est vrai, approuva le docteur Ancelet. Et il n'y a pas moyen de lui faire dire ce qu'il fuit. Il affirme que le chauffeur s'est contenté de le prendre à bord de son camion. J'ai parlé avec cet homme, qui ne correspond pas au profil du violeur.

— Vous avez de l'expérience dans ce domaine ?

— Oui. Avant d'exercer ici, j'étais interne dans un service qui s'occupait à la fois des enfants maltraités et de leurs bourreaux.

— Même si le chauffeur n'est pas un pédophile, il a enfreint le règlement qui lui interdit de prendre un passager, insista Regan. On peut aussi le poursuivre pour avoir franchi imprudemment le passage à niveau.

— Les policiers de l'État s'en occupent, puisque ça s'est passé en dehors de la ville, dit Nate. Ils vont sûrement l'interroger aussi sur la présence de l'enfant dans son camion. En attendant, nous ne savons même pas si l'accident est arrivé par sa faute. Il y avait un brouillard à couper au couteau.

— J'ai entendu le train siffler depuis le poste de police, répliqua Regan. Le chauffeur était plus près, il l'a sûrement entendu.

— D'accord, il a peut-être commis une grosse erreur. Mais en ramassant ce gamin, il s'est comporté en bon Samaritain. Que devait-il faire ? Laisser le garçon dans ce froid alors que la nuit tombait ?

— Il a forcément compris que c'était un fugueur, protesta Regan. Il aurait dû appeler la police… J'imagine que le garçon ne vous a pas dit d'où il venait ? demanda-t-elle à Eve Ancelet.

— Non. Dès que je lui ai posé la question, il a fait une rechute d'amnésie. J'ai appelé les services sociaux. Il faut espérer qu'une fois installé quelque part, il se mettra à parler.

Lorsqu'ils entrèrent dans la salle de soins, le garçon était assis sur la table d'examen, vêtu d'un jean élimé et d'un tee-shirt sur lequel grimaçait le visage du rocker

Ozzie Osbourne. Un énorme type en salopette bleue montait la garde sur le seuil, ses bras épais comme des troncs croisés sur sa poitrine.

— Comment vas-tu ? demanda Regan à l'adolescent, après que Nate l'eut présentée à Tiny Dupree.

— Bien. Et ça ira encore mieux quand j'aurai foutu le camp.

— Les hôpitaux ne sont pas des endroits très folichons, approuva-t-elle. Dis-nous seulement où tu habites. Nous passerons un coup de fil, et quelqu'un viendra te chercher. Tu peux être chez toi demain matin.

Les traits du garçon se durcirent.

— J'ai déjà dit au toubib que je me souvenais pas d'où je venais.

— Bon, je suis sûre que nous allons pouvoir arranger ça, fit-elle en prenant la voix du bon flic coopératif. Tu as entendu parler du NOMEC ?

Le regard du gamin se fit méfiant.

— Non.

— C'est l'organisme qui détient la liste de tous les enfants déclarés disparus. En un rien de temps, on va apprendre qui tu es.

Il soutint son regard avec l'expression de défi typique des enfants qui vivaient dans un milieu violent. L'insigne de shérif ne l'effrayait pas du tout.

— Cool. Parce que ça m'emmerde de pas savoir qui je suis.

— J'ai une idée, intervint Nate. Si on allait dîner, toi et moi ? Je n'ai rien mangé depuis midi et j'ai une faim de loup.

— Puis-je vous parler un instant dans le couloir, monsieur le maire ? demanda Regan d'un ton glacial.

— Bien sûr... Je reviens tout de suite, dit-il en pressant l'épaule maigre de l'adolescent.

— J'm'en fous.

Regan se planta devant Nate dès qu'ils furent sortis de la salle.

— C'est vous qui m'avez entraînée là-dedans, Callahan. Pourquoi diable avez-vous interrompu l'interrogatoire ?

— J'ai pensé qu'il lui serait plus facile de me parler.

— Parce que vous êtes un homme ? Voilà qui ne m'étonne pas, de la part d'un macho.

— Je ne pensais pas à ça, dit-il en passant un doigt sur l'insigne de Regan, qui parut s'embraser aussitôt contre sa poitrine. Mais au fait que vous êtes policier.

Ils perdaient du temps. Elle était très heureuse d'avoir pu aider Nate à sauver deux vies, mais ce n'était pas pour prendre part à une opération de sauvetage qu'elle était venue à Blue Bayou, ni pour discuter avec un fugueur récalcitrant. Son objectif était d'en apprendre plus sur la femme qui était peut-être sa vraie mère.

Hélas, tant que le problème du garçon ne serait pas réglé, elle ne pourrait compter sur l'aide de Nate Callahan. Quelques heures plus tôt, elle aurait jugé pouvoir s'en passer, mais après l'avoir vu évoluer dans Blue Bayou, elle réalisait qu'il représentait un véritable atout. Non seulement il connaissait tout le monde, mais il possédait une sorte d'aura, comme s'il émanait de lui des vibrations qui obligeaient les gens à se plier à ses vœux.

Il n'y avait rien d'étonnant à ce qu'il ait été élu maire. Et l'on pouvait se féliciter qu'il ait choisi de mettre ses talents au service de la politique, car s'il était passé de l'autre côté de la barrière, il aurait fait un truand de premier ordre.

— Eh bien ? demanda Nate.

— D'accord. Mais s'il dit quelque chose qui laisse entendre qu'il y a eu crime...

— Je me tais et je vous passe le relais, afin de ne pas bousiller l'affaire devant le tribunal. Je connais la règle, ne vous inquiétez pas.

Ce n'était pas une mauvaise solution. En tout cas, ils n'en avaient pas de meilleure pour l'instant.

— D'accord.

Elle n'avait pas entièrement confiance en Nate Callahan, mais que faire d'autre ? L'idée de confier l'interrogatoire au jeune Dwayne pour le distraire de ses contraventions n'était pas plus enthousiasmante.

11

L'heure des visites étant passée, la cafétéria était presque déserte. Josh se mit à saliver en sentant l'odeur de frites.

Le type qui l'avait extirpé du camion lui donna un plateau et en prit un pour lui.

— Tu as déjà mangé une étouffée d'écrevisses ?

— Non. Les écrevisses, ça ressemble à de gros insectes. Qui voudrait manger ça ?

— C'est vrai qu'elles ne sont pas très jolies et qu'elles font penser à des insectes. Mais c'est très bon.

— Je préfère un hamburger.

L'idée d'un gros morceau de viande grillée fit gargouiller son estomac.

— Un hamburger, un ! cria la femme coiffée d'un filet et habillée d'un tablier blanc qui se tenait derrière le comptoir. Et avec ça, *cher* ?

— Tout ce qu'il y a.

— Moi aussi, je vais prendre un hamburger. Mais sans oignons… On ne sait jamais quand on aura l'occasion d'embrasser une jolie fille, dit-il en décochant un sourire à Josh.

— Cette femme flic, par exemple ?

— L'inspecteur Hart ?

— Ouais. Cette gonzesse, c'est votre meuf ? Vous couchez ensemble ?

— Contrairement à ce que tu peux entendre à la radio, la vie n'est pas une chanson de rap. Pourquoi n'emploierais-tu pas le mot « dame » pour la désigner ?

— Une nana flic, c'est quoi, comme dame ?

— Une dame intéressante. Et nous ne couchons pas ensemble. Qu'est-ce qui t'a mis cette idée dans la tête ?

— J'sais pas, fit Josh, qui regrettait d'avoir abordé ce sujet. Elle est plutôt mignonne. Pour un flic.

— Elle est très jolie, flic ou non. Et elle sent bon aussi.

C'était vrai. En tout cas, elle sentait meilleur que les putains que fréquentait la mère de Josh. Il regarda autour de lui. La cafétéria n'avait rien de luxueux, mais elle était plus propre que la plupart des endroits où il avait mangé ces derniers temps. Des endroits où, le temps d'aller chercher un soda, les cafards avaient emporté le sandwich que vous aviez laissé sur la table.

— Quel accident ! dit Nate. Heureusement que personne n'a été gravement blessé.

— Ouais.

Il était reconnaissant à ce type de lui avoir sauvé la vie, mais n'était pas sûr de l'avoir mérité.

Lorsqu'il était plus jeune, sa mère avait été arrêtée pour trafic de drogue, et on l'avait envoyé vivre chez sa grand-mère, laquelle n'avait jamais laissé l'alcoolisme édulcorer la vigueur de ses sentiments religieux. Elle le fouettait avec une ceinture en cuir afin de chasser le démon qui l'habitait, et bien que Josh ne fût pas convaincu de l'existence de Dieu, ni de celle du diable, il s'était cru né mauvais. La preuve en était que personne ne voulait de lui.

Connaissait-il une seule personne qui aurait risqué sa vie pour sauver des inconnus ? Il butait sur un gros zéro lorsque la femme déposa une assiette sur son plateau. Le hamburger était abondamment fourré de tomates, d'oignons et de laitue.

— Les condiments sont sur les tables, dit-elle. Tu veux des frites avec ça, *cher* ?

— Bien sûr qu'il en veut, répondit Nate. Et un dessert.

— Du riz au lait ou de la tarte aux noix de pécan ?

— Tu n'aurais pas de la glace à la vanille pour accompagner la tarte ? demanda Nate.

Elle évalua la maigreur de Josh d'un regard qu'il commençait à connaître.

— Je dois pouvoir en trouver. Et sur le riz, je lui mets de la crème fouettée ?

— Chérie, tu lis dans mes pensées. Riz au lait et tarte pour ce jeune homme, et moi, je me contenterai du riz au lait et d'un café.

— J'veux pas de ce riz à chier, fit Josh.

— En voilà une façon de parler pour un type qui aime prendre des risques, dit Nate. Joe, le chef cuisinier, n'est pas aussi doué que l'était ma maman – elle faisait un riz au lait absolument délicieux –, mais le sien s'en approche. Antoine, le grand restaurateur de La Nouvelle-Orléans, a essayé de le débaucher l'année dernière, mais la femme de Joe est infirmière ici, et ni l'un ni l'autre n'avaient envie de quitter Blue Bayou. Nous avons donc eu la chance de le garder.

— Ils ont jamais vécu ailleurs ?

— Jamais. La plupart des gens que tu verras ici sont nés dans le bayou.

Josh calcula brièvement qu'en comptant les chambres meublées, les foyers d'accueil et les deux résidences de désintoxication où sa mère et lui avaient été hébergés, il avait déménagé vingt fois en quatorze ans. Chaque fois qu'arrivaient ces fichues enveloppes avec l'autocollant rouge signalant un rappel de facture, sa mère emballait leurs affaires, et ils décampaient au milieu de la nuit. La dernière fois, ils avaient oublié son sac à dos et les dossiers scolaires de ses écoles précédentes, ce qui avait compliqué l'inscription dans son nouveau collège.

Sa mère se fichait bien qu'il aille ou non à l'école. Lui y tenait. Non seulement il y trouvait une sorte d'évasion – à condition de supporter les inévitables provocations des petites brutes –, mais la salle de classe était le seul endroit où il se sentait en sécurité et maître de sa vie.

— D'accord, dit-il lorsqu'il se rendit compte que les deux adultes attendaient sa réponse. Putain, je vais goûter ce fichu riz.

— Bravo, fit la femme. Mais peut-être faudrait-il que j'aille aussi chercher un morceau de savon pour que tu te laves la bouche.

— Elle n'a pas tort, remarqua Nate.

— Excusez-moi, Votre Honneur.

Ils déposèrent leurs plateaux sur une table ronde, au fond de la pièce. L'endroit idéal pour mener un interrogatoire, se dit Josh.

Nate prit une bouteille de sauce rouge et en aspergea ses frites et son hamburger.

— Tu veux de la sauce aux piments ?

— Sur les frites ?

— La sauce aux piments va avec tout. Tu ne sais pas ce que c'est que des œufs au plat si tu n'en as pas mangé avec du Tabasco. On cultive les piments tout près de Blue Bayou. Les gosses d'ici en mangent dès qu'ils sont sevrés. J'imagine que tu n'en as pas l'habitude.

— Non.

— Ça signifie que tu n'es pas du coin.

Le hamburger était à mi-chemin de sa bouche. Bien que cela lui coûtât beaucoup, Josh le reposa dans son assiette.

— Vous m'avez amené ici pour me nourrir ou pour me cuisiner ?

— Un peu des deux. Si tu veux, on peut attendre d'avoir fini de dîner pour discuter.

Ils mangèrent en silence. Le garçon engloutissait la nourriture avec une voracité qui laissait deviner des jours et des jours de faim.

— Tu sais, reprit Nate au bout d'un moment, l'inspecteur Hart essaie seulement de t'aider.

— Elle est flic.

— Et alors ?

— Les flics, tout ce qu'ils veulent, c'est arrêter les gens et les obliger à parler.

— Voilà un point de vue très négatif. D'où le tiens-tu ? De tes copains ? De ton père, peut-être ?

— Je n'ai jamais eu de père.

Son visage se durcit. Nate pensa aussitôt à Jack qui, à la mort de leur père, s'était rebellé parce qu'il ne savait comment exprimer sa colère et son désarroi. Nate aussi avait souffert, mais, n'ayant que douze ans, il avait accepté l'autorité de Finn et était resté dans le droit chemin.

En outre, étant le bébé de la famille, Nate avait toujours été le préféré de leur mère. Aussi, après ce jour horrible, s'était-il donné pour mission de la consoler.

— C'est dur. Moi, j'ai perdu mon père quand j'avais douze ans. Ton âge, à peu près.

— Il s'est barré ?

L'enfant n'avait pas relevé l'allusion à l'âge qu'il pouvait avoir. Tant pis.

— Non. Il est mort. Mais, au moins, j'ai pu le connaître un peu.

— Ouais, y a des types qui ont du pot.

Ignorant la pancarte « Défense de fumer », le garçon sortit une boîte d'allumettes de sa poche.

— Vous avez une cigarette ?

— Non. D'ailleurs, on n'a pas le droit de fumer ici, et tu es trop jeune.

— Non. Je suis petit pour mon âge.

— Tu ne grandiras pas beaucoup plus si tu fumes, dit Nate. Et tu mourras du cancer du poumon avant tes cinquante ans.

— Tout le monde doit mourir d'une chose ou d'une autre.

— C'est vrai. Mais moi, je préférerais mourir d'une crise cardiaque en faisant l'amour à une jolie fille plutôt que chauve à cause de la chimio et en crachant mes poumons.

— C'est comme ça que votre vieux est mort ?

— Il a été abattu par un habitant des marais qui a déboulé dans le tribunal pour tuer le juge. Le matin, au petit déjeuner, mon père était aussi grand et fort que d'habitude et il m'engueulait parce que, la veille, j'avais oublié de tondre la pelouse. Et à l'heure du déjeuner, il saignait à mort sur le sol du tribunal.

— C'est moche.

— Oui.

Le silence s'installa.

— Ça vous a rendu fou furieux ?

— Oui. La nuit, j'imaginais que je prenais le revolver de mon père – c'était le shérif de Blue Bayou – et que j'allais tirer sur le type dans sa cellule. Mais je n'ai pas voulu rendre ma mère plus malheureuse encore en allant en prison. D'ailleurs, comme on dit au jeu de bourré, il faut jouer avec les cartes qu'on a reçues.

— Et si on a un mauvais jeu, qu'est-ce qu'on doit faire ?

Nate supposa que c'était le cas du garçon.

— Je ne sais pas, répondit-il honnêtement.

— Évidemment que vous savez pas. Je vous le dis, y a des mecs qui ont reçu toute la chance. Et il en reste plus pour les autres.

Cette fois-ci, le silence se prolongea.

— Je ne sais même pas qui était mon père, dit enfin l'enfant.

— Ça doit être dur.

— Non.

Il plongea une paille dans le reste de sa glace et aspira bruyamment.

— Je me disais que si ma mère le savait pas, eh bien, je voulais pas le savoir non plus. J'aurais pas aimé que ce soit un des salauds qu'elle ramenait à la maison, en tout cas.

— Qu'elle ramenait ? Au passé ?

— Elle est morte.

D'une overdose, mais ça ne regardait personne.

— Je suis désolé, *cher*.

— Pas moi, fit le garçon en repoussant sa chaise, dont les pieds grifffèrent le linoléum.

Comme ils sortaient de la cafétéria, Nate se félicita de ne pas avoir suivi les traces de son père dans la police, car il n'avait même pas réussi à faire parler un gamin à moitié mort de faim.

Après avoir confié le garçon à Tiny Dupree, Regan et Nate se rendirent dans le bureau d'Eve Ancelet, où les attendait Judi Welch, la directrice des services sociaux de la ville.

— Bonjour, Judi, dit Nate en l'embrassant. Tu es jolie comme un chiot bien potelé.

— Flatteur, s'écria-t-elle en le repoussant gentiment. Mais tu ne te trompes pas. J'ai été malade comme un chien toute la semaine à cause des fameuses nausées matinales. Lesquelles, dans mon cas, sont bien mal nommées, car elles durent quasiment toute la journée.

— Je suis désolé, *chère*. Mais Matt doit être ravi.

— Il est enchanté, d'autant plus qu'il a eu une promotion la semaine dernière. Le voilà directeur adjoint de la banque. L'augmentation de salaire nous permettra d'ajouter une chambre à la maison.

— Je suis content pour lui.

Enfin, façon de parler, songea Nate, qui aurait préféré se jeter dans un bassin grouillant de piranhas affamés plutôt que de rester assis derrière un bureau, en costume cravate, à compter l'argent des autres.

— Comment vont les filles ? demanda-t-il.

Judi en avait trois. Lorsque Nate s'était rendu à la maternité avec un bouquet de fleurs pour admirer Angélique, la dernière, Matt avait déclaré en plaisantant qu'après avoir désiré former sa propre équipe de basket, il se retrouvait à la tête d'un harem. Judi étant une ardente féministe, Nate avait été stupéfait de ne pas la voir s'indigner. Au contraire, elle avait éclaté de rire, comme si son mari avait fait preuve d'un humour irrésistible.

L'amour, avait constaté Nate une fois de plus, brouillait le cerveau. D'où sa décision, prise depuis longtemps, de l'éviter soigneusement.

Regan observait la scène. L'assistante sociale laissait Nate jouer avec une mèche de ses cheveux, geste tendre dont elle déduisit qu'ils avaient sûrement couché ensemble. Mais Nate pouvait bien avoir eu des liaisons avec toutes ses électrices, cela ne la regardait pas.

— Mme Welch est venue interroger le garçon, dit-elle enfin, un peu agacée par ce déploiement d'amabilités.

— Ça ne va pas être facile. Il porte une épaisse armure. J'ai réussi à apprendre que sa mère était morte et qu'il ignorait l'identité de son père.

— S'il dit la vérité, précisa Regan.

— Eh bien, on va lui trouver un foyer en attendant d'en savoir plus, déclara Judi.

— Il peut venir chez moi, dit Nate.

— Chez toi ? s'écria Judi, aussi surprise que Regan.

— Pourquoi pas ?

— Tu n'es pas marié.

— Et alors ? Tu n'as jamais entendu parler des pères célibataires ?

— Si, mais je ne savais pas que tu en étais un, dit Judi en tapotant son bloc-notes avec son stylo. Tu veux adopter ce garçon s'il est abandonné ?

— Il ne s'agirait que d'un placement temporaire. J'ai une chambre d'amis. Et je crois que nous nous entendons assez bien pour qu'il reste quelques jours chez moi sans mettre le feu à la maison.

— N'en soyez pas trop sûr, intervint Regan. Il est en plein dans l'âge de la pyromanie.

Nate se rappela les allumettes que le garçon avait sorties de sa poche.

— Ça ira, affirma-t-il avec espoir.

Judi fronça les sourcils.

— Tu n'as pas reçu l'agrément officiel.

— Tu connais quelqu'un en ville qui l'a ?

— Non. Enfin, il y a les Dupree, ceux qui habitent à Heron, mais ils gardent déjà trois gosses en plus des leurs. Et comme les Cameron n'en avaient pas en ce moment, ils ont décidé de s'offrir les vacances en Californie dont ils rêvaient depuis toujours. Les McDaniels ont pris un nouveau-né la semaine dernière et ils sont complètement débordés.

— Tu vois, je suis la bonne solution.

— C'est très gentil de ta part, Nate, mais tu ne fais pas partie du système. Je n'ai pas le droit de te laisser emmener cet enfant comme si c'était un chien perdu qui errait dans la rue.

— On est amis, lui et moi, maintenant.

D'accord, c'était excessif, admit-il en son for intérieur.

— Sa place est dans un établissement pour adolescents en difficulté.

— En prison, tu veux dire ! s'écria Nate, dont les traits se durcirent. Bon sang, tu sais ce que Jack a vécu dans ce genre d'endroit.

— Je sais que ça a été difficile. Mais il y a survécu, et cela lui a permis de s'améliorer.

— Il y a survécu parce qu'il était plus coriace que ce gamin et qu'il avait une famille aimante. Ma mère n'a pas manqué un seul jour de visite.

— C'était une maison de redressement pour récidivistes. Je te parle d'un foyer éducatif.

— Maison de redressement, foyer éducatif, peu importe. Ce n'est pas la place d'un gosse paumé.

Il croisa les bras sur son torse – des bras musclés et un torse large qui ne devaient rien aux appareils d'une salle de musculation mais tout au maniement du marteau.

— Je ne suis peut-être pas la solution parfaite, mais il sera mieux chez moi que dans l'un de ces établissements.

— Tu dois obtenir l'aval d'un juge.

— Pas de problème. Le juge Dupree a repris ses fonctions, il pourra répondre de moi.

Judi se frotta le front, soupira et lui décocha un regard d'avertissement.

— Ça ne sera pas une promenade de santé, tu sais.

— Je sais. Mais il a beau jouer au dur à cuir, ce n'est qu'un enfant… Et s'il me cause des ennuis, ajouta-t-il en adressant un clin d'œil à Regan, je demanderai à l'inspecteur de lui tirer une balle dans la tête.

— Heureusement que je te connais assez pour savoir que tu plaisantes, soupira Judi. D'autres assistantes sociales pourraient s'inquiéter de cette déclaration.

— Tu vois ? Tu me connais bien, dit-il avec un sourire charmeur.

— Peter Pan et le petit garçon perdu, murmura-t-elle.

Encore Peter Pan ? Charlene avait dû parler à Judi. Voilà qui était terrifiant.

— Très bien, essayons, dit-elle. Mais je ne peux pas simplifier les choses rien que pour tes beaux yeux. Je veux que tout soit fait selon les règles.

— En semaine, le juge habite chez Orélia afin d'éviter le trajet jusqu'à Beau Soleil. On peut s'y arrêter en chemin avant de déposer l'inspecteur Hart à l'hôtel.

— Je n'ai pas besoin que… protesta Regan.

— Bien sûr que vous pouvez vous y rendre toute seule, *chère*, coupa-t-il. Mais je croyais que vous vouliez qu'on étudie un peu votre projet. Venez avec moi, et demain matin, Dwayne amènera votre voiture à l'hôtel.

— Je ne suis pas venue ici pour me reposer. Je veux commencer mes recherches de bonne heure.

— La voiture sera là avant que vous vous leviez, promit-il. Et on vous fera un prix beaucoup plus intéressant si je vous accompagne à la réception de l'hôtel.

— Vraiment ? fit-elle en haussant les sourcils. La réceptionniste est une autre de vos anciennes copines ?

Le sarcasme glissa sur lui comme l'eau sur les plumes d'un canard.

— À vrai dire, oui. Mais ce n'est pas pour ça que je peux vous obtenir une ristourne. La raison, c'est que je suis l'un des propriétaires.

— Vous possédez un hôtel ?

— Un tiers seulement. Mais allons-y. Il se fait tard, et je ne veux pas avoir à réveiller le juge, qui a été opéré du cœur il n'y a pas très longtemps. Je vous expliquerai ça à l'hôtel.

12

Nate appela le juge pour lui annoncer leur arrivée. Dix minutes plus tard, ils s'arrêtaient devant une maison blanche, dans une rue pavée bordée de chênes majestueux.

— Je vais attendre dans la voiture, dit le garçon.

— Désolé, *cher*, mais tu viens avec nous.

— J'ai entendu personne me lire mes droits, ronchonna-t-il.

— Et personne ne t'a passé les menottes, rétorqua Regan. Alors, ne nous complique pas les choses et viens avec nous. À moins que tu ne veuilles que le maire demande à la police de t'emmener dans la maison de redressement la plus proche.

Cette menace fit céder l'adolescent.

— Vous ne verrouillez pas votre voiture ? demanda Regan à Nate, comme ils remontaient l'allée privée.

— Pas la peine. C'est…

— …une petite ville paisible.

— Bravo.

— Cette maison coûterait une fortune à Los Angeles, remarqua Regan. Et mon salon tiendrait aisément sur cette véranda.

— C'est parce que, autrefois, on aimait y dormir, l'été, avant la climatisation, expliqua Nate en appuyant sur la sonnette, qui fit entendre les premières mesures de *Dixie*, l'hymne des Sudistes lors de la guerre de Sécession. C'est pratique aussi pour surveiller ses voisins, assis dans son rocking-chair, et bavarder avec les passants.

— Les gens font vraiment ça ?

— Moins qu'autrefois, admit-il. Mais plus qu'en ville.

— Ça doit être rasoir, dit le garçon.

« Ça doit être charmant », corrigea Regan. Malheureusement, si les habitants de son quartier de Los Angeles s'étaient offert ce luxe, ils auraient risqué de recevoir une balle perdue dans la tête.

Le juge avait beau avoir l'air d'un grand-père fragile, sa voix sonore devait porter jusqu'au fond de la salle d'audience.

— Vous êtes inspecteur, alors ? dit-il à Regan après les présentations.

— Oui, monsieur. À la criminelle de L.A.

— Qu'est-ce qui vous amène chez nous ?

— J'avais des vacances à prendre et j'ai toujours aimé la Louisiane.

Ce n'était pas toute la vérité, mais ils ne se trouvaient pas au tribunal et elle n'avait pas prêté serment.

— La plupart des touristes vont à La Nouvelle-Orléans.

— Je ne suis pas la plupart des touristes.

Il lui décocha le regard acéré qui devait ramener le silence dans la salle lorsqu'il siégeait.

— Alors, Nate, tu as besoin d'une autorisation temporaire de garde d'enfant ?

— Oui, monsieur.

— Tu as une idée de ce à quoi tu t'engages ?

— Non, monsieur. Pas précisément. Mais je veux le faire.

Le juge haussa les épaules.

— Tu as toujours été le cœur tendre de la famille. Comme ta maman, ajouta le vieil homme, dont l'expression s'adoucit. C'était une femme charmante.

120

— La plus gentille de toutes, approuva Nate. Maman a été la gouvernante du juge après la mort de mon père, expliqua-t-il à Regan.

— J'aurais aimé qu'elle soit plus que ma gouvernante, mais succéder à Jake s'est révélé impossible.

Cet aveu parut surprendre Nate.

— Un lien exceptionnel unissait mes parents, murmura-t-il.

— C'est ce qu'elle a dit lorsqu'elle m'a repoussé.

— Je ne savais pas que vous l'aviez demandée en mariage.

— Pourquoi vous l'aurais-je dit, à toi et à tes frères, puisqu'elle ne voulait pas de moi ? Bien sûr, elle m'a repoussé très gentiment. C'était la personne la plus douce de la ville.

Embarrassé par cet aveu, le juge redressa les épaules, se gratta la gorge et signa les papiers d'un ample paraphe, puis les tendit à Nate.

— Rappelle-toi que c'est un mandat temporaire, dit-il au jeune garçon. Si tu causes le moindre ennui à M. Callahan, j'annule tout.

Un claquement de doigts souligna l'avertissement.

— Ça me fout une trouille à chier, marmonna le gamin.

— Qu'est-ce que tu as dit ? demanda le juge d'une voix sèche.

— J'ai dit : d'accord.

Leurs regards se soudèrent, et l'électricité crépita entre le vieil homme et l'enfant. Regan retint son souffle jusqu'à ce que le juge opte pour le pardon.

— Tu vas avoir du boulot, dit-il à Nate.

— On va se débrouiller, tous les deux.

— S'il ne te dépouille pas de toutes tes affaires, marmonna le juge. Tu as toujours été trop gentil. Comme ta mère.

— Je suis fier d'être comparé à elle.

— Blue Bayou est une petite ville, commenta Regan comme ils s'éloignaient de la maison. Mais ce juge est de taille à siéger à Los Angeles.

Vautré sur la banquette arrière, le jeune garçon dodelinait de la tête au rythme de la musique qui hurlait dans les écouteurs de son baladeur.

— Vous auriez dû le voir autrefois, dit Nate. Il s'est adouci.

— En tout cas, il avait au moins un point faible. Vous ne connaissiez pas ses sentiments envers votre mère ?

— Non. Mais cela explique beaucoup de choses. Par exemple, qu'il ait toujours sorti Jack du pétrin et essayé de le remettre dans le droit chemin comme si c'était son fils. Il l'aimait, en fait, à sa façon bourrue. Il ne l'ignorait pas comme il le faisait avec Danielle.

— La femme de Jack ?

— Oui. J'ai oublié de vous le dire. C'est la fille du juge.

— Tous les habitants de cette ville ont donc un lien de parenté ?

— Plus ou moins. Les gens ne s'en vont pas, et il y a rarement de nouveaux venus qui s'installent ici.

— Ce qui implique que beaucoup de gens, d'un certain âge du moins, ont dû connaître Linda Dale.

— Oui, c'est probable, répondit Nate.

— Autre chose : si elle ne s'est pas suicidée, celui qui l'a tuée vit peut-être encore à Blue Bayou.

— C'est possible aussi.

Ayant enfin admis que les usages du Sud profond étaient particuliers, Regan ne s'opposa pas à ce que Nate l'accompagne jusqu'à sa chambre – avec le garçon, de peur qu'il ne prenne la fuite.

— Merde, vous êtes vraiment paranos, tous les deux, marmonna celui-ci en traînant les pieds dans le vestibule qu'ornaient d'énormes bouquets de fleurs de serre, des meubles anciens et des plantes vertes.

— Pas tant que ça, répondit Nate en appelant l'ascenseur. Tu me rappelles quelqu'un, il me suffit de me demander ce qu'il aurait fait en de telles circonstances.

Les portes de l'ascenseur s'ouvrirent sur une suite luxueuse qui n'aurait pas détonné au *Beverly Wilshire*.

— Il faut que tu nous laisses, dit Nate au garçon. L'inspecteur et moi avons à parler.

— Parler ? Tiens donc. C'est ce que tout le monde fait dans une chambre d'hôtel.

Nate poussa un long soupir.

— Tu sais, comme emmerdeur, tu te poses un peu là.

Il ouvrit le minibar et en sortit un Coca, un sachet de cacahuètes et une barre chocolatée.

— Ce que nous avons à nous dire ne te regarde pas. Va dans l'une des chambres et joue à un jeu vidéo.

L'enfant lui arracha la nourriture des mains et disparut dans la pièce voisine, dont il claqua la porte.

— Il risque de devenir obèse, s'il s'habitue à manger des saletés, dit Regan.

— Il lui est sûrement arrivé des choses bien pires.

Elle ne trouva rien à redire à cette supposition.

— Vous n'étiez pas obligé de me donner cette suite au lieu de la chambre que j'avais réservée, dit-elle en passant le doigt sur la surface cirée d'un bureau de style Queen Anne.

— Ce n'est rien, répondit Nate, qui explorait le minibar. Elle était libre.

— Alors, comment vous êtes-vous retrouvé propriétaire d'un tiers de cet hôtel ?

— Il a été construit au début du XIXe siècle, mais un incendie l'a détruit il y a quelques années. Les propriétaires ont voulu le reconstruire dans le style de Tara et m'ont confié les travaux. Mais comme leurs moyens n'étaient pas à la hauteur de leurs ambitions, nous avons établi un contrat. J'ai emprunté pour payer le chef de chantier et les matériaux en échange du tiers de l'hôtel et des bénéfices.

— Blue Bayou n'a pas l'air d'un site touristique très fréquenté. Récupérer votre investissement risque de prendre du temps.

— Probablement, mais j'ai toujours eu le sentiment pervers qu'il était plus important d'être heureux que riche.

Regan approuva d'un hochement de tête.

— Et restaurer cet hôtel vous a rendu heureux ?

— Comme une écrevisse dans la boue.

— Vous avez fait du bon boulot.

Elle admira la finition des moulures, s'étonnant qu'un homme apparemment désinvolte ait accordé autant de soin aux détails.

— Merci.

— Mais, pour être franche, cette demeure me rappelle plus Twelve Oaks que Tara.

— On dirait que vous connaissez bien *Autant en emporte le vent*.

— Je l'ai vu plusieurs fois.

Une douzaine, plus exactement. En plaisantant, sa mère avait attribué cette passion à quelque ancêtre sudiste inconnu. Regan soupira. C'était peut-être vrai.

— Que diriez-vous d'un verre ? Whisky irlandais ?

— Au prix du minibar ?

La télévision s'alluma dans la chambre voisine, et les basses d'un jeu vidéo vrombirent derrière le mur.

— Aux frais de la maison. D'ailleurs, vous êtes une femme riche, maintenant. Vous pouvez vous faire plaisir.

— Nous n'avons toujours pas la certitude que je suis la fille de Linda Dale, répliqua Regan, qui ne se sentait pas encore prête à parler de l'éléphant en peluche.

— Vous n'auriez pas fait tout ce voyage si vous jugiez cela improbable.

Il remplit deux verres et en tendit un à Regan.

— Merci. C'est vrai, je ne serais pas venue si je n'avais pas envisagé cette éventualité.

L'onde chaude de l'alcool courut dans ses veines. Elle se laissa tomber sur le canapé, tourna la tête et regarda les lumières des réverbères qui éclairaient la rue. Ajouté au manque de sommeil, au long voyage en avion et au contrecoup de l'émotion provoquée par le sauvetage, le whisky lui montait rapidement à la tête.

— Ça m'ennuie de l'avouer, mais j'ai peur de la vérité.

— Vous êtes inspecteur de police. Trouver la vérité est votre boulot.

— Oui, je n'ai pas le choix.

Elle but une autre gorgée malgré son léger vertige.

— Si Linda Dale était ma mère, cela veut dire qu'on m'a menti toute ma vie.

Nate avait toujours su comment parler aux femmes. Pourquoi les mots se dérobaient-ils aujourd'hui ?

— La personne qui vous a élevée devait avoir une bonne raison de vous cacher la vérité.

— Sûrement. La franchise aurait déclenché une foule de questions auxquelles elle ne voulait sans doute pas répondre... Je ne sais pas pourquoi ça m'étonne, dit-elle avec un petit rire amer. Tout le monde ment, non ?

— Vous élucidrez ce mystère, *chère*, affirma-t-il en s'asseyant à côté d'elle. Vous réussirez à rassembler toutes les pièces du puzzle.

— Oui, j'y arriverai, déclara-t-elle d'un ton ferme qui rassura Nate. Lors de mes débuts à la criminelle, je travaillais avec un inspecteur dont la lenteur et le comportement méthodique exaspéraient tout le monde.

Le doigt de Regan suivait le contour de son verre. Imaginer ces mains fines et distinguées tenir une arme, presser une gâchette, tout en rêvant de les sentir sur soi... quoi de plus déconcertant ?

— Quand on le regardait examiner la scène d'un crime, on avait l'impression d'assister à la dérive d'un glacier, poursuivit Regan. Lorsque quelqu'un le taquinait à ce sujet ou qu'un nouvel équipier se plaignait, il haussait les épaules et disait que ça ne servait à rien de se presser, qu'aucun crime n'était résolu avant que le moment soit venu.

— Trente et un ans se sont écoulés. À mon avis, il est temps.

— Les affaires refroidies sont les plus difficiles à résoudre.

— C'est pourquoi vous devez vous reposer, dit-il en passant un doigt sur les cernes de Regan. Je vais emmener le gamin et je reviendrai demain matin.

— Vous n'avez pas de travail ? demanda-t-elle, troublée malgré elle par le geste de Nate.

Les explosions d'un jeu vidéo franchissaient la cloison.

— Rien d'urgent.

— Et que ferez-vous du garçon ?

— Je le déposerai chez Jack. C'est l'avantage d'avoir de la famille.

— Qu'est-ce qui vous dit que votre frère saura faire face à un fugueur mal embouché ?

— Après l'assassinat de notre père, Jack a tout fait pour sombrer dans la délinquance. Ce garçon me rappelle beaucoup mon frère à cette époque : furieux et paumé. En outre, un type capable d'affronter de gros trafiquants de drogue devrait pouvoir s'occuper d'un gosse durant quelques heures.

Il se leva, prit un bloc de papier à l'en-tête de l'hôtel et griffonna quelque chose dessus. Son écriture était aussi illisible que celle de Regan était nette.

— Vous n'avez pas un dictionnaire pour déchiffrer ces hiéroglyphes ?

Le rire grave de Nate la convainquit qu'elle était dans le pétrin. Ce qu'elle avait affirmé à Vanessa était vrai : son corps fonctionnait encore très bien.

— C'est le chemin de la bibliothèque. Vous l'auriez trouvée toute seule, car c'est facile de se repérer dans cette ville. Les rues forment un quadrillage, comme à Savannah. Mais cela vous fera gagner du temps. Le journal local s'appelle le *Cajun Chronicle*. Dani, qui est la bibliothécaire de Blue Bayou, pourra vous aider à fouiller les archives.

— Comment savez-vous que j'avais l'intention d'examiner les archives ?

Elle avait essayé de le faire par Internet, mais les journaux vieux de trente et un ans n'avaient pas été numérisés.

— C'est ce que Jack ou Finn auraient fait.

— Je compte aussi rendre visite à Mme Melancon.

— La vieille ou la jeune ?

— La vieille, puisque c'est elle qui dirigeait l'entreprise à l'époque. Elle sait peut-être comment Linda Dale a reçu ces actions.

— Je doute que vous retiriez grand-chose d'une visite à la vieille dame. Elle ne reçoit plus personne, et on dit qu'elle a perdu la tête… Seigneur ! s'écria-t-il avec un soupir exaspéré devant le regard soupçonneux de Regan. Vous ne faites donc confiance à personne ?

— Vous feriez confiance, vous, dans ma situation ?

— Je ne sais pas. Peut-être que oui, peut-être que non.

Il la regarda attentivement, tandis que son sourire devenait un peu distant.

— Qu'y a-t-il ? demanda-t-elle avec impatience.

— Du diable si je le sais, fit-il en secouant la tête.

Il cligna des yeux, des yeux bleus bordés de cils que beaucoup de femmes auraient aimé avoir. L'atmosphère devint pesante.

Les nerfs de Regan étaient sur le point de craquer lorsqu'il rompit le silence.

— Je ferais mieux d'interrompre les guerres intergalactiques.

Il alla chercher le garçon, qui ronchonna :

— Encore deux niveaux, et j'aurais été l'empereur de l'univers.

— La prochaine fois, promit Nate.

Il s'arrêta sur le seuil et fit glisser un doigt sur le nez de Regan.

— À demain, *chère*.

Elle resta sur place et écouta leurs pas s'éloigner sur la moquette du couloir, le *ding* de l'ascenseur, le chuintement des portes qui s'ouvraient. Lorsqu'elles se refermèrent, elle s'adossa à la porte, ferma les yeux et souffla longuement.

Blottie sous ses draps, la petite fille de deux ans se cachait de la pleine lune qui, selon Enola, sa baby-sitter, risquait de la rendre bigleuse. Dans la pièce voisine, les talons hauts de sa mère martelaient le plancher. Des voix s'élevèrent, hargneuses, furieuses. Un fracas de verre brisé la poussa à sortir la tête des draps. Le clair de lune projetait une lumière argentée dans la chambre, mais les coins de la pièce restaient noyés d'ombre.

Regan frémit. Les cris risquaient de réveiller le cauchemar. Lorsque sa mère la confiait à la garde d'Enola, celle-ci aspergeait d'eau bénite l'oreiller de Regan pour la protéger de la sorcière qui, tapie dans l'obscurité, attendait qu'elle dorme pour la manger.

À côté, on hurlait carrément, à présent. Regan, qui n'avait jamais entendu sa mère crier, se demanda si elle ne se battait pas avec le cauchemar. Elle voulut descendre du lit, mais ses jambes refusèrent de bouger. Lorsqu'elle tenta d'appeler sa maman, la sorcière étreignit sa gorge de ses griffes, et aucun son ne sortit de ses lèvres. Elle se recroquevilla au fond du lit pour échapper aux yeux rouges qui, toujours selon Enola, pouvaient incendier les enfants.

Un hurlement strident perça la cloison et l'épaisseur des couvertures. Puis il y eut un choc violent, et enfin le silence.

Regan se réveilla en sursaut, trempée de sueur, la bouche ouverte sur le cri silencieux qui n'avait jamais franchi ses lèvres, le cœur battant.

— Ce n'était qu'un cauchemar, murmura-t-elle en ramassant l'oreiller tombé à terre.

Un vieux cauchemar qui la hantait depuis toujours.

Elle prit une profonde inspiration et regarda son réveil. Il était à peine 3 heures du matin. Inutile d'espérer se rendormir. Elle se leva et alla sortir de son sac de voyage le journal intime.

13

Le gamin dormit comme un sonneur, sans doute pour la première fois depuis longtemps. Puis il engloutit son petit déjeuner comme s'il n'avait pas mangé depuis des semaines. Ce qui était peut-être le cas, se dit Nate, car il n'avait que la peau et les os.

— Qu'est-ce que c'est que ce truc ? demanda-t-il en regardant avec méfiance la galette que Nate s'était donné la peine de lui préparer.

— Du *couche-couche*.

— Ça me dit rien.

— C'est fait avec de la farine de maïs, du sel, de la levure, du lait et de l'huile. Ma mère en préparait tous les matins pour mes frères et moi, lorsque nous étions enfants. Elle le servait avec du sucre brûlé, une sorte de sirop.

Nate s'étonnait d'ailleurs qu'à force de manger ce nectar brun, obtenu en faisant bouillir de l'eau et du sucre, ses frères et lui aient encore toutes leurs dents. Sa mère respectait les usages culinaires cajuns comme elle l'eût fait de rites religieux.

— C'est pas mauvais, dit le garçon en repoussant son assiette vide. Mais je préfère ça, poursuivit-il en mordant dans un gâteau saupoudré de sucre.

— Ce sont des beignets cajuns.

Nate n'avait pas eu à apprendre à cuisiner car, les rares fois où aucune femme ne sautait sur l'occasion de le dorloter, il se rendait au *Cajun Cal's Country Café* et achetait une portion du plat du jour. Mais n'importe quel abruti était capable de faire frire une poignée de farine dans de l'huile frémissante.

— J'imagine qu'une bonne nuit de sommeil ne t'a pas rendu la mémoire ?

— Non, fit l'enfant en nettoyant son assiette à l'aide d'un morceau de pain.

— Tu sais que les services sociaux vont te placer dans un établissement si tu ne leur dis rien ?

Le visage du garçon se ferma.

— Je croyais que j'allais rester ici.

— Pour le moment. Mme Welch et moi sommes des amis d'enfance, c'est pourquoi je n'ai pas eu trop de mal à la persuader de te laisser passer quelques jours chez moi. Mais je n'ai pas le profil de la famille d'accueil. En plus, ils ignorent si tu n'es pas une sorte de Jesse James qui court du braquage d'une banque à un autre.

— J'ai braqué aucune banque. Et ces cons des services sociaux peuvent me fourrer où ils veulent, j'y resterai pas, de toute façon.

Nate soupira. Le gamin lui rappelait un peu Mev'là, la chienne jaune qui avait surgi un jour à Beau Soleil. La différence, c'était que l'animal s'était adroitement insinué dans la vie de Jack grâce à son caractère aimable. Penser à Mev'là lui donna une idée.

— Tu aimes les chiens ?

— Ouais. J'en ai eu un quand j'étais petit.

— Quelle race ?

— Je sais pas. Un corniaud noir et brun. Quelqu'un l'avait abandonné près de chez nous. Je l'ai rapporté à la maison, mais le type avec qui ma mère vivait l'a noyé.

— Aïe…

Le passé que le garçon lui dévoilait peu à peu se révélait de pire en pire.

— Il est toujours là, ce type ? demanda-t-il.

— J'imagine, fit l'enfant en s'essuyant la bouche du dos de la main. En tout cas, il s'est installé dans l'appartement.

— Et c'est pour ça que toi, tu n'y es pas ?

— On peut dire ça.

— Est-ce que tu te rends compte que si tu m'expliquais plus franchement la situation, je serais beaucoup plus en mesure de t'aider ?

Le garçon leva les yeux au ciel.

— Voilà qui veut dire non. Bon, allons-y, dit Nate en se levant.

– Où ça ?

Cette méfiance toujours présente commençait à exaspérer Nate.

— Chez mon frère.

— Pourquoi ?

— Parce que c'est sympa, là-bas. Il y a un chien qui adore les nouveaux venus, surtout s'ils lui lancent un Frisbee à rapporter.

— Tu resteras ? demanda le garçon, qui s'était mis à tutoyer Nate sans attendre que celui-ci le lui propose.

— Euh… non. J'ai promis à l'inspecteur…

— Ouais, ouais, j'ai compris. Pourquoi perdre son temps avec moi quand on peut tirer un coup avec une gonzesse ?

— Bon sang, ça suffit ! s'écria Nate dans un accès de colère qui les surprit tous les deux. Je t'ai accordé le bénéfice du doute parce que tu as l'air d'en avoir bavé. Et si tu n'as pas menti au sujet de ce chien noyé…

— J'ai pas menti.

— … j'en déduis que ce que tu fuis était bien pire que ce que tu as vécu sur la route, bien que ça non plus, ça n'ait pas dû être joyeux.

— C'était merdique, marmonna l'enfant.

— Ferme-la !

Le garçon baissa enfin les yeux.

— Je te l'ai dit, je suis prêt à te donner un coup de main, mais si tu continues à débiter des ordures…

— Ouais, je sais, tu m'abandonneras aux flics.

Nate perçut la peur sous l'insolence, mais il tint bon.

— Si tu arrêtais de finir mes phrases alors que tu ne sais pas de quoi je parle, tu découvrirais que tu n'es pas le seul à avoir des problèmes.

— Les flics ont pas de problèmes. C'est eux qui les fabriquent.

— Par exemple, lorsqu'un inspecteur rampe sous des fils électriques pour te sauver la vie.

— Je lui ai rien demandé.

Seigneur, que n'aurait-il pas donné pour avoir Jack ou Finn à côté de lui ! Ou les deux. Ils auraient eu vite fait de clouer le bec au gamin, qui n'aurait pas tenu deux minutes face à ces experts en intimidation.

Nate se passa la main sur le visage. Qu'avait-il donc fait pour mériter ça ? Les aventures de Peter Pan lui paraissaient enviables, tout à coup. S'envoler vers l'île des garçons perdus devait être plus amusant que s'occuper de ce gamin fugueur. Sans compter que, un problème n'arrivant jamais seul, les trente-trois ans de vie de l'inspecteur Hart venaient de s'écrouler à cause de lui. Comment diable était-il censé réparer ça ?

— Comme je le disais, l'inspecteur a des problèmes personnels. Et j'ai promis de l'aider à les régler.

— Qu'est-ce que tu es ? Un curé ?

Nate éclata de rire et entoura les épaules du garçon. Il sentit qu'il se crispait, mais n'ôta pas son bras.

— Fiston, je suis aussi peu curé qu'il est possible.

Ils roulaient vers Beau Soleil au son de *Hello Josephine*, des Prochdogs, lorsque Nate se tourna brièvement vers son passager.

— Tu sais, ça serait sacrément plus facile si je connaissais au moins ton prénom. « Hé, fiston ! », ça limite les échanges.

Il vit l'hésitation se peindre dans le regard brun de l'enfant, puis celui-ci murmura dans un souffle :

— Josh.

Ce n'était pas grand-chose. Mais c'était un début.

Regan devait reconnaître que Nate Callahan était un homme de parole. Lorsqu'elle revint de son jogging matinal, sa voiture, lavée, l'attendait devant l'hôtel. Mais puisque, selon les gribouillis de Nate, la bibliothèque n'était qu'à deux pâtés de maisons, elle décida de s'y rendre à pied.

La pluie avait cessé, et le temps était enfin tel qu'elle s'était attendue à le trouver en Louisiane : beau et chaud. La bibliothèque était située sur Magnolia Avenue, en face d'un petit jardin qu'illuminait une forêt de jonquilles et à côté de la Boucherie Acadienne dont la vitrine, abritée par un auvent rayé vert et blanc, proposait des saucisses et des poulets dodus.

Regan entra. L'intérieur était bien éclairé, et les couvertures des nouveautés ornaient un mur recouvert d'un tissu vert, pourpre et doré – les couleurs du Mardi gras, selon le guide fourni par l'hôtel. Les vitres étincelaient comme du cristal, et les fichiers étaient rangés dans un meuble ancien en chêne qui fleurait bon l'encaustique.

— Bonjour, fit une jeune femme blonde souriante. Vous devez être Regan. Je suis Dani Callahan, la femme de Jack, poursuivit-elle en lui tendant la main. Nate m'a appelée ce matin pour m'annoncer votre arrivée.

— Enchantée de faire votre connaissance, dit Regan, un peu surprise par cet accueil chaleureux, peu habituel envers les policiers.

— Oh, moi aussi ! Bien que je sois déçue que vous ne portiez pas vos bracelets.

— Mes bracelets ?

— Les bracelets magiques de Wonder Woman. Vous faites la une du journal local, Nate et vous.

Elle brandit un exemplaire du *Cajun Chronicle*. Une photo en couleur montrait Regan rampant sous les fils pour tendre une couverture à Nate. Sur une autre, il extirpait le garçon du camion.

— Rien n'obligeait Nate à faire ça, commenta Regan. C'était très courageux de sa part.

Ou idiot.

— Je doute que, dans sa tête, il ait eu le choix, dit Dani. Le fait que la vie d'un enfant était en jeu a dû peser lourd. Nate est sensationnel avec les enfants.

— Probablement parce que sa maturité émotionnelle s'est arrêtée à douze ans, murmura Regan.

— Vous avez sans doute raison, puisqu'il avait cet âge lorsque son père a été tué. Il m'a dit qu'il vous l'avait raconté, ce qui est curieux, car il n'en parle jamais.

— C'est venu au hasard de la conversation. Il tenait à m'aider à enfiler ma veste parce que, disait-il, son papa lui avait appris à être galant avec les femmes. J'ai suggéré que son père rejoigne le XXIe siècle, et c'est là qu'il m'a mise au courant, expliqua Regan, qui éprouvait encore une pointe de remords à ce souvenir.

— Vous savez, à la réflexion, des trois frères, c'est Nate qui a le plus souffert de la mort de Jake Callahan, fit Dani en posant le menton sur ses doigts croisés.

— Pourquoi ?

— Jack et Finn étant plus âgés, chacun d'eux s'est adjugé un rôle précis. Finn est devenu chef de famille, mission qu'il a parfaitement remplie.

— Cela ne me surprend pas.

— C'est normal, puisque vous avez travaillé avec lui.

— Apparemment, Nate vous a parlé de moi.

— C'est un frère pour moi. Nous partageons tout… Enfin, presque tout, corrigea Dani avec un regard amusé. Bref, Finn est devenu l'homme de la famille, et Jack le James Dean de Blue Bayou. Il appelle ça sa période «fureur de vivre».

«Après la tragédie, les Callahan se sont installés à Beau Soleil, la maison où j'ai grandi, et j'étais aux premières loges pour voir comment ils se comportaient. Des trois garçons, Nate était le plus proche de sa mère. Il ne la quittait pas d'une semelle. Il lui tenait la main, la persuadait de se nourrir, essayait de la faire sourire.

« Il l'a même fait rire le soir de la veillée funèbre. Mme Cassidy, la gérante de la supérette, était scandalisée qu'une femme puisse rire devant le cercueil de son mari. J'avais le même âge que Nate et je ne le quittais pas des yeux, tout en espérant vaguement pouvoir m'éprendre de lui.

— Vous n'étiez pas la seule, il me semble.

— Les femmes aiment Nate, acquiesça Dani.

— Je l'avais remarqué.

— Inutile d'être inspecteur pour ça. Il est beau et charmant, c'est vrai, mais ce qui attire les femmes, c'est qu'il est l'un des rares hommes qui aiment tout en elles.

— Je reconnais qu'il est difficile de le détester, dit Regan, qui ne se sentait cependant pas prête à rejoindre aussi vite le fan-club de Nate Callahan.

— Je ne connais personne qui ait une raison de le détester. Je vous l'ai dit, j'ai souvent souhaité tomber amoureuse de lui. Ou de Finn.

— Vous n'y êtes pas arrivée.

— Non, admit Dani. Mon cœur a toujours appartenu à Jack.

Regan désirait en venir à la raison de sa visite, mais une idée lui traversa l'esprit.

— J'ai rencontré une femme qui fait du bénévolat à l'hôpital…

— Orélia, dit Dani. C'est un personnage, n'est-ce pas ? Mon père habite chez elle pendant la semaine.

— C'est ce que m'a dit Nate. Il a l'air d'un homme gentil. Votre père, je veux dire.

— Oui, c'est un homme bien.

Entraînée à entendre ce que les gens ne disaient pas, Regan perçut la réticence de Dani.

— Nous avons eu des moments difficiles, mais, heureusement, nous avons pu nous réconcilier à temps… Pardon, je ne voulais pas…

— Je sais. Si je comprends bien, Nate vous a raconté mon histoire ?

— Si cela peut vous consoler, il s'est montré très discret. À part un bref résumé de votre situation familiale, il a juste dit que vous lui rappeliez Finn, que vous étiez très belle et que vous sentiez bon.

La comparaison avec Finn n'était guère flatteuse. D'accord, ils étaient tous les deux policiers, mais elle n'était sûrement pas aussi distante, froide et rigide que l'aîné des Callahan. Regan refoula cet accès de dépit.

— Imaginer que la femme que j'ai toujours prise pour ma mère était peut-être ma tante n'est pas facile, admit-elle. D'après ce que j'ai compris, Nate a aussi perdu sa mère ? reprit-elle, cédant à la curiosité.

— Oh, ça aussi, ça a été terrible. On a diagnostiqué un cancer du sein quand Nate était en première année à Tulane. Elle a essayé de le convaincre de poursuivre ses études d'architecture.

— Je croyais qu'il voulait jouer au base-ball en professionnel.

— Il aurait fait une brillante carrière. Tous les Callahan sont des athlètes, mais Nate aimait le sport encore plus que ses frères. Mais il était assez malin pour savoir que ce genre de métier n'avait qu'un temps, et il étudiait pour avoir de quoi s'occuper et gagner sa vie ensuite.

— Je ne m'attendais pas à une telle prévoyance de sa part.

Dani sourit.

— De temps à autre, alors qu'on croit avoir cerné le personnage de Nate, il nous surprend. Il a plus de facettes que ses frères.

— Finn est certainement plus monolithique.

— Avec Finn, il n'y a pas trop de surprises – bien que cela ait été très amusant de voir Julia bouleverser son univers bien ordonné. Nate, lui, a toujours aimé la construction. Lorsqu'ils jouaient aux cow-boys, Jack et Finn s'exerçaient à dégainer rapidement tandis que Nate rassemblait des morceaux de bois pour bâtir la prison.

L'image de Finn Callahan coiffé d'un chapeau de cow-boy et armé d'un revolver en plastique fit rire Regan.

— Nate est architecte ? demanda-t-elle.

— Non. Il a abandonné ses études pour revenir auprès de sa mère malade. J'ai toujours pensé qu'il s'était mis dans la tête qu'à force d'amour et de volonté, il pourrait la sauver. D'ailleurs, elle a vécu deux ans de plus que ce qu'avaient prédit les médecins. Elle a été malade durant trois années en tout, très pénibles, mais il ne l'a pas quittée.

« Lorsqu'elle est morte, Jack travaillait pour la brigade des stupéfiants quelque part en Amérique du Sud, mais Finn et Nate étaient présents. Finn dit qu'elle est morte en souriant d'une plaisanterie que Nate venait de faire.

— C'est touchant.

Dans son métier, Regan n'avait rencontré personne qui soit mort en souriant.

— Il y a eu une époque où j'aurais été perdue s'il n'avait pas été là. Lui seul pouvait me faire oublier un moment mes soucis. Et si une partie de lui a toujours douze ans, peut-être est-ce ce qui le rend capable d'oublier ses propres problèmes pour s'occuper de ceux des autres.

Regan refusa d'envisager cette possibilité. Il était plus facile de voir en Nate Callahan un homme du Sud, immature et charmeur.

— Tout cela est très intéressant, dit-elle avec un sourire forcé. Pouvez-vous me dire comment consulter les archives des journaux ?

— Les plus récents ont été saisis sur ordinateur. Ceux qui vous intéressent sont sur microfilms. Je les ai sortis pour vous, dit Dani en désignant un fauteuil et un lecteur de microfilms à l'autre bout de la pièce. Si vous avez besoin d'autre chose…

— Non, merci. Ça ira.

— Parfait. Combien de temps comptez-vous rester à Blue Bayou ?

— Ça va dépendre de ce que je trouverai.

— J'espère que vous serez encore là pour la fête de Mardi gras que nous organisons à Beau Soleil.

Regan se rembrunit légèrement. Elle n'était pas venue à Blue Bayou pour faire la fête.

— Merci beaucoup, mais…

— Je vous en prie, venez. Nous avons notre réputation d'hospitalité sudiste à soutenir. Nate et Jack ont fait des merveilles à Beau Soleil. Vous avez déjà vu une plantation ?

— Non.

— Margaret Mitchell s'est inspirée de Beau Soleil pour décrire Tara, précisa Dani.

— Eh bien…

— Ça vaut vraiment la peine de voir ce qu'a fait Nate de cette maison. Il est très doué. Autrefois, j'ai regretté qu'il ait interrompu ses études d'architecture, mais à présent, il me paraît évident qu'il n'était pas fait pour construire des gratte-ciel et des immeubles modernes. Il a trouvé sa voie.

— C'est important.

Regan avait cru l'avoir trouvée, elle aussi, mais depuis quelque temps, elle en était moins sûre. Sans doute un effet du surmenage. Elle avait besoin de vacances – un mois à Tahiti, ou au lit, à dormir.

— Si je suis encore là, j'essaierai de venir.

— Super ! Jack sera enchanté.

Le sourire de Dani suggérait qu'elle n'avait pas imaginé que Regan puisse lui dire non. Visiblement, elle possédait un caractère bien trempé sous son apparente douceur. Néanmoins, elle était plutôt sympathique. Dommage qu'elle n'habite pas Los Angeles.

Elles auraient pu être amies, songea Regan. Hormis Vanessa, dont la vie tournait autour de Rasheed et de leur futur enfant, elle avait peu d'amies femmes. Son métier ne lui laissait pas le temps de fréquenter d'autres personnes que ses collègues. Lorsqu'elle s'échappait du boulot, c'était généralement pour boire une bière au *Code Ten* et parler boutique avec un autre policier.

Elle s'aperçut soudain que Dani la regardait d'un air interrogateur.

— Pardon. Vous disiez ?

— Nate m'a raconté qu'il vous avait proposé le poste de shérif, dit Dani d'un ton qui hésitait entre l'affirmation et la question.

— C'est vrai. Et j'ai refusé.

— Maintenant que je vous connais un peu, je le regrette vraiment... Enfin, peut-être changerez-vous d'avis. Mon beau-frère peut se montrer très persuasif.

C'était un euphémisme. Mais Regan n'avait aucun intérêt à quitter Los Angeles pour un bled paumé de Louisiane.

Comme pour creuser encore la différence qui existait entre Blue Bayou et Los Angeles, elle découvrit que la mort de Linda Dale, qui n'aurait eu droit qu'à un entrefilet à la dernière page du *Los Angeles Times*, occupait presque la totalité de la une du journal local. Une photo de Linda Dale prise à La Nouvelle-Orléans lors du carnaval illustrait l'article. À l'intérieur se trouvaient d'autres photos. L'une montrait la voiture rouge dans laquelle la victime avait été retrouvée par son employeur ; sur une autre, une femme emmenait une petite fille. Regan reconnut celle qu'elle avait toujours prise pour sa mère et comprit que l'enfant n'était autre qu'elle-même.

Josh s'efforça de ne pas paraître impressionné par la demeure devant laquelle Nate se gara. On aurait dit la Maison-Blanche.

— Ton frère habite là ?

— Oui. Mon frère Jack.

— Il doit être riche.

— C'est vrai qu'il s'en sort bien. Il écrit des livres.

— Ah bon ?

Josh aimait les livres, qui lui permettaient de s'évader de la triste réalité de son existence. Mais il n'avait jamais réellement pensé aux gens qui les écrivaient.

— Quel genre de livre ?

— Des thrillers.

Le déclic se produisit soudain.

— Ton frère, c'est Jack Callahan ?

— Oui. Tu as entendu parler de lui ?

— Tu veux rire ? Je viens de finir *Le Marchand de mort* ! Il est dans mon sac à dos.

Il l'avait volé dans un centre commercial de Tallahassee, en même temps qu'une boîte de saucisses et une barre chocolatée.

— Il est super, comme écrivain !

— C'est sûr. Et je le dirais même si ce n'était pas mon frère. Mais ses histoires sont pleines de sexe, de drogue et de violence.

— Il y en a plein aussi dans la vie.

— Pas dans la vie de tout le monde.

Une colère froide envahit Nate. Pour la première fois, il comprit qu'on puisse avoir envie de tuer.

— Écoute, mettons les choses au point tout de suite, d'accord ?

— Quelles choses ?

— Les services sociaux finiront forcément par découvrir qui tu es. Mais tu ne retourneras pas chez toi.

— Ça, c'est sûr !

— Promets-moi de ne plus t'enfuir. Et moi, je te jure qu'on ne te renverra pas dans une maison où on te maltraite.

– Qu'est-ce que tu feras pour l'empêcher ?

Tuer, bien que ce soit curieusement très tentant, n'était pas la solution.

— Je ne sais pas, avoua Nate, mais j'y arriverai. Parole de scout.

— Ça colle.

— Quoi donc ?

— Que tu sois un foutu boy-scout.

Cette remarque fit rire Nate aux éclats. Un sourire timide frémit sur les lèvres de Josh.

— Viens, *cher*, dit Nate. Tu vas faire connaissance avec la famille, et Jack pourra te dédicacer ton livre.

À cet instant, une boule de poils jaune et marron jaillit de la porte d'entrée, dévala l'un des deux perrons et se rua sur Josh. L'animal posa les pattes avant sur les épaules du garçon et lui lécha la figure à grands coups de langue accueillants. Josh se laissa tomber sur le sol et se mit à jouer avec Mev'là.

— Oncle Nate ! s'écria un petit garçon de neuf ans, qui sortait en courant de la maison.

Il portait la casquette des Orioles de Baltimore et un tee-shirt revendiquant son appartenance aux Panthères de Blue Bayou, club de base-ball dont Callahan Construction était l'un des sponsors.

— Devine quoi ? hurla-t-il.

Nate lui ôta sa casquette et ébouriffa ses cheveux.

— Les Orioles t'ont convié au camp d'entraînement du printemps prochain.

— Je suis trop jeune pour jouer chez les grands, expliqua l'enfant avec sérieux.

— Je sais déjà que tu vas avoir un petit frère ou une petite sœur, donc il doit s'agir d'autre chose. Je donne ma langue au chat.

— Mme Chauvet et Ben se sont installés dans la maison d'amis, hier soir.

— Oui, j'ai entendu dire que tu avais de la compagnie.

Il prit Josh par le bras et le remit debout.

— Josh, je te présente mon neveu préféré, Matt...

— Je suis ton unique neveu, rectifia le petit garçon. Enfin, pour le moment.

— C'est vrai. Matt, voici Josh, qui passe quelques jours chez moi.

— Cool, s'écria l'enfant avec un sourire édenté. Tu veux voir mes petites voitures ?

Josh eut un haussement d'épaules désabusé, geste auquel Nate commençait à s'habituer.

— Les petites voitures, c'est pour les mômes.

— Et aussi pour les collectionneurs. Mon oncle Finn m'a trouvé en Californie une Nomade rouge avec des pneus Read Rider. Elle est super.

Matt pivota et se rua vers la maison. Josh le suivit, et Mev'là bondit derrière eux.

— Est-ce qu'il arrive que cet enfant marche ? demanda Nate à Jack, qui le rejoignait.

— Jamais, s'il peut l'éviter. Dani m'a dit qu'elle avait invité ta nouvelle amie à la fête de Mardi gras et que, sans aller jusqu'à promettre de venir, elle n'avait pas non plus refusé.

— Formidable.

Nate avait toujours apprécié la compagnie de ses frères, mais avoir une sœur par alliance était très pratique et agréable.

— Tu te rends compte, n'est-ce pas, qu'en épousant cette femme, tu as fait la chose la plus intelligente de ta vie ?

— C'est un point que je ne contesterai pas, approuva Jack d'un ton allègre.

Nate retrouva Regan au moment où elle sortait de la bibliothèque. Elle jeta un coup d'œil à la voiture qu'il avait garée de l'autre côté de la rue.

— Où est le garçon ?

— Je l'ai déposé à Beau Soleil pour que Jack garde un œil sur lui. À propos, il s'appelle Josh.

— Josh comment ?

— Il n'est pas allé jusque-là.

— En tout cas, c'est un début.

En traversant la rue, Regan n'eut aucun mal à imaginer le bruit des sabots sur les pavés polis de la chaussée.

— Vous avez aussi apporté un fouet à votre frère ?

— Jack traquait autrefois de gros trafiquants de drogue, dit Nate, qui ouvrit la portière du passager pour Regan. Il peut bien s'occuper d'un gamin fugueur quelques heures. En plus, il a un gros corniaud très amical qui aidera Josh à s'ouvrir un peu, acheva-t-il, une fois assis au volant.

— Les animaux parviennent souvent à établir un lien là où les êtres humains ont échoué. L'unité canine de la police est très populaire et, lors des concerts en plein air, la police montée est très efficace pour maintenir l'ordre, car la plupart des gens aiment les chevaux… Pourquoi me regardez-vous comme ça ?

— Je me posais une question.

— Laquelle ?

— Avez-vous aussi bon goût que vous sentez bon ?

— Au cas où vous l'auriez oublié, nous sommes dans un lieu public.

— Les vitres sont teintées. Et personne ne nous regarde.

Il comprit qu'elle était tentée. Lui l'avait désirée dès qu'il l'avait vue au tribunal, vêtue de son tailleur strict, ses jambes magnifiques à moitié découvertes.

— Franchement, Callahan !

— Nate, corrigea-t-il, sans chercher à cacher le désir que son regard trahissait. On se connaît assez pour se tutoyer et s'appeler par nos prénoms, non ?

— On ne se connaît que depuis deux jours, sans compter ta visite à Los Angeles.

— C'est vrai. Mais admets qu'il s'est passé beaucoup de choses pendant ces deux jours.

— Oui. Mais je ne veux pas m'engager.

— Entendu.

Lui non plus ne voulait pas s'engager, *a priori*. À l'exception de ses belles-sœurs, il n'avait pas l'habitude des

144

femmes à la personnalité complexe. Il préférait les filles accommodantes qui comprenaient que les ébats amoureux étaient un jeu dont les partenaires, s'ils ne compliquaient pas les choses, pouvaient tous deux sortir gagnants. Or, il n'y avait sûrement rien de simple chez Regan Hart.

— Alors, je suggère qu'on s'arrête avant que les choses nous échappent.

— Je ne crois pas en être capable, *chère*.

Il passa le pouce sur les lèvres fermées de Regan.

— Dis-moi d'ôter mes mains et j'obéirai.

Comme son regard doré s'adoucissait, lui donnant sa réponse, il inclina la tête vers elle.

14

Ce type était doué. Il procédait sans la brutalité qui aurait permis à Regan de le repousser. Il prenait son temps, faisait preuve d'une douceur incroyable, effleurant sa bouche aussi délicatement que dans un rêve.

Personne ne l'avait jamais embrassée comme ça. Comment un baiser aussi paresseux pouvait-il la bouleverser à ce point ?

Regan entrouvrit les lèvres. Au lieu de l'envahir de sa langue, comme tant d'hommes le faisaient automatiquement, il la surprit de nouveau en déposant de légers baisers sur le pourtour de sa bouche. En sentant ses lèvres se poser sur sa joue, elle se rappela ses imperfections et se crispa.

— Nate… fit-elle d'une voix haletante, affamée, qui l'étonna elle-même.

Elle le sentit sourire contre sa tempe.

— Chut, murmura-t-il. Encore un peu.

Le cerveau de Regan s'obscurcit. Des désirs qu'elle était toujours parvenue à maîtriser s'éveillèrent timidement.

Il revint picorer ses lèvres, une fois, deux fois, puis trois, jusqu'à ce que, finalement, il s'y attarde. Et même alors, il fut patient. D'une patience qui tenait de la torture. Il la goûtait lentement, comme s'il savourait un bon vin, aspirant son souffle en même temps que les restes de sa volonté.

L'un d'eux trembla. Craignant que ce ne soit elle, Regan voulut s'écarter, mais il ne la laissa pas s'éloigner et pressa son front contre le sien en lui caressant la nuque.

— T'embrasser pourrait devenir une habitude, *chère*.

— Une mauvaise habitude.

Il eut un sourire espiègle.

— Parfois, ce sont les plus amusantes.

— Tu n'es pas mon type.

— Eh bien, je ne voudrais pas que tu le prennes mal, mais tu n'es pas non plus le mien. Mais il arrive que les hormones s'en fichent.

— Je suppose que tu t'y connais mieux que moi.

Zut, pourquoi avait-elle pris ce ton boudeur ?

— Étant donné que je ne sais pas grand-chose de toi, je ne me risquerai pas à émettre de jugement. Mais, si tu veux, je peux t'embrasser de nouveau. Histoire de voir s'il s'agissait d'un coup de pot.

— Ça l'était. Depuis que je te connais, ma vie est devenue bizarre. Je crains de réagir aux événements de façon inconvenante.

— De façon inconvenante, répéta-t-il en ayant l'air de goûter les mots. Tu vois, chérie, c'est là que réside notre désaccord. Parce qu'il me semble que lorsque l'électricité jaillit entre un homme et une femme, le bon sens exige de prendre plaisir aux étincelles.

Il inclina la tête et mordilla la lèvre inférieure de Regan.

— J'ai eu envie de me conduire de façon inconvenante depuis que je t'ai vue témoigner.

— Oh, arrête…

Regan sentait qu'elle perdait le contrôle de la situation et, pire encore, d'elle-même. Une première.

— C'est la pure vérité, déclara-t-il en levant la main comme pour prêter serment. Quand tu t'es présentée à la barre, je me suis demandé ce que tu portais sous ce petit tailleur très strict et, une pensée menant à une autre, je me suis retrouvé en train d'imaginer que je t'en débarrassais et que je te faisais passionnément l'amour dans le grand fauteuil en cuir du juge.

— Ce comportement t'aurait valu d'être jeté en prison pour attentat à la pudeur.

— Mais je parie qu'on se serait payé une chevauchée fantastique.

Cette arrogance bon enfant agaça Regan. D'accord, c'était le plus bel homme qu'elle eût jamais vu en dehors d'un écran de cinéma. Il était sacrément bien bâti et se déplaçait avec une grâce naturelle. Mais cela ne lui accordait pas le droit de se conduire comme s'il était un cadeau du Ciel fait aux femmes.

— J'aurais dû te tirer dessus à L.A.

— Et moi, j'aurais dû t'embrasser. Aujourd'hui, on en serait à l'étape suivante.

— Laquelle ?

Il se frotta la mâchoire tout en la dévisageant en silence. Puis, au moment où elle sentait que ses nerfs allaient crisser comme les freins de sa vieille bagnole, il secoua la tête.

— Tu le découvriras le moment venu.

Lequel n'arriverait jamais. Elle était flic, bon sang ! Et pas n'importe quel flic, mais la crème des crèmes, le *nec plus ultra*. Elle mangeait du truand au petit déjeuner et, le soir, en envoyait un ou deux à l'ombre jusqu'à la fin de leurs jours, sans possibilité de libération conditionnelle. Nate Callahan ne lui faisait pas peur.

— Les policiers possèdent certains instruments qui leur permettent de maintenir l'ordre, dit-elle. Tu en as peut-être entendu parler.

— Je n'ai jamais été du genre à prendre mon pied dans les jeux sadomaso, mais si tu veux sortir tes menottes, pourquoi pas ? Il y avait une strip-teaseuse, à La Nouvelle-Orléans, qui se faisait appeler officier Lola. Elle arrivait sur scène vêtue d'un uniforme bleu marine de policier et, peu à peu, se retrouvait en bottes noires à talons hauts et string orné de divers insignes. Tu as apporté une tenue aguichante de ce genre ?

— Tu ne prends jamais rien au sérieux ?

— J'essaie de l'éviter. La vie est trop courte. Puisque, au réveil, on ignore si on sera encore de ce monde à la nuit tombée, mieux vaut profiter de l'instant présent, s'abandonner au courant.

— S'abandonner au courant mène à l'inertie. Si tout le monde avait adhéré à cette philosophie, nous habiterions encore dans des grottes, nous chasserions le mammouth laineux et nous ferions cuire nos repas sur des feux de bois.

— Ça ne me paraît pas si affreux, dit-il.

Il effleura sa nuque, et elle sentit sa peau se hérisser.

— Te faire l'amour à la lumière du feu ne me déplairait pas, ajouta-t-il.

— Et que dirais-tu si le pied d'un mammouth laineux t'écrasait les testicules ?

— Ouille ! Quelle femme difficile tu es, *chère* !

— Je m'y efforce. Et toi, quel homme de Neandertal tu fais !

— C'est là la différence entre nous : chez moi, c'est naturel, conclut-il avec un sourire auquel elle eut du mal à résister.

— Écoute, Callahan, notre association me paraît fichue. À moins que tu n'arrives à me décrocher un entretien avec Mme Melancon.

Regan avait appelé le matin même la résidence Melancon, et on lui avait répondu que la vieille dame ne recevait pas. Ni aujourd'hui, ni demain, ni à l'avenir.

— Deux ou trois idées me sont venues, répondit Nate. Mais elles demandent encore un peu de réflexion. En attendant, je te propose une balade.

— Où ça ?

— Chez l'homme qui possédait le *Lafitte's Landing* il y a trente ans.

— L'employeur de Linda Dale ? Le type qui a trouvé son corps ?

— Oui. Et avec qui, selon la rumeur, elle avait une liaison.

— D'où tiens-tu cela ? demanda-t-elle comme il démarrait.

— Je me suis arrêté chez Orélia en chemin. Elle connaît tous les ragots de la ville. Apparemment, la femme de Boyce a accusé Linda de « détournement d'affection », puis, pour une raison inconnue, elle a retiré sa plainte.

— Ce Boyce était marié, alors ?

Une averse s'était déclenchée. Les gouttes de pluie dessinaient des fossettes dans l'eau noire des flaques sur le bas-côté de la route.

— Oui.

— Dans son journal, son amant est un homme marié, murmura Regan en fixant Nate de ce regard intense qui lui donnait l'impression de subir un interrogatoire. C'est son nom, Boyce ?

— Son nom de famille. Son prénom, c'est Jarrett.

Il se demanda si elle se rendait compte qu'elle avait agrippé son bras.

— Linda désigne son amant par l'initiale « J ». Tu dis que Mme Boyce a retiré sa plainte ?

— Oui.

— Peut-être que Jarrett Boyce a tué Linda parce qu'un divorce l'aurait obligé à partager ses biens avec sa femme et qu'il aurait perdu son entreprise.

— C'est une possibilité, admit Nate.

— L'argent a causé plus de meurtres que la passion... Peut-être aussi que la femme de Boyce a préféré économiser les frais de justice et régler elle-même le problème.

— En traînant de force Linda jusqu'au garage et en la fourrant dans sa voiture ?

— Quand ils sont fous furieux, les gens peuvent faire un tas de choses dont ils seraient incapables dans leur état normal. On dit que, grâce à un flot d'adrénaline, des femmes ont réussi à dégager leurs enfants écrasés par des voitures.

— À mon avis, ce genre d'histoire relève de la légende urbaine. J'ai passé une grande partie de mon existence à trimbaler du bois de charpente, et je doute de pouvoir soulever une voiture, même si des seaux d'adrénaline se déversaient dans mes veines.

— Tu le fais exprès ?

— Quoi donc, *chère* ?

— Faire suivre à la conversation des méandres interminables avant de la ramener au sujet initial ?

Il réfléchit un long moment.

— Non, répondit-il enfin.

— Non quoi ?

— Non, je ne le fais pas exprès, déclara-t-il en souriant. C'est comme mon charme, c'est naturel. Pour en revenir à notre sujet, assassiner quelqu'un en l'empoisonnant au monoxyde de carbone me paraît bien aléatoire. Linda Dale aurait pu sortir de sa voiture et se ruer dehors.

— Sauf si on l'avait ligotée, suggéra Regan.

— Papa l'aurait remarqué, car, même si l'assassin était revenu la détacher après sa mort, sa peau aurait gardé des traces de liens. Ce que ne signale pas le rapport.

— La femme de Boyce a pu l'assommer. Cela expliquerait la contusion sur le crâne.

— Je ne suis pas un expert, mais une femme est-elle réellement capable d'en frapper une autre aussi violemment ?

— Ça dépend de la femme en question. Moi, je pourrais.

— Voilà un détail que je n'oublierai pas.

— Peut-être a-t-elle utilisé une arme, suggéra Regan.

— Bien sûr. Elle a pu arriver munie d'une batte de base-ball, ou bien s'emparer d'une lampe. Ou du téléphone. Tout est possible.

— Mais tu n'y crois pas.

— Peu importe ce que je crois. C'est toi, l'inspecteur.

— Oui, mais c'est la première fois que j'enquête sur le meurtre d'un membre de ma famille.

Cette idée lui paraissait toujours ahurissante.

— Quand tu as perdu ton père, comment ont réagi les gens ?

Il y réfléchit une minute.

— De la même façon que certaines personnes traitent Homer Fouchet la première fois qu'elles le voient – c'est le type du journal qui s'occupe des petites annonces à publier. Il est revenu du Vietnam sans jambes, la figure et les mains brûlées. Il n'a plus de poils, ni de cils, ni de sourcils et, bien qu'il soit sympathique, de nombreuses personnes ont du mal à le regarder. Il les met mal à l'aise.

— « Heureusement que ce n'est pas moi », se disent-elles, murmura Regan.

Elle avait observé la même attitude chez des collègues qui avaient cru bon de lui rendre visite à l'hôpital.

— Oui, acquiesça-t-il. Bref, les gens me traitaient comme ça. Mes copains de classe ne savaient pas quoi me dire. Ils gardaient leurs distances et évitaient de me regarder dans les yeux.

— Au moins, tu avais tes frères.

— Oui. La vie était difficile, mais elle aurait été bien pire sans Finn et Jack.

— Les enfants peuvent être très méchants.

— Hélas, oui. Il y avait une fille à l'école, Luanne Jackson, dont la mère était alcoolique et le beau-père un bon à rien. Jack l'a surpris en train de violer Luanne et a failli le tuer. Aucun de nos camarades ne l'a su et, si des adultes l'ont appris, personne n'en a parlé à la police. Bref, quand ce type était à la pêche à la crevette, c'est-à-dire très souvent, sa femme, la mère de Luanne, se rendait au *Sans Nom* et en repartait avec un homme. Les enfants entendaient leurs parents en parler, et ils se moquaient horriblement de Luanne. Elle s'est souvent fait renvoyer pour s'être battue… Si Jack et moi étions à proximité, nous nous mettions dans son camp, poursuivit Nate, que ce souvenir fit sourire. Et en général, nous nous retrouvions à terre.

— Mais vous la souteniez.

— Bien sûr, dit-il sur le ton de l'évidence.

— C'était donc une de tes amies ?

— Oui. Mais j'étais moins proche d'elle que Jack.

— Laisse-moi deviner. Luanne et Jack ont eu une « histoire ».

— Je ne voudrais pas verser dans le commérage, mais il est vrai qu'ils se sont fréquentés pendant un certain temps. C'était avant Dani.

— On dirait que la vie de ton frère est divisée en deux périodes. Avant Dani, et après.

— Exactement. Je n'aurais jamais cru cela possible, mais elle l'a complètement domestiqué.

— À t'entendre, on pourrait penser qu'il a été châtré.

Nate éclata de rire.

— Quand tu rencontreras Jack, tu te rendras compte qu'aucune femme au monde ne pourrait réaliser un tel exploit. Mais il s'est rangé et semble heureux.

À en juger par son ton incrédule, Nate ne s'imaginait pas se satisfaire d'un bonheur domestique. Elle non plus, se dit Regan. Ayant été élevée sans avoir sous les yeux l'exemple d'une vie de couple, elle ne saurait se comporter en épouse.

— Hormis l'éventuelle liaison entre Linda Dale et Jarrett Boyce, Orélia savait-elle autre chose sur eux ?

— Non. Marybeth Boyce a retiré sa plainte et, juste après, Linda Dale est morte.

Ils se turent un instant. De gros nuages traversaient le ciel. Des bosquets d'arbres dénudés se dressaient ici et là. En d'autres circonstances, Regan aurait pris plaisir à la balade.

La maison était basse et étroite, précédée d'une large véranda. La peinture blanche s'était ternie, mais une explosion orange de chèvrefeuille s'accrochait à un treillis sur le côté droit de la bâtisse. Une Cadillac dont les ailerons rappelaient les glorieuses années soixante de Detroit était garée dans l'allée recouverte de coquillages concassés. Un chien brun et blanc somnolait sur la terrasse au milieu d'un assortiment de plantes d'intérieur.

— Ça a l'air douillet, dit Regan.

Était-ce la maison de son père ? Si c'était le cas et qu'il l'ait reconnue, comme sa vie aurait été différente !

— C'est ce qu'on appelle une maison-fusil, expliqua Nate. Il y en a des milliers en Louisiane du Sud. Ce sont les Noirs affranchis qui ont apporté ce style d'architecture de Haïti. On les appelle maisons-fusils parce que toutes les pièces sont disposées en enfilade et que, si on tire de la porte d'entrée, la balle traverse tout droit la maison et sort par la porte du fond.

— À condition de tirer des balles. Car, avec une cartouche, les plombs se dispersent dans un rayon qui s'évase en fonction de la distance.

— On t'a déjà dit que tu étais sacrément sexy quand tu parlais en flic ?

— Non.

Elle lui décocha un regard qui aurait réduit au silence la plupart des hommes. Le problème était que Nate Callahan ne faisait pas partie de la plupart des hommes.

— Qu'est-ce qu'ils ont, les mâles, à L.A. ? Ils doivent tous être aveugles ou gays.

— Peut-être sont-ils seulement assez malins pour éviter de draguer un officier de police.

— Qu'un type qui te voit armée et en train d'enquêter sur une scène de crime hésite à te faire des avances, je le comprends, admit Nate. Mais tu ne passes pas tout ton temps à traquer les méchants.

— C'est là que tu te trompes. Être flic n'est pas seulement ce que je fais. C'est ce que je suis. Ma vie se résume à mon boulot, et les hommes que je fréquente se rangent en trois catégories.

Elle leva un doigt.

— Les suspects.

Un deuxième doigt.

— Les collègues.

Un troisième.

— Et les hommes de loi.

— Tu as besoin d'élargir le cercle de tes relations, dit-il en lui caressant la mâchoire.

Elle repoussa sa main.

— Ce dont j'ai besoin, dit-elle en détachant sa ceinture de sécurité, c'est que tu arrêtes d'empiéter sur mon espace vital.

Il sortit de la voiture et la rattrapa à mi-chemin de la maison. La pluie avait cédé la place à une fine bruine.

— D'accord.

— D'accord pour quoi?

— Pour te laisser un peu plus d'espace vital.

Elle s'immobilisa.

— Pourquoi est-ce que je ne te crois pas?

— Parce que tu es sceptique jusqu'à la moelle. Je t'imagine très bien à quatre ans, le regard grave, assise sur les genoux du Père Noël dans un grand magasin de L.A., et lui faisant subir un sévère interrogatoire.

Il ne voyait donc en elle qu'une femme sérieuse et dénuée d'humour?

— Je ne me suis jamais assise sur les genoux du Père Noël, répliqua-t-elle, agacée, en se remettant à marcher vers la maison. Ma mère ne m'a jamais encouragée à gober cette histoire.

Ni celles de la petite souris et des cloches de Pâques.

— J'ai rarement entendu quelque chose d'aussi triste.

— Alors, tu as été merveilleusement protégé.

Malgré la présence de la Cadillac, la maison semblait déserte. Manifestement, le chien n'avait pas été acheté pour ses qualités de gardien. Parfaitement inconscient de leur arrivée, il continuait à ronfler.

— Allons voir derrière.

Ils trouvèrent Boyce dans un petit cimetière qu'entourait une grille en fer forgé. Certaines stèles étaient si vieilles qu'on ne pouvait en lire les inscriptions. L'homme plantait des rosiers auprès d'une statue d'angelot.

Lorsque Nate l'appela, il se retourna et lâcha sa bêche.

— Salut, Nate. Je pensais bien que tu viendrais.

Les rides de son visage buriné trahissaient les épreuves qu'il avait dû traverser. Son âge pouvait se situer entre cinquante-cinq et soixante-dix ans.

— Le juge avait raison, dit-il à Regan. Vous ressemblez à Linda, surtout les yeux… J'avais prédit que sa petite fille briserait les cœurs lorsqu'elle serait grande et, visiblement, je ne me suis pas trompé.

Il se tourna vers Nate qui, accroupi, gratouillait la nuque du chien, qui les avait rejoints.

— On raconte que tu as embauché la petite dame comme shérif.

— C'est un malentendu, protesta Regan, qui commençait à se lasser de devoir toujours répéter la même chose. Le maire m'a prêté l'insigne uniquement pour que je donne un coup de main sur la scène d'un accident.

— On m'a raconté ça aussi. Vous avez fait du bon boulot. Peut-être que vous aurez envie de rester.

— J'ai déjà un travail, à Los Angeles.

— Dommage. La ville a vraiment besoin d'un shérif. Le dernier qu'on a eu était nul. En plus, c'était un escroc.

Il inclina la tête et regarda attentivement Regan.

— C'est fou ce que tu me rappelles Linda, quand tu parles. Excuse le tutoiement, c'est plus fort que moi.

— Je vous en prie... Elle n'avait pas l'accent du pays ?

— Non. Ce qui n'a rien d'étonnant, vu qu'elle n'était pas d'ici.

— Vous savez d'où elle venait ?

— Elle parlait peu de son passé. Elle donnait l'impression de ne pas avoir eu une jeunesse très heureuse, mais il me semble qu'elle venait de Californie... De Modesto ou de Fresno, peut-être. En tout cas, pas l'une des villes auxquelles on pense automatiquement, comme Los Angeles ou San Francisco.

— Ça pourrait être Bakersfield ?

La femme qu'elle avait prise pour sa mère était née dans cette ville.

— C'est ça ! s'écria le vieil homme, dont le regard s'illumina. Ta maman était une très jolie femme, tu sais. Et pleine de talent.

— Je n'ai toujours pas la certitude que Linda Dale était ma mère, dit Regan d'un ton froid.

— Regan est inspecteur de police, précisa Nate. Elle n'affirme rien tant qu'elle n'est pas en possession de toutes les preuves.

— Inspecteur de police ! fit le vieil homme. C'est la première fois que je vois une femme inspecteur de police.

Un petit silence s'installa.

— Tes roses sont superbes, Jarrett, dit Nate.

L'homme jeta un regard satisfait à ses plantations.

— Elles poussent bien. J'ai acheté ces vieux pieds dans une plantation de Houma. Le nouveau propriétaire rasait tout pour construire une sorte de résidence secondaire. Quand je lui ai demandé de me vendre ces plants, il m'a dit d'emporter gratuitement tout le lot.

— Superbes, répéta Nate en regardant les buissons exubérants entourés d'abeilles bourdonnantes.

— Marybeth a toujours aimé les roses, dit Boyce. Sa préférée, en ce moment, c'est cette rose de Damas, parce qu'on dit qu'on en fait une très bonne huile. Moi, je préfère la couleur de ce General Jack. C'est rare de trouver des roses d'un rouge aussi sombre.

— Votre jardin est ravissant, trancha Regan, que cette discussion sur les fleurs éloignait de son but. Marybeth, c'est votre femme ?

— Oui. Nous sommes ensemble depuis quarante-cinq ans.

— C'est long.

D'autant plus que, selon Orélia, tout n'avait pas été rose dans le ménage.

— Comment l'avez-vous rencontrée ? demanda Regan. Linda Dale, pas Marybeth.

— C'est la plainte qu'a déposée Marybeth qui t'amène ici, hein ? grommela-t-il.

— Je m'intéresse aux circonstances qui ont entouré la mort de Linda.

Il poussa un profond soupir.

— Je pensais avoir tourné la page de cette folie il y a longtemps, dit-il en s'essuyant le front avec un mouchoir à carreaux rouges. Fouiller le passé donne soif. Marybeth a préparé une carafe de thé sucré ce matin. Allons nous asseoir sur la terrasse.

15

— On n'est pas près de s'en aller, n'est-ce pas ? demanda Regan tandis que Jarrett Boyce allait leur chercher à boire.

— Non. Mais il y a très longtemps que la vérité, quelle qu'elle soit, attend de sortir au grand jour. Ça ne fait pas de mal de bavarder en buvant du thé sucré. Et tu obtiendras les renseignements que tu cherches.

— Mais après combien d'heures ? soupira Regan.

— Les choses vont moins vite ici qu'à Los Angeles, dit-il, comme si elle ne l'avait pas encore compris. Tu dois apprendre à te laisser porter par le courant.

Jamais elle ne s'était laissé porter par le courant. En serait-elle capable ? s'inquiéta-t-elle en regardant un colibri plonger son long bec dans la fleur rouge d'une plante en pot.

— Et voilà.

La porte-moustiquaire s'ouvrit et Jarrett Boyce les rejoignit, trois grands verres remplis d'un liquide sombre dans les mains.

Nate prit une longue rasade.

— Ce thé est le bienvenu, Jarrett, dit-il avec son sourire désarmant.

En voyant les épaules de Boyce se détendre légèrement, Regan se dit qu'elle aurait bien aimé avoir Nate à côté d'elle pour interroger les suspects. Elle lui aurait volontiers confié le rôle du gentil flic.

Elle remercia Jarrett et examina le liquide opaque, qui ne ressemblait pas du tout au thé glacé dont elle avait l'habitude. Ce breuvage-là était aussi sombre et boueux que les eaux brunes du bayou, et d'étranges petites choses flottaient à sa surface – probablement des débris de thé, songea-t-elle avec espoir. Une feuille de menthe naviguait d'un bord à l'autre du verre.

Elle prit une gorgée timide… qu'elle faillit aussitôt recracher. Il lui sembla que l'émail de ses dents se dissolvait.

— Pour être sucré, c'est sucré, balbutia-t-elle.

— Aujourd'hui, les gens ne prennent plus le temps de préparer correctement le thé sucré. Marybeth fait bouillir cinq tasses de sucre dans l'eau avant d'y mettre le thé à infuser.

— Cinq tasses, murmura Regan en évitant le regard amusé de Nate.

Les dentistes de la région devaient faire de bonnes affaires.

— C'est pour ça qu'on appelle cette boisson du thé sucré, déclara Boyce en croisant les jambes. Bon, que je te dise tout de suite, mon petit, c'était faux, cette histoire au sujet de Linda et moi.

— Votre femme y a cru.

— Marybeth n'était pas dans son état normal à l'époque, dit Jarrett Boyce en fixant son verre comme s'il pouvait revoir le passé dans le liquide trouble. À cause de ce qui était arrivé à Little J.

— Votre fils ?

— Oui.

Il sortit de sa poche un paquet de cigarettes et le tapota pour en faire tomber une, qu'il mit dans sa bouche. Puis il gratta une allumette sur la semelle de sa botte et alluma la cigarette.

— Il avait deux ans quand nous l'avons perdu, reprit-il après avoir aspiré une longue bouffée.

Et la blessure était toujours ouverte, constata Regan en examinant l'expression du vieil homme.

— Il s'est noyé.

— Je suis désolée.

Elle avait malheureusement vu souvent des accidents de ce genre, lorsqu'elle était simple flic.

— Désolés, nous l'étions, pour sûr, dit-il en soupirant. Marybeth était en train de mettre du linge à sécher, là-bas.

Il désigna une corde tendue vingt mètres plus loin.

— Little J. jouait avec ses petits camions, ici, sur la terrasse. Le téléphone a sonné, et Marybeth est rentrée dans la maison pour répondre. C'était sa mère, qui voulait mettre au point un détail concernant le dîner de la paroisse.

Il s'interrompit. Le silence se prolongea.

— Monsieur Boyce ?

— Pardon, fit-il. Je viens juste de me rendre compte que je n'ai jamais su quel détail était important au point qu'on ne puisse pas en discuter à un autre moment.

Regan sentit que sa colère contenue visait plus le destin que sa femme ou sa belle-mère.

— Carla, la mère de Marybeth, est tellement bavarde qu'elle pourrait assourdir un homme déjà sourd. Marybeth était aussi comme ça, à l'époque. Depuis, elle ne veut plus parler au téléphone. Elle m'a fait arracher la ligne après l'enterrement.

L'enterrement d'un enfant. Y avait-il quelque chose de plus tragique ?

— Vous n'êtes pas obligé de m'en parler, dit Regan.

— Tu veux savoir ce qui s'est passé entre ta maman et moi, pas vrai ? Pour cela, tu dois connaître les circonstances.

Il redressa les épaules et cligna des yeux.

— À ce moment-là, nous avions un chien nommé Elvis. Je l'avais acheté le mois précédent, parce que tous les enfants ont besoin d'un chien, non ?

— C'est vrai, dit-elle.

Elle n'en avait pas eu. Sa mère s'y était opposée, sous prétexte que les chiens abîmaient tout et apportaient des puces et des tiques dans la maison.

— Le shérif – ton papa, Nate – a pensé que Little J. en avait eu assez de ses camions et avait voulu jouer à la balle avec Elvis. C'est ce qui a dû se passer, puisque, lorsque Marybeth est ressortie de la maison, l'enfant et une vieille balle de tennis flottaient dans le bayou.

Il ferma brièvement les yeux, sans doute pour effacer cette image. Puis il but plusieurs gorgées de thé, en ayant l'air de regretter que ce ne soit pas une boisson plus forte.

— Marybeth s'est effondrée. Elle s'est payé une grosse dépression. Elle ne pouvait rien faire d'autre que rester au lit toute la journée. Lui parler, c'était comme parler à l'une de ces souches.

La cendre tomba de sa cigarette lorsqu'il désigna les souches de cyprès qui émergeaient de l'eau sombre et paisible du bayou.

— Elle ne mangeait rien, refusait que je la touche. Elle ne pleurait pas non plus. Elle n'a même pas versé une larme quand on a descendu le petit cercueil bleu de Little J. dans sa tombe.

« Tout le monde – sa mère, la mienne, les tantes, les cousins – sanglotait. Même mon père pleurait, et celui de Marybeth avait l'air au bord de la crise cardiaque. Je n'ai pas honte d'admettre que les larmes ruisselaient sur mes joues. Mais les gens qui disent que ça fait du bien de se laisser aller à pleurer n'ont pas dû perdre de bébé, parce que moi, ça ne m'a pas soulagé.

Il soupira profondément, avant de tirer sur sa cigarette.

— Les yeux de Marybeth sont restés aussi secs que ceux de l'angelot en pierre que j'ai planté sur la tombe.

Nate prit la main de Regan et noua ses doigts aux siens. Elle ne chercha pas à se dégager.

— Marybeth ne voulait pas de l'ange, mais ce n'est que plus tard que j'ai compris pourquoi. Elle trouvait qu'on aurait dû donner un ange gardien à Little J. plus tôt. Mais, comme il avait toujours eu peur du noir, l'idée qu'il avait un ange à côté de lui me consolait un peu. J'aurais tenu bon si Marybeth s'y était opposée, mais en fait, elle n'a rien dit.

Regan pria pour qu'il entre dans le vif du sujet. Le récit du vieil homme lui serrait le cœur. Mais, comprenant qu'il devait raconter l'histoire à sa façon, elle se tut.

— Au bout d'un moment, Doc Vallois a estimé qu'elle ne guérirait jamais ici, et il l'a fait admettre dans une clinique de Baton Rouge où l'on soignait la dépression en envoyant du courant électrique dans le cerveau.

— Traitement par électrochocs, dit Regan en échangeant un bref regard avec Nate.

— Oui, c'est comme ça qu'ils appelaient ça. Ils l'ont gardée six mois là-bas.

Un nouveau silence s'établit, les enveloppant telle une couverture grise et lourde d'humidité.

— Et toi, tu es resté là, à porter le deuil tout seul, souffla Nate.

Boyce lui jeta un coup d'œil reconnaissant.

— Oui.

Il tira une dernière bouffée de sa cigarette avant de l'écraser sous son talon, sur le plancher de la terrasse. Puis il se tourna vers Regan.

— Ta maman n'était pas bêcheuse comme le sont souvent les jolies femmes. Elle était gaie et généreuse. Quand elle souriait, on aurait dit qu'un rayon de soleil perçait les nuages. Tout le monde l'aimait.

— Ce portrait n'est pas celui d'une femme suicidaire.

— Non, fit Boyce d'un ton songeur. On a tous été stupéfaits qu'elle ait fait ça. Moi, le premier... Mais, bien sûr, on ne connaît jamais vraiment à fond les gens.

— C'est vrai, approuva Regan en songeant au peu de choses qu'elle savait de la femme qui l'avait élevée.

— Avant d'arriver ici, Linda travaillait à La Nouvelle-Orléans. Et avant cela, elle avait essayé de percer dans la musique country à Nashville. Elle travaillait dans un petit club lorsqu'un type est venu lui proposer de chanter dans son cabaret, dans le Vieux Carré.

— Pourquoi a-t-elle quitté La Nouvelle-Orléans ?

— Eh bien, elle ne me l'a jamais dit, mais j'ai été bien content quand elle a débarqué chez moi. Seigneur, cette fille chantait comme un rossignol ! Dès la première semaine, elle m'a fait gagner dix pour cent de plus. Au bout de six mois, les bénéfices avaient doublé, et la salle était bondée tous les vendredis et samedis soir.

— Blue Bayou a beau être une ville charmante, elle aurait eu plus d'occasions de décrocher un contrat en or à La Nouvelle-Orléans.

— J'y ai pensé, moi aussi, mais je n'ai pas posé de questions, et elle n'en a jamais parlé. À mon avis, c'était à cause d'un homme qu'elle avait quitté la ville. Peut-être ton papa.

Regan sentit tous ses nerfs se tendre.

— Savez-vous de qui il s'agit ?

— Non. De lui non plus, elle n'a jamais rien dit. Peut-être parce que ce n'étaient pas de bons souvenirs. En plus, quand nous étions seuls, elle ne pensait qu'à me remonter le moral. J'étais dans un sale état, à ce moment-là.

Il l'examina de ses yeux gris clair et reprit :

— Je suppose que les petites filles deviennent comme leurs mamans, même si elles ne vivent pas sous le même toit. La tienne faisait partie de ces gens qui cherchent à aider les autres, à les égayer, à aplanir leur chemin. Ce n'est pas ce que fait un officier de police ?

— Plus ou moins. Linda et vous avez été très proches ?

— Oui, mais pas autant que les ragots l'ont prétendu. Je n'ai jamais couché avec elle. Je ne l'ai même

164

pas embrassée. Bien que ce ne soit pas faute d'y avoir pensé, de temps en temps, admit-il.

— Le jour où un homme croise une jolie femme sans penser à l'embrasser, il perd toute raison de s'accrocher à la vie, déclara Nate.

L'éclat de rire de Boyce surprit Regan. C'était un rire hardi et généreux, qui laissait deviner l'homme qu'il avait dû être avant que la tragédie ne le frappe.

— Avait-elle d'autres amis masculins ?

— À peu près tous les hommes de la ville. Elle était très populaire, même auprès des femmes qui venaient au cabaret. Elle t'amenait souvent, et je ne connais pas de femme qui n'aime pas jouer avec un joli bébé.

— Elle amenait son bébé dans une boîte de nuit ?

— Le *Lafitte's Landing* ne ressemblait pas aux boîtes de nuit de Californie, expliqua Nate. C'était un établissement très familial où, le week-end, tout le monde aimait venir passer une bonne soirée. À l'heure du dîner, on y trouvait aussi bien des arrière-grand-mères qui ne parlaient pas un mot d'anglais que des mères et leurs bébés et des adolescents qui s'exerçaient au flirt.

— Pour Linda, c'était une bonne affaire, dit Boyce. Elle n'avait pas besoin de prendre une baby-sitter. Et comme je ne pouvais pas la payer comme elle le méritait, je lui offrais le repas. Elle avait même mis au point un petit duo avec toi.

— Un duo ?

— Oui. Tu étais incapable de sortir une phrase complète, mais tu connaissais toutes les paroles de *You are my sunshine*.

Regan en resta bouche bée.

— C'est une chanson que tout le monde aime ici. Elle a été composée par Jimmie Davis, un métayer qui vivait à Jackson et qui est devenu gouverneur. C'était un numéro charmant, car tu ressemblais beaucoup à Linda – excepté la couleur des cheveux. On avait l'impression de regarder en même temps une petite fille et la femme qu'elle deviendrait.

— Vous disiez que tous les hommes l'aimaient, dit Regan de sa voix de flic, malgré les émotions qui la déchiraient.

— C'est vrai.

— Alors, elle avait beaucoup de petits amis ?

— J'ai dit qu'elle avait beaucoup d'amis, nuance. C'était une fille amicale, mais pas une fille facile. Quand elle sortait, c'était toujours en groupe. Elle n'avait pas l'air d'avoir de copain attitré. Elle te lisait des contes de fées et, à mon avis, elle gobait ce genre d'histoires, parce qu'elle m'a parlé plusieurs fois du prince charmant qui allait vous emmener, elle et toi, loin de Blue Bayou… Ça n'a pas marché, acheva-t-il en secouant la tête.

— Non. Effectivement.

Sans doute était-ce la raison pour laquelle Karen Hart avait dissuadé Regan de croire aux légendes et aux contes de fées. Voyant à quoi le tempérament romanesque de sa sœur l'avait menée, elle avait donné à l'enfant une éducation stricte et exigeante.

— Je venais d'acheter la Fleetwood, à l'époque, et j'ai pris l'habitude d'aller chercher Linda pour l'emmener au club. Sa propre bagnole n'était pas sûre.

Regan jeta un coup d'œil à la Cadillac rouge et blanc.

— On ne croise plus ce genre de voiture sur la route.

— C'est bien dommage. Je l'ai achetée à un pilote d'hélicoptère de Port Fourchon. Elle avait eu un accident et le capot était en accordéon. L'intérieur était tout déglingué, la peinture éraflée, mais j'en ai vu toutes les possibilités. Le samedi après-midi, Linda m'aidait à poncer la carrosserie.

— Vous étiez vraiment très bons amis.

— Nous avions des points communs : la solitude et, en même temps, l'impossibilité de nouer une nouvelle relation. Oh, elle ne me faisait pas de confidences sur son homme, et je ne lui ai parlé qu'une fois de Marybeth, un jour de déprime où je me suis enivré et j'ai

166

pleuré comme un bébé. Ça ne s'est pas reproduit, mais ça a renforcé notre lien. En tout cas, c'était une amitié très innocente, malgré ce qu'aimaient raconter quelques commères.

— Les gens causent.

— Pour sûr. C'est une petite ville, fit Boyce avec un haussement d'épaules résigné. Il n'y a pas grand-chose à faire, alors parler des voisins est une distraction locale.

Bien qu'un tel environnement pût être étouffant, Regan se dit qu'être flic ici devait avoir des avantages. À Los Angeles, on pouvait arriver dans un club bondé où quelqu'un avait été abattu à bout portant et s'entendre affirmer que personne n'avait rien vu. Bien sûr, les homicides étaient plutôt rares à Blue Bayou.

— Quand elle est revenue de la clinique, Marybeth allait beaucoup mieux, mais elle était toujours aussi fragile que du verre. Je marchais sur la pointe des pieds, de peur de déclencher une crise de nerfs.

— Vous avez continué à aller chercher Linda en voiture après le retour de votre femme ?

— Oh, non ! Pas parce qu'il y avait quelque chose entre nous, mais pour éviter de renvoyer Marybeth dans cet établissement.

— Quelqu'un lui a quand même fait part des commérages.

— Oui. Des chipies, jalouses de Linda, ont appris à Marybeth ce que fabriquait son mari pendant qu'elle-même subissait des électrochocs, dit Jarrett Boyce, un éclair de colère dans les yeux. Des garces qui, parce qu'elles n'avaient rien de mieux à faire, passaient leur temps à fouiner dans les affaires des autres.

— C'est à ce moment-là que Marybeth a porté plainte ?

— Oui, répondit-il en ôtant sa casquette et en fourrageant dans ses cheveux blancs encore drus. Elle n'avait pas d'objectif précis, en fait. Elle a agi sur un coup de tête, parce qu'elle souffrait. Le temps que je la rejoigne chez le juge, il l'avait déjà presque dissuadée. Nous avons discuté toute la nuit, Marybeth et moi, et le lendemain, elle retirait sa plainte. J'ai cru que tout était arrangé. Et puis... tu connais la suite. Linda n'est pas venue travailler, je suis allé voir ce qu'elle faisait, et je l'ai trouvée dans son garage.

Morte. En laissant une enfant de deux ans se débrouiller toute seule. Regan avait déjà assisté à ce genre de drame, et elle avait compati à la souffrance de ces enfants, mais ce n'était qu'aujourd'hui qu'elle comprenait leur désarroi et leur panique.

— Vous avez dit que votre femme et vous aviez parlé toute la nuit, reprit-elle prudemment. Est-ce une figure de style, ou bien avez-vous réellement passé la nuit à côté d'elle ?

Devinant la signification de sa question, Jarrett Boyce fronça les sourcils. Son regard se fit perçant.

— Nous ne nous sommes pas quittés de la nuit. Alors, si c'est un interrogatoire de police, je suis son alibi. Et elle, le mien.

— Je ne...

Flûte, pourquoi mentir ?

— Je ne voulais pas porter d'accusation, monsieur Boyce. J'essaie juste de savoir la vérité. Si vous étiez aussi proche de Linda que...

— Je ne mens pas, inspecteur, coupa-t-il d'une voix dure.

— Je vous crois, monsieur. Mais, en tant qu'ami, vous désirez sûrement savoir ce qui lui est arrivé.

— Elle s'est suicidée. C'était dans le *Cajun Chronicle*.

— Parfois, les journaux se trompent, intervint Nate.

— L'autopsie a confirmé le suicide.

— Les médecins légistes peuvent aussi se tromper, dit Regan.

Bien qu'elle eût préféré ne pas en révéler autant sur

elle-même à Nate, elle ouvrit son portefeuille et en sortit une vieille photographie de John Hart.

— Connaissez-vous cet homme ?

Boyce examina longuement la photo en se mordillant les lèvres.

— Son visage ne me dit rien, déclara-t-il enfin.

— Vous ne l'avez sans doute pas rencontré, mais avez-vous vu sa photo chez Linda ? insista-t-elle.

— Non, répondit-il d'un ton ferme. Linda n'avait que des photos de toi. Tu étais une petite fille délicieuse. Parfois, quand je te tenais sur mes genoux, je pensais à la vie que j'aurais eue si je n'avais pas d'abord rencontré Marybeth et si Linda ne s'était pas cramponnée à un type qui ne se comportait vraiment pas comme un prince, à mon avis. J'aurais voulu être ton papa. Un jour, j'ai dit à ta maman que si jamais j'avais une fille, j'aimerais qu'elle te ressemble.

Il remit sa casquette et se leva, signifiant que l'entretien était terminé.

— Et je n'ai pas changé d'avis.

— Merci, monsieur Boyce, dit Regan, sincèrement émue. Cela me touche beaucoup.

— C'est la vérité, grommela-t-il d'un ton bourru.

Le bruit d'une voiture sur la route attira son attention. Il jura à mi-voix.

— C'est Marybeth qui revient des courses.

Sa femme était-elle entièrement guérie ? se demanda Regan. Il existait des médicaments pour traiter la dépression, mais une mère se remettait-elle jamais de la mort de son enfant ?

Craignant de blesser inutilement la pauvre femme, elle se tourna vers Nate.

— On ferait mieux de partir.

— Merci, dit le vieil homme avec un soulagement visible.

Ils s'apprêtaient à monter dans la voiture lorsqu'il appela Regan.

— Oui ?

— Si quelqu'un a tué Linda, j'espère que tu le trouveras. Ôter la vie à un être aussi exceptionnel mérite pire que la pendaison.

16

Une seconde après qu'ils eurent quitté l'allée, une Honda s'y engagea.

— Merci d'avoir donné le signal du départ, dit Nate.

— Nous avions obtenu ce que nous voulions. Interroger cette femme l'aurait bouleversée et n'aurait servi à rien.

— Tu as donc cru Jarrett ? Tu penses qu'il n'a pas couché avec Linda ?

— J'ai eu l'impression qu'il était sincère. Pas toi ?

— Si, mais je ne suis pas flic.

Elle jeta un coup d'œil derrière eux et vit Boyce sortir des sacs de provisions de la voiture. Il avait l'air d'un géant à côté de son épouse, une petite femme fluette.

— Tu aurais dû me dire que Marybeth était si petite.

— J'ai émis des doutes quant à l'éventualité qu'elle ait pu traîner Linda dans le garage, et tu as évoqué les décharges d'adrénaline et la force décuplée qu'on se découvre dans des circonstances exceptionnelles. En outre, je savais que tu voudrais interroger Jarrett et te faire ta propre opinion.

— Bien sûr, il est possible qu'il ait menti sur ses relations avec Linda, dit Regan. Ce qui lui aurait donné un mobile pour la tuer. Il est évident qu'il aime sa femme, sinon leur mariage n'aurait pas survécu à la perte de leur enfant et à la dépression de Marybeth. Peut-être a-t-il voulu protéger sa femme en empêchant Linda de lui raconter leur liaison.

— Tu y crois vraiment ?

— Tout est possible. Mais je n'y crois pas, non.

— Donc, nous devons continuer à chercher.

« Nous… » Curieusement, prendre Nate Callahan comme équipier ne semblait plus aussi farfelu que la veille.

— Tu peux me rendre un service ? demanda-t-elle.

— Oui. De quoi s'agit-il ?

Il avait accepté avant même de savoir de quoi il s'agissait. Regan ne connaissait personne d'autre qui l'eût fait.

— Arrête-toi. J'ai besoin de sortir de cette voiture.

— Tu as mal au cœur ?

— Non. Je me sens frustrée. Dans ces cas-là, il faut que je marche.

— Je comprends, dit-il en arrêtant la voiture sur le bas-côté.

Regan bondit hors de la voiture et se mit à marcher d'un pas vif. L'énergie jaillissait d'elle comme des étincelles d'une flambée. Nate la rejoignit et, sans mot dire, marcha à côté d'elle.

— J'ai beau réfléchir, je ne comprends toujours pas pourquoi la femme qui m'a élevée m'a caché la vérité, dit Regan après avoir parcouru près de quatre cents mètres.

— Peut-être pour te ménager.

— La vérité finit toujours par éclater au grand jour.

Sœur Augustine disait la même chose. La religieuse enseignait aux élèves de CE1, censés avoir atteint l'âge de raison, que les mensonges par omission étaient des péchés au même titre que ceux qu'on prononçait à voix haute. Nate en savait quelque chose. Il avait passé nombre de samedis à genoux, à réciter des *Notre Père* et des *Je vous salue Marie*, au lieu de jouer au base-ball.

— Elle attendait sans doute que tu sois plus âgée et capable d'encaisser.

— J'étais adulte quand elle est morte, protesta Regan en lui faisant face. Combien de temps comptait-elle attendre ?

— Eh bien, c'est quelque chose que tu ne sauras jamais.

— Maintenant, je me demande sur quels autres sujets elle m'a menti.

Elle se remit à marcher, puis s'arrêta de nouveau et regarda au loin.

— Zut, je suis pathétique.

Elle ne ressemblait plus du tout à la femme qu'il avait vue au poste de police, îlot de calme au milieu du chaos de la salle des inspecteurs. Ni à l'officier compétent qui avait témoigné au tribunal, collant aux faits et gardant son sang-froid malgré l'avocate de la défense qui tentait de jeter la suspicion sur son enquête.

— Tu n'as pas l'air pathétique.

Nate ne supportait pas de voir une femme souffrir. Il posa une main apaisante sur l'épaule de Regan.

— Tu as seulement l'air d'une femme dont l'univers a basculé, cul par-dessus tête. Soudain, le ciel est vert, l'herbe est bleue…

Il lui caressa les bras et enlaça ses doigts aux siens.

— Le soleil tournoie dans ce ciel vert, et tu cherches à t'adapter à ce nouvel univers.

Il l'attira à lui, mais elle plaqua la main sur son torse.

— Ça va sans doute te choquer, mais toutes les femmes de la planète ne rêvent pas de finir dans ton lit.

— Eh bien, tant mieux. Car je ne rêve pas d'emmener au lit toutes les femmes de la planète.

— Bon sang, Callahan, arrête de me draguer !

— Voyons, *chère*, ce n'est pas de la drague.

Il lui embrassa le creux de la paume, puis lui replia les doigts.

— Il doit y avoir un vocabulaire spécial en Louisiane. Comment appelles-tu ça ?

— Réparer.

Il se rapprocha un peu plus, si bien que leurs corps s'emboîtèrent, les courbes fines de Regan se logeant parfaitement dans les angles du corps de Nate. Ils étaient bien assortis. Il l'avait compris dès qu'il l'avait vue témoigner.

— Réparer ?

Il déposa un baiser sur ses cheveux et huma le parfum de son shampoing aux herbes.

— Je ne gagnerai jamais autant d'argent que Jack et je ne serai jamais aussi déterminé que Finn, mais j'ai toujours été très bon pour réparer les choses.

Ayant admis très jeune qu'on ne pouvait changer de nature, Nate avait accepté avec joie son destin de bricoleur – un bricoleur qui réparait les maisons, les gens, les vies.

— Toi, tu veilles sur tes concitoyens, et moi, je répare ce qui est cassé en eux. Pourquoi ne pas me laisser te réparer ?

Il l'enlaça et sentit qu'elle se détendait.

— J'imagine que ta méthode implique qu'on se déshabille ?

— Non. Enfin, pas tout de suite, corrigea-t-il aussitôt en se demandant si sœur Augustine, du haut d'un nuage duveteux, admirait sa façon d'éviter le mensonge par omission. Peut-être plus tard, quand tu me connaîtras un peu mieux et que cette idée te déplaira moins.

Il fut récompensé par un petit bruit qui ressemblait à un rire étouffé. Regan plongea le visage dans son cou.

— Je ne pleure pas, affirma-t-elle, bien que ses joues fussent humides.

— Non, bien sûr que tu ne pleures pas.

Il plongea une main dans ses cheveux.

— Je ne pleure jamais, décréta-t-elle. Je n'ai même pas pleuré quand ma mère est morte.

Il la sentit se crisper de nouveau. Sans doute se rappelait-elle que la femme qu'elle avait appelée « maman » n'était probablement pas sa mère.

— Ne pense pas à ça maintenant, dit-il en prenant le visage de Regan entre ses mains.

Ses yeux, dont les cernes trahissaient trop de nuits sans sommeil, étaient assombris par le chagrin.

— Tu sais ce qu'il te faudrait ?

— Quoi donc ?

— Quelque chose pour te changer les idées. Juste un moment.

Contrairement à son premier baiser, qui avait lentement emmené Regan dans un univers brumeux, celui-ci l'entraîna dans le cœur tumultueux d'un orage. Le tonnerre gronda en elle, des éclairs secouèrent chacune de ses terminaisons nerveuses, et elle eut l'impression que la terre tremblait sous ses pieds.

Bouleversée, elle découvrait des sensations inconnues. Qui en appelaient d'autres.

— J'ai envie de toi, déclara-t-il lorsqu'il s'écarta – trop tôt au goût de Regan.

— En voilà une surprise.

La vraie surprise était qu'elle soit encore capable de parler.

— As-tu déjà rencontré une femme que tu ne désirais pas ?

— Ça m'est arrivé, dit-il avec un petit sourire. Mais ce n'est pas le cas aujourd'hui.

— Alors, tu vas être déçu, parce que les aventures sans lendemain ne sont pas ma tasse de thé.

— C'est le contraire qui m'aurait déçu.

— Ah, voilà la morale à deux poids, deux mesures qui pointe son vilain nez. Pourquoi est-il normal qu'un homme passe de conquête en conquête et qu'une femme qui aime la variété soit traitée de putain ?

— Je l'ignore, car je n'ai jamais souscrit à cette idée.

Il glissa la main sous le tee-shirt blanc de Regan, dont la peau se hérissa.

— Je vais te caresser, inspecteur *cher*. Partout.

Les doigts que les travaux manuels avaient rendus rugueux frôlèrent la dentelle du soutien-gorge avec un petit crissement érotique.

— Et ensuite, je te goûterai.

Ses lèvres effleurèrent le cou de Regan.

— Je goûterai chaque millimètre de ton corps délectable.

Comment aurait-elle pu deviner que le lobe de son oreille était relié directement à ses jambes, lesquelles se liquéfiaient ?

— Ensuite, juste pour te prouver que je ne suis pas macho, je te laisserai me faire la même chose. Mais plus tard.

Ces derniers mots la firent retomber sur terre.

— Comment ?

— Bien que je sois très excité, je pense que nous devons attendre un peu, prendre notre temps, apprendre à nous connaître mieux. Ça n'en sera que plus satisfaisant.

Elle poussa un soupir de frustration.

— Quelle arrogance insupportable !

— Tu sais, si tu continues à me parler comme ça, je vais tomber éperdument amoureux de toi. J'ai toujours adoré les compliments.

Ils revinrent à la voiture. Quelques minutes plus tard, ils étaient de retour en ville.

— Que faisons-nous ? demanda Regan comme Nate s'arrêtait devant un long bâtiment.

— Nous allons manger quelque chose tout en mettant au point la suite du programme, dit-il. Il faut que tu goûtes aux *po'boys* du *Cajun Cal's Café*.

Lorsqu'ils entrèrent dans l'établissement, tout le monde se tut, et les regards se rivèrent sur Regan.

— Les petites villes, murmura Nate.

— Cette absence d'anonymat doit être pesante, non ? demanda-t-elle.

Les trois quarts des clients étant trop jeunes pour avoir connu Linda Dale, leur curiosité n'était pas due à la ressemblance de Regan avec la défunte, mais à l'arrivée d'une personne étrangère à la ville.

— On s'y habitue. C'était embêtant quand j'étais ado et que j'essayais d'échapper à la surveillance des adultes. Une fois, Jack m'a ramené du lycée dans sa Pontiac GTO et, le temps d'arriver à Beau Soleil, une douzaine de personnes avaient déjà appelé ma mère pour lui signaler que nous roulions trop vite.

Regan ne put s'empêcher de sourire.

— Je pense que c'était pire pour nous que pour les autres, parce que nous étions les seuls élèves dont le père était mort.

— Le club des orphelins, murmura-t-elle.

Le restaurant était constitué de plusieurs petites pièces dont chacune était encombrée d'un nombre étonnant de tables recouvertes de nappes en papier et de chaises dépareillées. Un grand tableau noir appuyé sur le comptoir en Formica rouge annonçait les plats du jour. Sur les murs noircis par la fumée, on pouvait admirer de gros poissons empaillés, des photographies des fêtes de Mardi gras et des pancartes métalliques vantant des marques de bière – Jax semblant la plus populaire –, des boissons non alcoolisées et la farine White Lily. L'odeur qui provenait de la cuisine mettait l'eau à la bouche.

Cajun Cal examina la nouvelle venue de ses yeux sombres qui brillaient dans un visage aussi noir et ridé qu'un raisin sec.

— Alors, la petite fille de Linda Dale est devenue une dame ?

Le sourire forcé de Regan s'adressa à la salle autant qu'à lui. Le but de son voyage semblait déjà connu de tout le monde.

— C'est pour vérifier qu'il s'agit bien de ma mère que je suis venue à Blue Bayou.

— Ouais. C'est ce que j'ai entendu dire.

Une cigarette éteinte aux lèvres, Cajun Cal versait des cuillerées de café moulu dans un énorme pot.

— Le visage n'est pas exactement le même, les cheveux non plus, mais à voir tes yeux, moi, je parie que t'es sa fille.

Il prolongea son examen d'une fraction de seconde.

— On m'a dit aussi que t'étais flic dans une grande ville.

— Je suis inspecteur de police, en effet.

— Inspecteur, flic, agent spécial, c'est du pareil au même. J'étais qu'un gamin quand j'ai démarré dans le métier ; mon oncle m'avait embauché pour livrer du whisky durant la prohibition. Nos meilleurs clients, c'étaient les flics.

Regan ne releva pas la provocation.

— C'est le problème lorsqu'on décrète une loi dont la majorité de la population ne veut pas, dit-elle posément.

— Ça, c'est bien vrai. Personne ici n'a respecté la prohibition. Mon oncle ne cachait rien. Il gardait ses bouteilles derrière le comptoir et servait qui en demandait. Il distillait la meilleure bibine du pays.

— Eh bien, bravo, dit Regan. Mais si ça ne vous fait rien, je me contenterai d'un verre de thé glacé. Euh... non, reprit-elle aussitôt au souvenir de ce qu'elle venait de boire. Donnez-moi plutôt un verre d'eau.

— Sers-nous deux citronnades, intervint Nate. Regan vient de goûter le thé sucré des Boyce.

Le vieil homme gloussa.

— Pour apprécier le thé sucré de Marybeth, il faut de l'entraînement, même si on n'est pas yankee. Tu chantes, *chère* ?

La question surprit Regan. Ceux des clients qui avaient plus de cinquante ans attendaient visiblement sa réponse.

— Pas vraiment.

S'époumoner sous la douche ne comptait sûrement pas.

— Ça, c'est dommage. Linda avait une très belle voix de soprano. Mais on ne peut pas compter sur les gènes. Dieu sait que je suis le meilleur cuisinier du Sud, et ma fille Lilah n'est pas capable de faire bouillir de l'eau sans brûler le fond de la casserole. Quant à mon fils, il est complètement nul comme pêcheur, alors que je tire les trois quarts de nos provisions de la mer ou du bayou.

— Ta femme a peut-être oublié de te dire quelque chose, Cal, intervint un Noir qui, le ventre ceint d'un tablier blanc constellé de taches, décortiquait des crevettes. On raconte que le facteur que vous aviez dans le temps n'était pas capable de se nourrir de sa pêche.

— Ah ah ah, très drôle ! fit le vieil homme. On m'a aussi dit que tu allais être notre nouveau shérif, reprit-il en se tournant vers Regan.

— Hélas, la rumeur s'est trompée.

— Ça ne serait pas la première fois, répliqua-t-il sans sourciller. Mais c'est dommage. On a bien besoin d'un shérif.

— Je suis sûre que M. le maire fait tout ce qui est en son pouvoir pour trouver le candidat parfait.

— Pour moi, un flic capable de ramper sous des fils électriques pour sauver un gamin approche de la perfection.

Il souleva le panier de la friteuse et versa une bonne ration de poissons dorés dans un plat.

— Nous prendrons deux *po'boys*, dit Nate. Tu veux le tien aux crevettes ou au poisson frit, trésor ?

Manger du poisson sous le regard vitrifié des animaux empaillés lui parut impossible, aussi opta-t-elle pour la première proposition.

— Deux *po'boys* aux crevettes, Cal, dit Nate. Avec de la salade de chou pour deux et des beignets soufflés.

— Pourquoi appelle-t-on ça un *po'boy* ? demanda Regan.

— Parce que ça ne coûtait qu'une pièce de cinq cents et que même les pauvres garçons pouvaient s'en offrir un.

Une famille de six personnes aurait pu s'en nourrir pendant une bonne semaine, songea-t-elle en assistant à la confection de l'énorme sandwich. Devait-elle prendre rendez-vous pour un triple pontage sans attendre la crise cardiaque ?

— Tu déjeunes souvent ici ? demanda-t-elle à Nate.

— Presque tous les jours. Pourquoi ?

— Comment se fait-il que tu ne pèses pas cent cinquante kilos ?

— Je brûle les calories… Tu veux savoir grâce à quel genre d'exercice ?

— Non, merci, fit-elle avec un sourire aussi doucereux que le thé de Marybeth.

Nate n'avait voulu que plaisanter. Mais il commit l'erreur de regarder la bouche de Regan. Le souvenir du goût de ces lèvres chaudes et fermes lui revint brutalement, et le sang se rua de sa tête vers d'autres régions vitales de son organisme. Il se sentit pris de vertige, comme le jour où Jack et lui s'étaient enivrés à la bière dans la cabane de leur père.

« Du calme, mon vieux », s'ordonna-t-il, submergé par le besoin pressant d'embrasser la jeune femme.

Son visage dut trahir son désir, car Regan écarquilla les yeux. Son regard ambré le pétrifia, lui coupant les jambes. À cet instant, même si quelqu'un avait signalé l'approche d'un ouragan, il n'aurait pu bouger d'un centimètre.

17

« Laisse tomber, conseilla l'ange perché sur l'épaule de Nate. Cette femme n'est pas comme Charlene ou Suzanne. » À vrai dire, elle ne ressemblait à aucune des femmes avec lesquelles il avait batifolé depuis le jour mémorable où il avait perdu sa virginité avec Misty Montgomery dans la Pontiac GTO de Jack.

« Ne l'écoute pas, disait le démon juché sur l'autre épaule. Lance-toi. Si elle le veut, elle peut se défendre. C'est une femme adulte. » Cela, Nate s'en était déjà rendu compte. En revanche, c'était la première fois qu'il remarquait à quel point ce jean taille basse la moulait. Devait-elle s'allonger sur son lit pour remonter la fermeture Éclair ?

Une idée en amenant une autre, il se vit balayer tout ce qui encombrait le comptoir – salières, poivrières, porte-serviettes métalliques et flacons de Tabasco – pour y hisser Regan, descendre la fermeture Éclair en question et faire glisser son jean le long de ses cuisses fermes dans lesquelles, depuis qu'il l'avait vue témoigner au tribunal, il mourait d'envie de planter les dents.

Elle devait porter un slip rouge qui ne couvrait que l'essentiel, et malgré ses prières – « Je t'en prie, Nate, arrache-le, s'il te plaît, chéri » –, il prendrait son temps et se délecterait de son regard brillant de désir tandis qu'il glisserait les doigts sous la soie, lui mettant les nerfs à vif et les sens en ébullition.

Et lorsqu'ils auraient atteint tous les deux le point de non-retour, lorsqu'elle serait prête, brûlante, affamée, il ferait descendre ce slip le long de ses jambes, centimètre par centimètre, et au moment où elle crierait son nom, il…

— Salut, Nate.

La voix était beaucoup trop grave pour être celle de Regan.

Nate émergea douloureusement de sa rêverie érotique.

— Salut, Charles, répondit-il d'une voix enrouée. Comment ça va ?

Comme si cela l'intéressait !

— Bien, très bien, dit Charles Melancon en se tournant vers Regan qui, visiblement hagarde, revenait elle aussi de très loin. Bonjour. Vous devez être le nouveau shérif dont on m'a parlé.

— C'est pas le nouveau shérif, dit Cal qui, sa cigarette éteinte toujours coincée entre ses lèvres, enveloppait les sandwiches dans un papier blanc. Elle donnait juste un coup de main pour sauver le routier et le gamin.

— Quel accident épouvantable ! dit Melancon en secouant sa tignasse argentée. C'est un miracle que personne n'ait été gravement blessé.

— Ça aurait pu être bien pire, en effet, renchérit Nate, qui avait recouvré ses esprits. Regan, je te présente Charles Melancon. Charles, voici l'inspecteur Regan Hart, de Los Angeles.

— C'est un plaisir de faire votre connaissance, inspecteur.

Il lui serra la main avec la cordialité énergique d'un politicien – ce qu'il était. P-DG de Melancon Petroleum, Charles Melancon était à la tête de plusieurs comités locaux. Président actuel du Rotary Club, il avait aussi été celui de la chambre de commerce de Blue Bayou.

— Votre courage m'a impressionné. Le maire vous a-t-il dit que nous cherchions un nouveau shérif ?

— Oui. Mais j'ai déjà un boulot. Je travaille à la criminelle de Los Angeles.

— Vraiment ? Ce doit être un travail passionnant.

— En réalité, la criminelle a pour fonction de nettoyer la société. Comme les types qui suivent les éléphants avec une brouette pour ramasser leurs excréments.

Cal laissa échapper un éclat de rire.

— Ça doit quand même être intéressant, dit Melancon. Ici, regarder la peinture sécher est ce qui s'approche le plus d'une activité palpitante.

— J'ignorais que gérer une compagnie pétrolière d'envergure internationale était ennuyeux.

— Vous connaissez Melancon Petroleum ?

— Le contraire serait difficile, puisque je vois son logo bleu chaque fois que je prends de l'essence. Mais je ne savais pas que le siège de la société se trouvait en Louisiane.

Mensonge, se dit Nate. Elle avait sûrement procédé à une petite enquête. Elle devait même connaître le bilan de la société.

— Nous ne sommes pas le plus gros poisson de la mer, mais nous pesons un bon poids.

Ce n'était pas avec Charles Melancon que Nate aimait aller à la pêche et raconter des blagues, mais pour quelqu'un dont le père avait possédé la moitié de la Louisiane du Sud, c'était un type très simple.

— Qu'est-ce qui vous amène à Blue Bayou, inspecteur ?

— Oh, ceci et cela.

Bien que la moitié de la ville sache déjà ce qu'elle cherchait, et que l'autre moitié risque de l'apprendre sous peu, Regan n'était pas femme à se découvrir trop tôt.

— Entre autres, je suis venue pour me détendre.

— D'habitude, pour ça, les gens vont à La Nouvelle-Orléans.

— J'y suis déjà allée et j'ai visité tous les sites touristiques de la ville. Cette fois-ci, j'ai décidé de voir la vraie Louisiane.

— Eh bien, vous ne vous êtes pas trompée d'endroit.

— J'imagine que vous ne faites pas visiter vos usines ? demanda-t-elle.

Il fronça les sourcils.

— En règle générale, non. Les raffineries sont des endroits dangereux pour les gens qui ne sont pas du métier, et notre compagnie d'assurance n'aime pas que nous prenions des risques inutiles.

— Tant pis, fit Regan avec un soupir bien peu professionnel. Je me contenterai d'une visite du marais pour voir les alligators.

— Tu perdrais ton temps, intervint Nate, car c'est l'époque où ils hibernent.

— Oh, fit-elle avec une petite moue très féminine, et encore moins digne d'un inspecteur de la criminelle. Bon, je vais bien trouver quelque chose pour m'occuper. Il me semble qu'Exxon Mobile a une raffinerie à Baton Rouge. Peut-être que...

— J'imagine qu'il me serait possible d'organiser une visite, à titre exceptionnel, coupa Melancon.

Son regard éplucha Regan d'une façon beaucoup trop détaillée de la part d'un homme que son épouse attendait à la maison, estima Nate.

— Après tout, ce que la compagnie d'assurance ignore ne peut pas lui nuire, n'est-ce pas ? acheva Charles Melancon.

— Ce sera notre secret, dit Regan avec un sourire dont eût été fière une Miss Louisiane. Je peux passer lundi matin ?

— Hélas, j'ai une réunion à Houston.

— Ah. Mardi, alors ?

— C'est Mardi gras, signala Cal.

— Il a raison, dit Charles Melancon. L'équipe sera réduite au minimum et les bureaux seront fermés.

— Pourquoi pas mercredi ? insista Regan. À 8 heures du matin, ça vous irait ?

— Les bureaux n'ouvrent pas si tôt.

— Surtout le lendemain de Mardi gras. Tout le monde aura la gueule de bois, dit Cal.

— Pas tout le monde, rectifia Melancon. Pourquoi ne déjeunerions-nous pas ensemble dans la salle à manger de la société, à 13 heures, mercredi ?

Le sourire de Regan aurait pu éclairer Blue Bayou durant un mois.

— Fantastique !

Nate n'en revenait pas. Regan Hart, le flic sévère de Los Angeles, s'était transformée en véritable belle du Sud.

— Je suis au *Plantation Inn*, au cas où vous voudriez me joindre, dit-elle.

— Vous avez fait le bon choix, dit Melancon. Cet hôtel donne un bon exemple de l'architecture du passé.

— C'est ce que M. Callahan m'a dit, répondit Regan en tendant la main à son interlocuteur, telle une princesse à un duc qu'elle envisageait d'épouser. J'ai été enchantée de faire votre connaissance, monsieur Melancon.

— Tout le plaisir a été pour moi, mademoiselle Hart.

Il lui décocha son sourire éclatant de président de la chambre de commerce, puis retourna à sa table, à l'autre bout de la salle.

— Un homme charmant, n'est-ce pas ? fit Regan.

— Un parfait gentleman, approuva Nate un peu sèchement.

— Votre commande est prête, annonça Cal.

Nate prit le sac.

— C'est pour moi, dit-il comme Regan ouvrait son portefeuille.

Renonçant à discuter, elle haussa les épaules.

— À quoi jouais-tu ? demanda-t-il lorsqu'ils furent assis dans la voiture.

— De quoi parles-tu ?

— De ton petit numéro à la Scarlett O'Hara avec Charles Melancon.

— Je ne comprends pas ce que tu veux dire.

— Tu n'es pas le genre de femme qui bat des cils.

— Dommage que tu ne m'aies pas connue quand j'étais aux mœurs et que je jouais à la prostituée, riposta Regan en bouclant sa ceinture de sécurité. Sache que beaucoup d'hommes me trouvaient très attirante.

— Bien sûr que tu es attirante, bon sang ! Mais pas de cette façon.

— De quelle façon parles-tu ?

— Tu sais bien, ronchonna-t-il, mal à l'aise. Cet air de dire : « Attrape-moi si tu peux, grand garçon. » Tu laissais entendre que tu étais ouverte à beaucoup plus qu'à une visite de la raffinerie.

— Quel étrange commentaire de la part d'un homme qui a juré de m'attirer dans son lit et qui me déshabillait des yeux quand Melancon est arrivé !

— Tu ne t'es pas plainte.

— Nous étions dans un lieu public. Je n'ai pas voulu te faire honte.

— Tu parles !

Il tourna la clé de contact avec plus d'énergie que nécessaire et démarra dans un crissement de pneus.

Le désir qui avait grésillé entre eux dans le restaurant avait laissé la place à la colère. Regan fut tentée de lui demander de la ramener à l'hôtel. Elle n'avait pas besoin de son aide. Après tout, si elle n'était pas capable d'élucider une vieille affaire dans une petite ville où tout le monde se connaissait, autant rendre son insigne tout de suite et se mettre à faire du porte-à-porte pour vendre des cosmétiques.

Le problème, c'était que si elle boudait, il risquait de deviner qu'elle aussi avait été la proie d'un rêve érotique – tous les deux, en train de faire l'amour sur le sol du restaurant – et que cela lui avait mis les nerfs à vif.

— Ce n'était qu'une ruse, dit-elle. Il faut que je lui parle des actions de Linda Dale. Comme je n'ai aucun

pouvoir en tant qu'inspecteur ici et que, manifestement, il a l'habitude de n'en faire qu'à sa tête, j'ai
pensé qu'il serait sensible au charme.

— Tu ne pouvais pas lui dire carrément ce que tu
voulais ?

— Alors que tout le monde nous regardait et nous
écoutait ?

— Tu as donc préféré laisser croire aux gens que tu
draguais un homme deux fois plus âgé que toi plutôt
que de poser une question d'affaires tout à fait
neutre ?

— Pas si neutre que ça, puisqu'une femme l'a payée
de sa vie.

Il lui jeta un regard surpris.

— Tu crois que Linda Dale s'est fait assassiner pour
ses actions ?

— Elle ne serait pas la première.

— Ni la dernière, admit-il. Mais si le mobile était
l'argent, pourquoi le meurtrier aurait-il laissé les
actions derrière lui ?

— Il a peut-être été interrompu, elle avait pu les
cacher… Il y a trente-six explications plausibles. C'est
pour ça que je veux en parler à Melancon en tête à
tête. Bien qu'il n'ait pas semblé très désireux d'avoir
cet entretien avec moi… Je me demande pourquoi,
d'ailleurs.

— Tu soupçonnes donc tout le monde ? Oh, laisse
tomber, je connais la réponse. Rappelle-toi cependant
qu'il y a trente ans, c'était sa mère qui tenait les rênes.

— D'après ce que tu m'as dit de Mme Melancon, il
y a peu de chances pour qu'elle se souvienne de ce
genre de détail. Mais son fils a accès aux archives et,
en plus, c'est une petite ville. Une chanteuse de cabaret n'aurait pas pu posséder autant d'actions sans que
la famille Melancon le sache. D'ailleurs, Charles
n'était plus un enfant, à l'époque.

— Bien vu.

— Merci. Voilà pourquoi on me paie.

À coups de lance-pierre, d'ailleurs, songea-t-elle. Son salaire lui permettait à peine de payer le loyer d'un appartement de la taille d'un placard et l'assurance d'une voiture vieille de cinq ans.

— Je me demande s'il connaissait Linda.

— Tu l'as dit, c'est une petite ville, et Linda Dale était une célébrité locale.

— Auraient-ils pu être amants ? dit Regan en se rongeant un ongle.

— C'est peu probable. Charles s'est marié deux ans avant la mort de Linda.

— Ça ne l'empêchait pas d'avoir une liaison.

— Ça aussi, c'est improbable. Non seulement ce type se considère comme un modèle de vertu, mais il n'aurait pas pris le risque d'offenser sa femme. Elle est riche, et on dit qu'il ne l'a épousée que pour pouvoir garder le style de vie auquel sa famille était habituée lorsque le pétrole était roi.

— J'aurais pensé qu'être le P-DG d'une compagnie pétrolière était lucratif.

— Plus maintenant. Autrefois, le père de Charles Melancon était sans doute plus puissant que le gouverneur de l'État. Il avait plusieurs hommes politiques dans sa poche. Puis de nouvelles réglementations ont freiné les bénéfices, qui ont ensuite souffert de l'effondrement de l'industrie pétrolière. La famille Melancon est encore l'une des plus riches de la région, mais sans la femme de Charles, ils auraient dû renoncer à l'avion, au yacht, au chalet à Aspen et à la villa en Toscane.

— Je n'ai trouvé aucune mention d'une villa quand j'ai enquêté sur eux.

— Elle est au nom de la belle-mère de Charles, qui vit dans une maison de retraite luxueuse de Baton Rouge.

— J'imagine que tu as appris tout ça grâce à Finn.

— Il a fait quelques recherches pour moi, admit Nate.

— Et si Melancon avait donné ces actions à Linda pour se débarrasser d'elle ? suggéra Regan.

— Il en aurait eu marre de leur liaison ?

— Tout est possible.

— Bien sûr, mais, dans ce cas, pourquoi la tuer ?

— Elle a pu changer d'avis. Peut-être a-t-elle pris les actions et menacé, plus tard, d'aller tout révéler à sa femme.

— Parce qu'elle voulait plus d'argent ?

— Ou parce qu'elle était vraiment amoureuse et refusait de vivre sans lui.

— Il l'aurait tuée pour la faire taire ?

— C'est un scénario parmi d'autres.

— Tu te rends compte que, si c'est vrai, Melancon est peut-être ton père ?

— On ne peut pas tous avoir des héros pour pères.

Il devenait de plus en plus probable que le sien n'en avait pas été un.

— Mais son nom ne colle pas avec l'initiale J., dit Regan.

Elle garda le silence un instant, puis reprit :

— Il y a quelque chose que je ne voulais pas évoquer. Mais maintenant, on ne peut plus l'ignorer.

— Quoi donc ?

— Il n'y a pas que Melancon qui a pu sortir avec Linda Dale.

— Bien sûr. Des tas de gens ici ont un nom qui commence par un J.

— Jake, par exemple.

Elle s'était attendue à des jurons. À de la colère, même. Au moins, à une dénégation agacée. Au lieu de quoi, il rejeta la tête en arrière et éclata de rire.

— Je ne vois pas ce qu'il y a de drôle.

— Si tu avais connu mon père, tu comprendrais. Pour lui, il n'existait qu'une femme au monde : la sienne. Maman et lui nous ont souvent mis dans l'embarras, moi et mes frères, en s'embrassant comme des collégiens. Ils ont renouvelé leurs vœux lors de leur

189

vingtième anniversaire de mariage, ici, à Notre-Dame-de-l'Assomption. Le week-end suivant, la veille de l'assassinat de mon père, nous avons fêté ses quarante ans avec des amis. Jack et moi, nous avons regardé avec horreur nos parents danser un slow et s'embrasser devant le Tout Blue Bayou. Pas un petit baiser de vieux couple, un baiser vorace d'amants passionnés… Tout le monde savait que Jake Callahan adorait sa femme. Et qu'elle le lui rendait bien, ajouta Nate avec un sourire triste.

— Je le crois volontiers.

Tomber amoureuse d'un Callahan ne devait pas être difficile, si on était femme à tomber amoureuse. Ce que Regan n'était pas.

— Mais personne n'est parfait, poursuivit-elle. Tout le monde peut avoir une défaillance.

— Même s'il avait trompé ma mère, ce que je ne crois pas, et qu'il ait mis une femme enceinte, il aurait fait ce qu'il fallait.

— Tu veux dire qu'il l'aurait épousée ?

— Je ne sais pas.

Il ne riait plus, et son visage avait pris une expression grave qu'elle ne lui connaissait pas. Un soupir saccadé lui échappa.

— Peut-être que oui. Peut-être que non. Je te l'ai dit, il prenait son mariage au sérieux, mais je ne le vois pas se condamner à la vie conjugale sans éprouver de l'amour.

— Se condamner… Voilà qui en dit long sur ce que tu penses du mariage.

— En fait, j'essaie de ne pas y penser. En tout cas, même si papa avait engendré un autre enfant, il aurait tenu à contribuer à son entretien. Je l'ai vu traquer des hommes qui ne payaient pas leur pension alimentaire et les jeter en prison jusqu'à ce qu'ils se décident à faire un chèque, et cela bien avant qu'il soit politiquement correct de sévir contre les pères indignes. Papa fêtait tous les anniversaires de la famille et nous consacrait du temps, que ce soit pour nous emmener pêcher une journée ou simplement jouer au base-ball avec nous dans le jardin avant le dîner. Il n'aurait pas abandonné un enfant de son sang... Jamais il n'aurait laissé ta mère dans le besoin, il t'aurait reconnue, ajouta-t-il en serrant le poing sans s'en rendre compte.

— Je comprends que tu prennes sa défense et que tu n'imagines pas qu'il ait pu commettre un adultère. Il est visible que tu le respectais...

— Tous les gens qui le connaissaient, hommes, femmes, enfants, le respectaient.

— Ça aussi, je le comprends. Mais on ne connaît jamais nos parents, Nate, parce qu'ils s'efforcent de nous cacher leurs failles. Je suis la preuve vivante qu'un parent peut estimer qu'il est préférable pour tout le monde de cacher la vérité à son enfant.

— Pas mon père, bon sang! Écoute, tu connais Finn?

— Évidemment.

— Eh bien, à côté de notre père, Finn est quelqu'un de souple et tolérant.

— Tu plaisantes?

Elle ne connaissait personne de plus rigide et de plus intolérant que Finn Callahan. Même parmi ses collègues de la criminelle.

— Le sujet est trop grave pour que je plaisante. D'ailleurs, papa travaillait à Chicago quand ta mère est tombée enceinte.

— Il était le shérif de Blue Bayou lorsqu'elle y vivait.

— Lorsqu'elle est morte, corrigea Nate. Mais tu as le même âge que Jack, et nous sommes nés tous les trois à Chicago. J'avais six semaines quand nous nous sommes installés ici.

— Ah, bon? Puisqu'il ne semble pas que Linda Dale ait vécu dans l'Illinois, ça met ton père hors concours.

— En effet, à moins de concocter une théorie

fumeuse selon laquelle ils auraient fauté en survolant le Kansas, rétorqua-t-il d'un ton sarcastique très inhabituel chez lui.

— Je suppose que je méritais ça.

— Non, fit-il en soupirant. Tu ne le méritais pas. Cette histoire est pénible pour toi, et tu réagis selon ton tempérament. Tu enquêtes.

— Eh bien, pour le moment, ça ne marche pas, marmonna-t-elle.

— C'est une vieille affaire, et tu n'es ici que depuis deux jours.

— Je sais. Je suis impatiente.

— C'est mauvais pour ta santé. Pour ta tension et tout un tas de trucs. Si tu viens vivre à Blue Bayou, tu te calmeras. Tu vivras plus longtemps.

— Peut-être parce que la vie me paraîtra plus longue tant je m'ennuierai.

Cette repartie le fit rire.

— Tu connais la femme de Melancon? demanda Regan.

— Bien sûr. Elle met son nez partout et s'occupe d'un tas d'œuvres. Elle ne sillonnera pas le pays au volant de sa Jaguar pour livrer des repas aux familles nécessiteuses, mais offrira une aile supplémentaire à l'hôpital. Sa condescendance te fait serrer les dents au point que tu en as mal aux mâchoires. Elle est snob, et c'est la tsarine autoproclamée de Blue Bayou en matière de moralité. Mais elle a beau être détestable, je ne la vois pas tuer quelqu'un, si c'est ce à quoi tu penses. Surtout si elle risque de se casser un ongle.

— Il y a une chose que j'ai apprise très vite, à la criminelle.

— Laquelle?

— Tout le monde peut être suspecté. Bref, je veux la voir. J'ai trois façons d'y arriver: me renseigner sur son emploi du temps et m'arranger pour la croiser et la faire parler un peu. Mais c'est hasardeux et, si elle est pressée, je ne tirerai pas grand-chose d'elle. Je peux aussi aller frapper à sa porte et lui demander si son époux découchait lorsqu'ils étaient jeunes mariés. Ou bien, acheva Regan comme Nate s'arrêtait à un carrefour, je peux m'en remettre à toi pour arranger ça.

Il ferma brièvement les yeux.

— Pourquoi ai-je deviné que tu allais dire ça ?

— Parce que tu as vécu entouré de flics. Un peu de leur façon de penser a déteint sur toi.

— Pourtant, je me frotte matin et soir avec une pierre ponce.

— Ça t'ennuie peut-être, Callahan, mais toi aussi, tu penses en flic.

— Je ne sais pas si je dois prendre ça comme un compliment ou une insulte.

Elle éclata d'un rire dont le son plein et joyeux émut Nate.

— Eh bien, à toi d'y réfléchir, dit-elle en lui tapotant la joue.

18

Ils s'arrêtèrent pour déjeuner dans un coin tranquille près du bayou. Regan parvint difficilement à avaler la moitié de son sandwich, et il lui sembla qu'elle était nourrie pour la semaine. Une pancarte métallique rappelait une victoire sur les Anglais.

— Ce nom, c'est celui du pirate dont tu parlais ?

— C'est bien lui. Jean Lafitte. En fait, il y a eu trois Lafitte – Alexander, Pierre et Jean –, et le plus célèbre est Jean. Alexander, le plus respectable, a été officier d'artillerie de Napoléon. Jean et Pierre étaient des pirates et attaquaient les vaisseaux marchands qui sillonnaient le Golfe.

— J'imagine que ça rapportait gros.

— Oui. Jean et Pierre avaient trente-deux vaisseaux armés, plus que la marine américaine au début de la guerre de 1812. Les Anglais comme les Américains faisaient appel à leurs services, mais Andrew Jackson leur a promis l'amnistie s'ils se rangeaient de son côté dans la bataille de La Nouvelle-Orléans.

— Ce qu'ils ont fait.

— Effectivement. La victoire obtenue, les soldats anglais ont fait leurs bagages et les Lafitte ont repris leurs activités habituelles. Les rumeurs sur l'emplacement de la tombe de Jean circulent aussi abondamment que la bière un jour de Mardi gras, mais ici, à Blue Bayou, on aime à croire qu'il a été enterré à la sauvette à l'issue d'un duel avec le mari de l'une de ses maîtresses. Son fantôme est très populaire. On le voit partout dans le bayou, et parfois même à la barre de son vaisseau.

— Et toi, tu l'as vu?

— Vu, non, mais je crois l'avoir entendu une nuit dans le cimetière de Notre-Dame-de-l'Assomption, quand j'étais au lycée.

— Que faisais-tu la nuit dans un cimetière? demanda Regan, qui devina aussitôt la réponse. Non, laisse tomber.

— J'imagine que tu ne me croiras pas si je te dis que j'observais les étoiles?

— Seulement si tu admets les avoir observées avec une fille.

— Étudier est beaucoup plus amusant si l'on est accompagné. Je dois avouer que le bruit des chaînes qui s'entrechoquaient m'a fait peur au point que j'ai lâché mon pantalon…

— De toute façon, tu n'allais pas le garder.

Il plaqua une main sur sa poitrine.

— Tu me blesses, inspecteur *cher*.

— Je doute que ce soit possible, riposta-t-elle en riant.

Une sensation inconnue de détente et de bien-être la gagnait. Malheureusement, le temps pressait.

Ils reprirent la voiture et, dix minutes plus tard, Nate tourna sur une petite route entre deux champs de cannes à sucre.

— Où allons-nous, maintenant? demanda Regan.

— À Beau Soleil. J'ai un peu de boulot à y faire, et ça me permettra de jeter un coup d'œil au gamin.

— Tu dois réparer ou construire quelque chose?

— Oui, une estrade. D'habitude, la fête de Mardi gras se déroule dans le parc de Blue Bayou, mais cette année Dani a décidé de l'organiser à Beau Soleil, comme autrefois quand son père était le grand manitou de la ville. L'entrée est gratuite, bien sûr, mais pour cinq dollars les gens pourront visiter la maison et repartir avec un livre dédicacé de Jack. L'argent ira au fonds de secours de la paroisse.

— C'est généreux.

— Et nécessaire. La région ne s'est pas remise de l'effondrement de l'industrie pétrolière. Beaucoup de gens ont dû quitter des terres que leurs familles possédaient depuis des générations et s'installer ailleurs. Ceux qui sont restés ont parfois du mal à s'en sortir.

— Tu es vraiment chez toi, ici, n'est-ce pas ?

— Oui, c'est vrai.

— Il y a beaucoup de choses que j'aime à Los Angeles. La plage, mes amis, mon travail… mais je ne m'y suis jamais sentie chez moi.

— Les racines ont du mal à s'enfoncer dans le bitume.

Cela faisait longtemps que Nate s'était résigné à ne pas devenir joueur de base-ball professionnel. Cette carrière l'aurait amené à parcourir le pays, et il aurait détesté découvrir que New York était loin de correspondre à ses rêves. En particulier, aurait-il aimé la vie trépidante qu'on y menait ?

— Si la Californie ne t'inspire pas de sentiment d'appartenance, c'est peut-être parce que chez toi, c'est Blue Bayou.

— Même si je suis la fille de Linda Dale, je n'ai pas vécu ici assez longtemps pour que cet endroit soit resté gravé en moi. En tout cas, je n'ai rien reconnu et, à aucun moment, je n'ai éprouvé un sentiment de déjà-vu.

— Tu t'y efforces avec trop d'application. Parfois, la réponse survient quand on ne la cherche pas.

— C'est dans l'un des bouquins de Jack que tu as trouvé ça ?

— Non. Je m'en suis rendu compte tout seul. Je m'étais échiné sans succès toute la nuit sur un plan et, le lendemain matin, alors que je prenais mon café et mes beignets chez Cal, la solution m'est tombée dessus.

Regan avait fait la même expérience dans son métier : une affaire qui semblait dans l'impasse se résolvait soudain comme d'un coup de baguette magique.

— Reste un peu, et Blue Bayou va s'imposer à toi. Moi aussi, peut-être, ajouta-t-il en lui caressant les cheveux.

— Comme la mousse espagnole se cramponne aux arbres.

Il rit sans se vexer.

Ils suivaient à présent une allée étroite bordée de chênes sûrement centenaires. Après un virage, la demeure apparut, d'une blancheur que faisait étinceler le soleil. Regan s'exclama :

— C'est vraiment Tara !

— À peu de choses près, acquiesça-t-il. Des gens du pays prétendent que Margaret Mitchell s'en est inspirée.

— Dani me l'avait dit, mais j'avais mis ça sur le compte de la vantardise. C'est fantastique ! J'ai du mal à croire que quelqu'un – une personne normale, je veux dire – y habite.

— Mon frère et ma belle-sœur sont aussi normaux qu'on peut l'être. La famille de Dani a acquis cette plantation au début du XIXe siècle. Son ancêtre, André Dupree, l'a gagnée aux cartes sur un bateau à aube. Le fisc a failli la confisquer lorsque le juge, le père de Dani, a eu quelques ennuis personnels, mais Jack est arrivé à la rescousse.

— Un geste très généreux.

— À l'époque, il disait que cela lui plaisait, de devenir propriétaire terrien, et qu'il voulait empêcher que des truands de La Nouvelle-Orléans s'emparent de la maison pour y installer un casino. Moi, je pense qu'il l'a achetée parce qu'il aimait toujours Dani et voulait la lui rendre.

— Ça s'est bien terminé.

— Mais ils ne se sont pas mariés à cause de ça. Quand on les voit, on se rend compte qu'ils seraient aussi heureux dans une caravane qu'à Beau Soleil.

— En tout cas, cette maison ne ressemble pas à une caravane, dit Regan en regardant la façade à colonnades. Habiter là me donnerait l'impression de vivre dans un site touristique de la guerre de Sécession. Tu as été élevé ici?

— Pas dans la demeure principale, mais là-bas, expliqua Nate en désignant une petite maison au fond du parc. Après la mort de maman, elle est restée inoccupée pendant de nombreuses années et, aujourd'hui, c'est une maison d'amis. Elle a beau être hantée, elle est très confortable.

— Bien sûr. Que serait une maison datant d'avant la guerre de Sécession sans fantôme?

— Te voilà de nouveau sceptique. C'est celui d'un officier confédéré qui s'est égaré dans le bayou après une bataille. Comme l'armée yankee occupait Beau Soleil, l'ancêtre de Dani l'a caché dans cette bicoque. Elle envoyait sa femme de chambre veiller sur lui durant la journée et, le soir, elle offrait force porto aux Yankees et attendait qu'ils soient ivres morts pour aller elle-même soigner le pauvre garçon, qui avait été blessé. C'était très audacieux, car héberger l'ennemi pouvait mener à la potence. Même les femmes.

— C'était une décision lourde de conséquences. J'imagine qu'elle n'a pas été facile à prendre.

Sauf si cet officier ressemblait à Nate Callahan... ajouta Regan pour elle-même.

— Le pauvre avait perdu une jambe et, finalement, il est mort, sans doute de gangrène. Lorsque nous étions enfants, on racontait que l'ancienne propriétaire des lieux, qui avait vécu jusqu'à un âge avancé, affirmait qu'il venait lui rendre visite, la nuit. Là-dessus, les avis étaient partagés. Certains disaient que la pauvre femme avait perdu la tête et que cette histoire était le fruit de son imagination.

— Mais toi, tu y croyais.

— J'aime l'idée qu'ils ont fini par trouver le bonheur. Je n'ai jamais vu ce fantôme, mais Jack affirme avoir entendu de la musique dans la salle de bal, où ils sont censés danser, d'après la légende.

— Je parie que Finn ne l'a jamais vu, lui non plus.

— C'est là que tu te trompes. Finn est le seul à l'avoir réellement vu.

— Je n'en crois pas un mot.

— Je le jure, déclara Nate en levant la main droite. Cependant, je dois admettre qu'à ce moment-là il avait la grippe et brûlait de fièvre. Et ensuite, il a nié les avoir vus valser.

— Valser avec une seule jambe ne doit pas être facile.

— Oh, je ne sais pas, fit Nate. Les gens amoureux sont capables de beaucoup de choses qu'ils ne feraient pas dans leur état normal. Du moins est-ce ce qu'on prétend.

Son scepticisme n'étonna pas Regan. Nate Callahan n'était pas homme à tomber amoureux. Il pouvait céder au désir – et plus souvent qu'à son tour, d'ailleurs –, mais éprouver un amour profond et durable, non. Encore un point commun entre eux.

La porte d'entrée s'ouvrit, et une énorme boule de poils jaunes se précipita vers eux.

— Attention ! prévint Nate.

Elle se raidit. Tout flic qui avait patrouillé dans les rues savait qu'il fallait se méfier des chiens inconnus.

— Elle n'est pas dangereuse, reprit Nate, sauf si tu es allergique aux coups de langue affectueux.

L'étrange animal, qui tenait autant du car scolaire que du chien de laboratoire, s'arrêta brusquement, la queue battant comme un métronome déchaîné.

— Salut, Mev'là, dit Nate en sortant un biscuit de sa poche.

La chienne ne fit qu'une bouchée de la friandise, puis se tourna vers Regan.

— Excuse-moi, je n'ai rien, dit-elle en regrettant d'avoir jeté le reste de son sandwich. Elle s'appelle Mev'là? demanda-t-elle en caressant la grosse tête hirsute.

— Oui, parce qu'elle a débarqué un jour sans crier gare… Elle était aussi perdue qu'un certain gamin de ma connaissance, dit Nate comme Josh apparaissait sur la terrasse.

— Tu l'as manquée, annonça le garçon.

— Qui donc?

— L'assistante sociale. Tu es venu pour la voir?

— Non, pour bosser. J'ai un peu de boulot à faire ici. Je ne savais même pas que Judi devait venir. J'imagine que tu n'as toujours pas retrouvé la mémoire?

— Non.

Nate secoua la tête.

— C'est terrible, l'amnésie. Qui sait, tu es peut-être un espion ou un terroriste? Ça serait affreux si Blue Bayou tombait sous la coupe d'assassins internationaux.

— Comme si ça risquait d'arriver! fit Josh avec un ricanement.

— On ne sait jamais. Tu ne t'es pas découvert des talents un peu spéciaux? Les sports de combat, par exemple, ou bien l'art de piloter une voiture à toute allure après un hold-up?

— Non, mais de toute façon j'aurais pas eu le temps de m'en souvenir. Depuis que tu m'as déposé, ton foutu écrivain de frangin m'a fait poncer du bois.

— Poncer est un travail important. Avant de teinter un morceau de bois, il faut le rendre parfaitement lisse.

— C'est rasoir.

— Si tu fais ça pendant trop longtemps sans t'arrêter, peut-être. Tu vas m'aider à construire l'estrade pour l'orchestre.

— Merde, c'est la prison ici.

— L'inspecteur Hart en sait plus que moi sur la vie en prison, mais j'ai vu les prisonniers d'Angola travailler aux champs, et aucun ne portait de tee-shirt à l'effigie d'Ozzie Osbourne. Ils semblaient tous préférer les rayures. Alors, qu'en dis-tu ?

— Ça me rapportera quoi ?

— Je ne sais pas, sauf que c'est toujours bien d'apprendre quelque chose, au cas où tu ne serais pas agent secret. En plus, si jamais on découvre dans ton dossier un problème avec la police que tu aurais oublié, ça arrangera un peu les choses de voir que tu as travaillé.

Une adolescente sortit de la maison. Grande et mince, elle avait de longs cheveux blonds et des yeux verts aux cils épais. Regan sut aussitôt à quoi ressemblait Dani autrefois.

— Bonjour, oncle Nate, dit la jeune fille en les rejoignant.

Elle se hissa sur la pointe des pieds et embrassa Nate. Un vague éclair de jalousie passa dans le regard de Josh.

— Devine ! Ben et sa mère se sont installés dans la maison d'amis, hier soir.

— Je suis content pour eux, Holly... Vous êtes à peu près du même âge, Ben et toi, non ? demanda Nate à Josh, qui dévorait Holly des yeux.

— Oui, et ils jouent tous les deux au base-ball, signala Holly.

Le garçon lui jeta un regard d'avertissement qu'elle ne remarqua pas.

— C'est vrai ? fit Nate. J'y jouais autrefois.

— Je lui ai dit que tu avais été troisième base dans l'équipe des Boucaniers et que tu avais obtenu une bourse pour la fac grâce au base-ball. Josh est arrêt-court.

— Il faut être rapide.

— Je me débrouille, marmonna Josh en frottant le sol du bout du pied, tel un enfant intimidé.

— D'habitude, on fait une partie le soir de Mardi gras, pendant que le dîner cuit. Ça te dirait de jouer dans mon équipe ? demanda Nate.

Très tenté, Josh cherchait visiblement où était le piège.

— Tu seras pom-pom girl ? demanda-t-il à Holly.

— Non, dit-elle avec un regard résolu qui contrastait avec son physique de sylphide. Je suis première base. Enfin, quand je ne lance pas… Si tu ne veux pas faire partie de l'équipe d'oncle Nate, tu peux nous servir de mascotte, reprit-elle avec un sourire moqueur. Déguise-toi en pirate, ou bien en poulet.

Le défi était lancé. La colère, ou l'excitation, embrasa les joues de Josh.

— Bon, d'accord, je jouerai, dit-il à Nate, avec l'enthousiasme d'un condamné se dirigeant vers la chaise électrique.

— Formidable ! s'écria Nate en enlaçant les deux enfants.

Les épaules de Josh se crispèrent, ce dont Nate ne tint aucun compte.

— On gardera secret le fait que tu joues au baseball depuis longtemps, suggéra-t-il. Inutile que l'autre équipe le sache.

— Tu commences déjà à truquer les parties, *cher* ? s'écria une voix grave depuis le vestibule. Aurais-tu envie de parier sur le résultat, par hasard ?

Jack Callahan sortit de la maison. Avec ses cheveux noirs retenus sur la nuque par une lanière en cuir, sa boucle d'oreille en or et sa peau tannée, il avait vraiment l'air d'un boucanier.

— S'il n'y a pas d'argent en jeu, ce n'est pas intéressant.

— Heureusement que tu n'es pas devenu professionnel, car parier sur les matchs est illégal… Bonjour. Vous devez être la dame dont on m'a parlé, Regan Hart.

— Oui. Du moins, c'est ainsi qu'on m'a toujours appelée.

— Notre famille a l'expérience des enfants qui reviennent à Blue Bayou après une longue absence, dit-il en adressant un sourire à sa fille, qui le lui rendit aussitôt. Rassurez-vous, quoi que vous découvriez sur votre passé, cela n'effacera pas les années qui se sont écoulées depuis.

Un grand garçon maigre apparut au coin de la maison.

— La pause déjeuner est finie. Je vais ramener Ben et Holly au lycée, reprit Jack. Tu restes ici un moment ? demanda-t-il à Nate.

— Oui. Josh va m'aider à construire l'estrade.

— Bonne idée.

Jack sourit à Regan, puis se dirigea avec les deux adolescents vers une Pontiac GTO rouge cerise. Josh suivit le trio d'un regard envieux.

— Tu restes avec moi juste pour que je m'enfuie pas, dit-il à Nate.

— Tu as envie de t'enfuir ?

— Ça te regarde pas.

— Si, ça me regarde. Maintenant que j'ai signé ce foutu papier, je suis responsable de toi.

— Je peux me débrouiller tout seul.

— Les bons jours, sans doute. Mais j'ai l'impression qu'ils se sont faits rares, ces derniers temps.

Pour toute réponse, Josh cracha sur le sol. Son regard se porta sur la voiture qui s'éloignait. On aurait dit un enfant qui dévorait des yeux la vitrine d'une pâtisserie.

— Holly est vraiment une jolie fille, remarqua Nate.

Le garçon garda le silence.

— Elle est intelligente, aussi. Elle n'a que de bonnes notes.

Josh ne réagit toujours pas.

— Ben et elle sont de grands amis, ils ont beaucoup de points communs.

— J'm'en fous.

Touché ! songea Nate.

— L'amitié, c'est important. Mais, même si tu ne t'intéresses pas aux filles, sache qu'il n'y a rien de plus

203

entre eux. Ben sort avec Kendra Longworth, dont la mère est institutrice à Notre-Dame-de-l'Assomption. Holly voyait beaucoup Trey Graffney quand elle est arrivée, au printemps dernier, mais ils ont rompu après Noël, si bien que pour le moment, elle n'a pas de petit ami. J'avoue que l'idée que ma nièce préférée va passer la fête de Mardi gras avec un agent secret amnésique ne m'enchante guère, mais…

— J'suis pas un foutu espion.

— Tant mieux. Vous pourriez bien vous entendre, vu qu'elle joue au base-ball.

— Bof… C'est jamais qu'une fille.

— Tu y repenseras quand tu l'auras en face de toi sur le terrain. Bon, va chercher la boîte à outils dans ma voiture. On va se mettre au boulot.

— Je ne suis pas sûre que ton frère aimerait que tu pousses sa fille dans les bras d'un jeune délinquant, dit Regan tandis que Josh s'éloignait en traînant les pieds.

— Je voulais juste l'encourager à jouer au base-ball avec elle. En outre, Jack, qui a passé neuf mois dans une maison de redressement, n'est pas du genre à condamner qui que ce soit.

— Et Dani ?

Nate éclata de rire.

— S'il y a quelqu'un qui sait repérer les qualités et les défauts des mauvais garçons, c'est Dani. Elle saura conseiller sa fille. D'ailleurs, ils ne seront jamais seuls. Toute la ville leur servira de chaperon. Enfin, ça donne au garçon une raison de rester ici quelques jours de plus, ce qui nous permettra peut-être de trouver qui il est et ce qu'il fuit.

Si l'extérieur de Beau Soleil avait impressionné Regan, l'intérieur lui coupa littéralement le souffle. Elle écarquilla les yeux de stupeur en découvrant la fresque qui recouvrait le mur du vestibule et longeait le grand escalier incurvé, qu'elle reconnut pour l'avoir vu dans plusieurs films.

— Cette fresque est stupéfiante. Elle a toujours été là ?

— André Dupree l'a fait faire en souvenir du Grand Dérangement. Ses ancêtres, les Acadiens, s'étaient installés dans la partie ouest du Canada avant même que les Pères Pèlerins aient accosté à Plymouth Rock, expliqua Nate. Lorsque les Anglais ont conquis le Canada, la présence de ces catholiques qui parlaient français les a irrités. Ils leur ont demandé de renoncer au catholicisme et de prêter serment au roi d'Angleterre. Or, c'étaient des gens plutôt entêtés...

— C'étaient ? fit-elle en haussant les sourcils.

— Les choses ne changent guère par ici, admit-il avec un sourire. Bref, ils ont refusé. On les a rassemblés et déportés. Certains ont été vendus comme serviteurs dans les colonies américaines, d'autres ont été renvoyés en France, d'autres encore ont fini dans des camps de prisonniers en Angleterre, et quelques-uns ont évité la déportation en se cachant en Nouvelle-Écosse.

« Les choses allaient mal pour eux lorsque les Espagnols sont rentrés dans la course. Les Acadiens étant les ennemis jurés des Anglais et d'ardents catholiques, les Espagnols les ont invités à peupler la Louisiane. Beaucoup d'entre eux ont accepté, saisissant cette occasion de ressouder leurs familles, car la famille a toujours été un élément important de la culture cajun. La beauté du pays et l'abondance de nourriture fraîche après des années de misère les ont séduits, et ils se sont enfoncés dans le marais comme des écrevisses.

— Ça se termine bien, apparemment.

Que ressentait-on lorsqu'on grandissait dans un endroit où tout le monde avait un lien de parenté ou, du moins, un passé commun ? se demanda Regan.

— Oui. Deux cent cinquante mille descendants de ces Acadiens vivent encore par ici, malgré les difficultés économiques qui en chassent régulièrement un certain nombre vers les villes. Mais, où qu'il aille, un Cajun emporte avec lui un peu de son pays natal. Et son cœur reste ici, dans le bayou.

— C'est pour ça que tu es toujours là ?

— Je ne sais pas, fit-il en haussant les épaules. Quand j'étais gosse, j'avais des rêves, de grandes ambitions. Je suis même parti pendant quelque temps, puis certains événements m'ont rappelé au pays, et j'y suis encore.

— Dani m'a parlé de la maladie de ta mère. Je suis désolée.

— Ça a été une triste époque, que je ne voudrais pas revivre. Mais que peut-on faire d'autre que tenir bon ?

— Rien, effectivement, acquiesça Regan en pensant à la mort de sa mère – de Karen Hart, rectifia-t-elle en son for intérieur, car elle ne doutait plus d'être la fille de Linda Dale.

— Ça doit être dur d'avoir perdu deux mères.

— Ce n'est pas facile. Voilà pourquoi je veux élucider cette affaire et m'assurer que le meurtrier de Linda sera châtié.

— Et si l'on découvre que le rapport d'autopsie disait vrai ?

— Les dernières notes du journal intime n'ont pas été écrites par une personne qui pensait au suicide.

— Il a pu se passer quelque chose. Peut-être que ton père n'est pas venu la chercher. Ou peut-être qu'il est venu, mais pour dire qu'il ne quitterait pas sa femme.

— Éliminer les « peut-être », c'est mon boulot. Il faut que j'en sache plus sur la vie qu'elle menait.

— De façon à pouvoir mieux gérer la tienne.

— Exactement, acquiesça-t-elle.

Ils entrèrent dans une immense salle de bal qui, grâce à de grandes portes-fenêtres, donnait l'impression d'être un prolongement du jardin. Il n'était pas difficile d'imaginer des dames en robes à crinoline dansant dans les bras de messieurs très élégants.

— C'est de mieux en mieux, dit Regan, surprise de se découvrir des goûts romantiques.

— Tu aurais dû voir cette pièce il y a quelques mois. C'est la plus grande de la maison, et on y avait installé l'atelier. On ne pouvait pas faire plus de deux pas sans se heurter à un établi, à des pots de peinture ou à des outils. Le sol était couvert de sciure et de plâtre. Quand Dani a annoncé que la fête de Mardi gras se déroulerait ici, tous les menuisiers, peintres et électriciens ont travaillé comme des fous.

— Eh bien, ils ont fait du bon boulot, répondit Regan. J'ignorais qu'on pouvait trouver d'aussi bons artisans dans une petite ville perdue.

— En fait, c'est dans ce genre d'endroit que l'artisanat à l'ancienne a perduré. Étant donné que nous n'avons pas besoin d'agrandir nos parkings, nous ne détruisons pas nos vieilles maisons. Nous les entretenons, au contraire, si bien que les bons artisans ont toujours du boulot, même s'ils gagnent moins d'argent que dans les grandes villes.

— Où la vie est plus chère, de toute façon.

Elle leva les yeux vers la fresque du plafond, qui avait été merveilleusement restaurée.

— Et j'imagine que ce travail est plus gratifiant, ajouta-t-elle.

— C'est ce que j'ai toujours pensé, dit Nate en ouvrant les bras. Viens ici, trésor.

— Je croyais qu'on s'était mis d'accord pour faire une pause dans la drague.

— Je la respecte. Mais nous avons fini le parquet la semaine dernière, et je voudrais m'assurer qu'il est assez lisse pour danser, au cas où la pluie nous obligerait à nous abriter le soir de la fête.

Flûte, elle en avait très envie.

— Il n'y a pas de musique.

— Pas de problème, dit-il en se rapprochant d'elle. Nous chanterons.

— Je vais m'abstenir.

Il tendit la main vers les cheveux de Regan et repoussa une mèche derrière son oreille.

— Tu as peur ?

— De toi ? s'écria-t-elle avec un petit rire. Non, Callahan. Je n'ai pas du tout peur de toi.

Les doigts de Nate se refermèrent sur sa nuque. Lorsqu'elle vit ses yeux s'assombrir, quelque chose s'agita dans sa poitrine, un élan intérieur semblable à celui qu'elle avait éprouvé quand il l'avait embrassée. Écarter la tête ne devait pas être difficile, se dit-elle. Elle s'apprêtait à le faire lorsqu'il changea de programme et l'embrassa sur le front.

— On ferait mieux d'aller voir ce que fabrique le gamin avant qu'il ne me pique tous mes outils pour les revendre.

Un peu tremblante, Regan le suivit dehors.

— Tu es bizarre, Callahan. Je n'arrive pas à te cerner.

— Moi ?

Le rire de Nate réveilla Mev'là, qui somnolait à l'ombre d'un saule pleureur. Ses yeux bruns s'éclairèrent, comme si elle espérait un autre biscuit.

— Il n'y a pas plus simple que moi. On peut lire en moi à livre ouvert.

— Et moi, je suis la reine de Mardi gras. Cette attitude de brave garçon un peu niais marche peut-être avec les filles de ta ville, mais je ne suis pas dupe.

— Ne cherche pas trop loin. À mon avis, je suis seul de mon espèce.

Bien qu'elle fût exaspérée par l'attirance qu'elle éprouvait pour lui, Regan ne pouvait contester ce point.

19

Laissant Nate et Josh construire l'estrade, Regan s'installa dans la bibliothèque avec son ordinateur portable et prit des notes sur ses recherches. Elle en avait terminé avec la visite chez Boyce lorsqu'elle commit l'erreur de regarder par la fenêtre. Aussitôt, toute idée déserta son cerveau, qui se retrouva aussi limpide que du verre.

Le soleil avait dissipé la brume matinale. Nate s'essuyait le front du dos de la main. Il dit quelque chose à Josh qui, comme à son habitude, fit non de la tête. Nate haussa les épaules, puis se débarrassa de son tee-shirt. Son torse nu apparut, doré par la lumière de l'après-midi et luisant de sueur.

Il but à une gourde, et un filet d'eau coula sur son ventre. Il l'essuya et se remit au travail. Les muscles de son dos jouaient tandis qu'il assenait des coups de marteau.

Effrayée par le désir qu'éveillait en elle la vue de ce corps parfait, Regan soupira et s'obligea à se replonger dans ses notes.

Elle refusa les invitations à dîner de Dani, puis de Nate, son système nerveux ayant subi trop de sollicitations érotiques pour qu'elle prenne le risque de passer la soirée avec lui. De retour à l'hôtel, elle consacra sa soirée à tenter d'imaginer la vie de Linda Dale en Louisiane.

Les portes-fenêtres de la suite étaient ouvertes sur le balcon. Les habitants de Blue Bayou s'offraient un avant-goût des festivités de Mardi gras. La musique jaillissait du bar du rez-de-chaussée, des gens dansaient dans la rue, et des détonations de pétards fusaient régulièrement.

La sonnerie du téléphone fit sursauter Regan. Elle décrocha.

— Il n'y a rien pour toi à Blue Bayou, dit une voix si étouffée qu'elle ne put deviner si elle appartenait à un homme ou à une femme. Rentre chez toi avant de détruire la vie de braves gens.

— Qui est à l'appareil ?

La tonalité lui signala qu'on avait raccroché.

— Et zut…

Elle s'approcha d'une porte-fenêtre, mais s'en détourna aussitôt, car le téléphone sonnait de nouveau. Elle décrocha et attendit sans rien dire.

— *Chère* ?

— Oh, c'est toi ? fit-elle en poussant un soupir de soulagement. Qu'est-ce que tu veux ?

— Ça peut attendre, dit-il. Tu as une drôle de voix. Il y a un problème ?

— Quelqu'un vient de m'appeler pour me conseiller de laisser tomber mon enquête.

— On t'a menacée ? s'écria-t-il.

— Pas littéralement.

— Laisse-moi trente minutes. Le temps de déposer Josh chez Jack, et j'arrive.

En vrai Callahan, Nate voulait prendre la situation en main.

— C'est inutile. Par ailleurs, ce garçon n'est pas un petit chien. Tu ne peux pas le lâcher tout le temps dans les pieds de ta famille.

— C'est à ça que servent les familles. Pas à se refiler les corvées, mais à veiller les uns sur les autres.

Elle omit de lui rappeler que Josh ne faisait pas partie de sa famille.

— Je n'ai pas besoin d'aide. Je suis épuisée et je vais me coucher. Le temps que tu arrives, je serai endormie.

C'était un mensonge. Après ce coup de téléphone anonyme, elle doutait de fermer l'œil.

— Je peux appeler les flics de l'État.

— Non. On ne peut monter à cet étage qu'avec une clé spéciale. Je ne risque rien. En plus, j'ai une arme, tu te souviens ?

— Difficile de l'oublier quand on en a été menacé, dit-il d'un ton plus calme. Je pourrais demander qu'on mette ton téléphone sur écoute.

— Tu regardes trop la télévision. Même si Finn était toujours au FBI, obtenir cette autorisation d'un juge ne serait pas facile.

— Je pensais me passer de ce papier.

— C'est illégal.

— Et alors ? Je ne veux pas qu'il t'arrive malheur, *chère*.

— C'est très gentil de ta part, mais…

— Il n'y a rien de gentil là-dedans. Je veux que tu vives assez longtemps pour découvrir ma façon époustouflante, enivrante, quasi divine de faire l'amour.

— Tu es vraiment insupportable, répondit-elle en riant.

— Je ne dis que la vérité, répliqua-t-il. Dwayne est de service ce soir, il veille à ce que les gens ne fassent pas trop de bêtises. Je vais lui demander de garder un œil sur l'hôtel. Toi, tâche de bien dormir. On se verra demain matin.

— Que se passe-t-il demain matin ?

— C'est la dernière réunion du comité de danse pour Mardi gras. Je me suis dit que tu voudrais y assister.

— Pourquoi ?

Elle avait prévu d'employer la matinée à rechercher le médecin qui avait signé le certificat de décès de Linda Dale.

— Parce que la présidente de ce comité est Toni Melancon.

— La femme de Charles Melancon ?

— Elle-même. Charles et elle vivent avec la vieille dame à la plantation Melancon. Imagine que sa Jaguar tombe en panne...

— Tu vas tripatouiller le moteur ?

— Je ne saurais même pas comment faire.

— Mais tu n'hésiteras pas à confier ce petit travail à quelqu'un de plus doué, devina-t-elle.

— Permettez-moi d'invoquer le cinquième amendement, inspecteur, celui qui m'autorise à ne rien dire qui puisse me nuire. Disons seulement que si ce moteur anglais très sophistiqué devait tomber en panne, il serait normal que le gentleman que je suis la ramène chez elle. Étant une femme bien élevée, elle me proposera une boisson fraîche, et comme tu seras avec moi...

— ...elle sera obligée de m'inviter aussi.

Le sifflement de Nate la fit sourire.

— Mince alors, quelle femme intelligente ! Le maire de Los Angeles se rend-il compte de la chance qu'il a d'avoir un flic pareil à sa disposition ?

— Je ne l'ai pas entendu en parler.

— Voilà une autre raison de venir travailler chez nous. En tant que maire, je me ferai un devoir de veiller à ce que tu te sentes appréciée à ta juste valeur.

— Tu commences à me plaire, Callahan.

— C'était l'objectif, admit-il. Bon, voilà le programme. Demain matin, je dois inscrire Josh au lycée...

— Je ne t'envie pas.

— Curieusement, l'idée ne semble pas le rebuter. J'ai même l'impression qu'il a hâte d'y aller.

— Il est sans doute en train de te rouler. Peut-être a-t-il fait semblant d'être d'accord pour endormir ta méfiance, et demain matin, au réveil, il aura fichu le camp avec ton argenterie.

— Heureusement, je n'ai que de l'inox. Malgré les efforts d'une femme qui, il y a quelque temps, a essayé de m'intéresser à l'argenterie. Qu'est-ce que tu choisirais si tu te mariais ? Chrysanthème ou Bouton-d'or ?

— Difficile à dire, puisque je ne me marie pas. Et je ne sais même pas de quoi tu parles. J'imagine qu'il s'agit de motifs et non de fleurs ?

— Exactement.

— Dis donc, Callahan, c'est une demande en mariage ?

Il resta muet une longue seconde.

— Je suis désolé, *chère*, si je t'ai donné cette impression, dit-il d'un ton penaud. Je voulais juste dire quelques bêtises pour détendre l'atmosphère.

— C'est bien ce que je pensais. Et ça a très bien marché jusqu'à ce que tu abordes des questions matrimoniales.

— Beaucoup de gens t'expliqueront que mon nom ne peut pas figurer dans une phrase évoquant le mariage.

— Je ne doute pas un seul instant qu'ils aient raison. Alors, pourquoi as-tu abordé ce sujet ?

— Ça m'a traversé la tête, c'est tout. Suzanne – c'est le nom de la dame en question – disait qu'on pouvait deviner le caractère d'une femme à sa vaisselle.

— Quelle blague !

— C'est à peu près ce que je lui ai répondu, mais elle avait un livre qui expliquait tout ça. Apparemment, les filles Bouton-d'or sont toujours gaies et entreprenantes, tandis que les Chrysanthème sont plus réservées. Elle-même se rangeait dans la catégorie Bouton-d'or.

— Apparemment, elle a trouvé une limite à sa nature entreprenante, puisque l'un de vous a rompu les fiançailles.

— Oh, nous n'étions pas fiancés. Elle s'était mis en tête que nous allions le devenir, mais moi, je ne lui avais fait aucune promesse.

— Et tu n'avais pas parlé de vaisselle ou d'argenterie.

— Pas un mot.

Regan sourit. Elle se sentait mieux. Elle joua avec le fil du téléphone.

— Cette histoire se termine-t-elle bien, en dehors du fait que tu as échappé au mariage ? Dois-je compatir avec la pauvre Suzanne, qui vit seule avec des tiroirs remplis de vaisselle qu'elle n'utilise jamais ?

— Elle s'est raccrochée à un ancien petit ami de l'université et a finalement opté pour du Chantilly, modèle qui ne figurait même pas dans ses choix de départ.

Comme Regan ne répondait pas, il reprit :

— Je suis allé consulter ce fameux livre à la bibliothèque. On y lit qu'après avoir été légères durant leurs années de lycée, les filles Chantilly virent à la pruderie. Mais je ne parle pas de Suzanne.

— Bien sûr que non. Tu es un gentleman.

Elle commençait à comprendre les usages du Sud. Un homme pouvait batifoler avec toutes les femmes de la ville, les réputations restaient intactes tant que l'homme en question gardait le silence.

— J'ai bien compris que tu me racontais tout ça pour me distraire, mais puisque tu as abordé ce sujet, tu veux savoir quel genre de fille je suis ?

— Je le sais déjà.

— Ah, bon ?

— Tu fais partie des gens qui utilisent des couverts dépareillés en inox, comme moi, à moins que le traiteur ne t'ait fourni fourchette et couteau en plastique en même temps que le plat préparé.

Bien vu, songea-t-elle.

— Mais si jamais tu devais en passer par là, tu choisirais le Gland.

— J'ai peur de demander pourquoi. Le Gland est pour les belles qui jurent et fulminent ?

— Non, mais tu n'en es pas loin. Les femmes Gland ont un tempérament de rebelle. Elles boivent leur bière à même la bouteille, osent aller à l'université dans le Nord, et certaines poussent la hardiesse jusqu'à épouser un Yankee.

— Quelle horreur ! Elles ont l'air terrifiantes.

— Ça fait partie de leur charme. Ma mère avait choisi le modèle Gland, et je ne connais que toi qui sois aussi audacieuse qu'elle. C'est pourquoi je sais que tu prendrais le Gland.

— Eh bien...

Que dire lorsqu'un homme vous compare à sa mère adorée, tout en vous rappelant régulièrement qu'il fuit les relations durables ?

— Merci, dit-elle enfin.

— Je t'en prie. À ton tour.

— À mon tour de quoi ?

— De me faire un compliment.

Ce n'était que justice.

— D'accord. Tu as beau être parfois exaspérant, tu es aussi très gentil.

— Gentil ? répéta-t-il d'un ton qui trahissait sa grimace. Moi qui espérais que tu verrais en moi l'homme le plus sexy du monde, celui qui, d'un seul regard sombre et dangereux, peut te réduire en un magma de désir brûlant.

— Ton frère Jack peut prendre un air sombre et dangereux. Toi, je te trouve mignon et gentil.

— Flûte... Il va falloir que j'améliore ça. Tu ferais quelque chose pour moi ? demanda-t-il après une pause.

— Ça dépend.

— Dis-moi ce que tu portes en ce moment.

— C'est un coup de fil cochon, Callahan ?

— Un homme a le droit de rêver, non ? Alors, que portes-tu, Regan ?

— Pourquoi ?

— Parce que j'aimerais vraiment être avec toi. Comme ce n'est pas possible, j'essaie de t'imaginer.

— Eh bien, tu vas être déçu. Ma tenue n'est pas du tout sexy. Je porte un tee-shirt bleu marine orné de l'inscription « Service des sports de la police de Los Angeles ». Tu aurais sans doute préféré que je prétende n'être vêtue que de sous-vêtements arachnéens en dentelle.

— La dentelle, c'est joli. Et les sous-vêtements arachnéens aussi. Ton tee-shirt descend jusqu'aux genoux ?

— Non, mais pour le reste, contente-toi de ton imagination, je n'en dirai pas plus.

— Dommage. J'aurais bien aimé que tu me murmures des choses gentilles à l'oreille. Bon, tant pis. À la place, veux-tu que je te raconte un conte cajun ?

— Je pourrai t'interrompre ?

— Bien sûr. Il te suffira de raccrocher.

— Alors, vas-y.

— Il s'agit d'un Cajun qui s'appelait Antoine Robicheaux et qui possédait une cabane dans le bayou, à des kilomètres de toute civilisation. C'était un beau gosse, un peu démoniaque, grand et baraqué à force de manier le marteau toute la journée.

— Il travaillait dans le bâtiment ?

— Il était entrepreneur.

L'image de Nate tel qu'elle l'avait vu un peu plus tôt, torse nu, sa ceinture à outils sur les hanches, revint troubler Regan.

— Comme toi.

— Maintenant que tu m'y fais penser, c'est vrai que nous avons ça en commun, Antoine et moi.

— La vie est pleine de coïncidences, commenta sèchement Regan.

— Bref, une nuit où il pleuvait à verse, Antoine revenait chez lui après avoir relevé ses pièges lorsqu'il tomba sur une jolie blonde. Agenouillée sur la rive du bayou, elle pleurait, les cheveux pleins de mousse et de feuilles. Il crut d'abord que c'était une nymphe des bois. Puis, en la regardant un peu plus attentivement, il comprit que c'était seulement une jolie fille malheureuse. Il ne la connaissait pas, et elle semblait incapable de parler. Comment faire pour savoir d'où elle venait ? Sa maman lui ayant enseigné les bonnes manières, il décida de l'héberger en attendant de trouver une solution.

— Dire qu'on prétend que la galanterie est morte…

— Antoine Robicheaux était un vrai gentleman. Il éprouvait néanmoins une certaine appréhension, car on racontait qu'une sorcière vivait dans les parages. Mais comme cette fille n'avait pas du tout le physique d'une sorcière, il la fit monter dans sa barque et l'emmena dans sa cabane.

« Des nuages sombres passaient devant la lune. Tandis que l'embarcation s'enfonçait dans l'obscurité, Antoine eut l'impression qu'on les épiait. Des points jaunes scintillaient entre les arbres drapés de mousse espagnole, s'éteignaient, réapparaissaient. Antoine les attribua aux innombrables animaux qui vivaient dans les bois et se reprocha son excès d'imagination. La cause en était probablement la présence de cette jolie femme à ses côtés après tant de mois de solitude.

« La pluie avait trempé la robe de la jeune fille, qui lui collait à la peau. Arrivé à la cabane, Antoine lui désigna la salle d'eau et lui prêta l'une de ses chemises. Puis il entreprit de préparer du café, car la pauvre enfant semblait en état de choc.

« Au bout d'un certain temps, comme la jeune fille ne revenait pas, il s'inquiéta et alla frapper à la porte. Celle-ci s'ouvrit toute seule. L'inconnue était debout, toujours vêtue de sa robe mouillée, et regardait par la fenêtre. En la voyant trembler de froid, il craignit qu'elle ne tombe malade…

Regan devinait fort bien la suite. Cela ne l'empêcha pas de tapoter un oreiller et de s'installer confortablement pour profiter du récit.

— Alors, Antoine, en vrai gentleman, la déshabilla, suggéra-t-elle.

— C'est en effet ce qu'il décida de faire. Mais il voyait que c'était une fille honnête et timide, et il ne voulait pas qu'elle se méprenne sur ses intentions…

— Lesquelles étaient très honorables.

— Mais oui. Il comprit que, pour ne pas l'effrayer, il devait procéder très, très lentement.

— Un peu comme cette histoire.

— Tu veux que je saute les meilleurs passages ?

— Non. C'est ton histoire. Raconte-la à ta façon.

— C'était donc une fille timide, si réservée qu'elle avait boutonné sa robe jusqu'à sa jolie gorge, bien qu'il fît chaud et étouffant. Antoine se mit à lui parler doucement, comme on fait quand s'approche d'un faon capricieux. Lorsqu'il défit le premier bouton, ses doigts effleurèrent le petit creux à la base de la gorge. Le pouls de la jeune fille fit un bond. Mais pas un bond aussi grand que le cœur d'Antoine.

La voix profonde de Nate restait neutre. Regan posa la main sur sa gorge, où son propre pouls lui parut anormalement rapide. Il faisait chaud dans la pièce, aussi rejeta-t-elle drap et couverture.

— Il défit les boutons un à un, poursuivit Nate, lentement, écartant peu à peu les pans de la robe comme s'il déballait un cadeau précieux.

Les doigts de Regan suivirent instinctivement le même chemin.

— Le soutien-gorge en dentelle de la jeune fille collait de façon charmante à la courbe de ses seins. Ceux-ci étaient rosis par l'émotion, car elle n'avait pas l'habitude de se laisser dévêtir par un inconnu.

— Même s'il s'agissait d'un gentleman, dit Regan d'une voix rauque qu'elle ne reconnut pas.

— En effet, approuva Nate. Bien sûr, il fallait ôter aussi le soutien-gorge, mais Antoine, qui n'avait jamais eu de problème avec les sous-vêtements féminins, le dégrafa aisément. «Mon Dieu, s'écria-t-il comme les seins de la jeune fille remplissaient ses mains, tu es la plus belle femme que j'aie jamais vue!»

Et il était sincère. Ému par la pudeur rougissante de l'inconnue, il lui demanda la permission d'embrasser ses seins. Elle se mordilla les lèvres tout en réfléchissant, mais son regard trahit son acquiescement avant qu'elle hoche la tête. Sa peau avait la couleur du marbre rose et était aussi lisse, mais beaucoup plus douce. Comme il prenait la pointe d'un sein dans sa bouche et s'enivrait de son parfum, Antoine comprit qu'un seul baiser ne lui suffirait pas.

Regan glissa une main sous son tee-shirt et, imitant Antoine, se caressa les épaules et la poitrine. Un frisson la parcourut, et un gémissement lui échappa.

— Dis-moi à quoi tu penses, demanda Nate.

— Aux mains d'Antoine.

Et aux tiennes sur moi, ajouta-t-elle en son for intérieur.

Elle humecta ses lèvres, qui étaient devenues incroyablement sèches. Coinçant le combiné entre l'épaule et l'oreille, elle glissa les deux mains sous son tee-shirt et caressa les pointes durcies de ses seins.

— Et toi, à quoi penses-tu ?

Il rit.

— À mon short. Il est trop étroit.

— Enlève-le.

Avait-elle vraiment dit ça ?

— Si je le fais, tu en fais autant.

Elle n'avait jamais été encline aux jeux sexuels. Au lit, comme ailleurs, elle était simple et directe. Mais cette voix persuasive et l'obscurité de la chambre lui permettaient d'imaginer qu'elle était la nymphe du conte.

— Je t'ai devancé.

Il y eut une pause à l'autre bout de la ligne, puis un gémissement.

— Attends une seconde, trésor.

Un autre silence s'installa, durant lequel Regan resta immobile, attendant que Nate reprenne l'initiative.

— Je voulais m'assurer que la porte était verrouillée.

— Tu n'as pas l'habitude de parler de sexe avec un gamin dans la maison?

— Non. Mais si Josh n'était pas là, je ne serais pas en train de te téléphoner. Je roulerais vers l'hôtel, pour qu'on puisse faire ça pour de vrai. En chair et en os.

L'union de leurs chairs était une perspective excitante. Mais ce n'était pas pour ce soir.

— Tu me parlais d'Antoine.

— Oui, on ne peut pas laisser ce pauvre type dans cet état. Les seins de la jeune fille étaient un délice, mais Antoine se rappela que son objectif était de lui faire prendre une douche chaude. Aussi acheva-t-il de déboutonner la robe, qui tomba sur le sol. La jeune fille portait un slip assorti à son soutien-gorge. Il glissa ses pouces sous l'élastique et descendit le slip sur ses hanches, puis sur les boucles blondes de son bas-ventre et le long de ses jambes, jusqu'à ses chevilles.

« Elle s'en débarrassa sans qu'il ait à le lui demander. Accroupi sur le sol, Antoine la regarda. De petites perles humides brillaient sur la toison blonde au-dessus de lui.

Regan retroussa son tee-shirt et écarta les jambes afin que l'air conditionné rafraîchisse sa peau brûlante.

— Enfin, Antoine se releva. Il posa les mains sur les épaules de la jeune fille et l'emmena dans la petite cabine de douche, tout juste assez grande pour une personne. Là, il ouvrit les robinets et se débarrassa de ses propres vêtements. Voyant qu'elle écarquillait les yeux devant les dimensions de son sexe, il l'embrassa pour la rassurer.

« Il prit le savon et, tandis que l'eau se déversait sur eux, la recouvrit de mousse des épaules jusqu'aux pieds.

« Elle tremblait, mais ce n'était pas de froid, car il faisait aussi chaud que dans un sauna. "S'il vous plaît, dit-elle soudain en français. Je voudrais… Touchez-moi là."

« Antoine sourit, car c'était ce dont il rêvait sans oser le faire, de peur de l'effrayer.

— En vrai gentleman qu'il était, ajouta Regan tandis que ses mains se promenaient sur son ventre, puis un peu plus bas.

— Exactement. Très doucement, il écarta les plis tendres de son intimité. Maintenant, il faut que tu saches qu'Antoine se vantait de bien connaître les femmes et que, pour lui, le sexe féminin était ce qu'il y avait de plus beau au monde. Il y voyait une fleur, aux pétales rose clair à l'extérieur et rose sombre à l'intérieur. Le petit bouton qui s'y nichait était aussi dur et brillant qu'une perle parfaite. Lorsqu'il le caressa du pouce, la jeune fille sursauta.

Regan, qui pensait aux mains calleuses de Nate, fit de même.

— Il continua à la caresser, tantôt vite, tantôt doucement. Adossée à la paroi de la cabine, elle tendait ses hanches vers lui, offrant et suppliant à la fois.

Les muscles des jambes de Regan se crispèrent. Elle haletait, mais ne se souciait plus du bruit qu'elle pouvait faire. Le monde se résumait à la voix de Nate, à son corps en feu et à l'histoire d'Antoine et de la mystérieuse jeune femme.

— Il s'agenouilla devant elle comme un homme qui vénère une déesse, ce qu'elle était à ses yeux, et sa bouche prit la place de ses doigts. L'orgasme emporta immédiatement la jeune fille. Elle voulut s'écarter, mais la cabine était trop petite et les mains d'Antoine maintenaient ses jambes.

« Il la savourait comme un fruit doux et mûr et prit plaisir à la faire jouir de nouveau. Sentant qu'elle allait s'effondrer, il se releva, la souleva, passa ses jambes autour de lui et la pénétra.

Seigneur ! Balayée par l'orgasme, Regan se mordit la lèvre pour s'empêcher de crier.

— Antoine sentit le corps chaud de la jeune femme se resserrer autour de lui. Jamais il n'avait rien ressenti de tel. On eût dit que des feux d'artifice éclataient en lui. L'eau continuait à couler sur eux. La bouche de l'inconnue restait plaquée sur sa gorge. Non, décidément, ce n'était pas une sorcière.

« Le sang en ébullition, il sentit les dents de la jeune femme s'enfoncer dans sa chair et, lorsqu'il jouit, ce fut une expérience inouïe. Ils s'effondrèrent sur le sol, jambes emmêlées, et Antoine se demanda s'il n'allait pas passer sa vie avec ce vampire sexy.

— J'aurais dû deviner la fin, étant donné qu'on est dans le pays d'Anne Rice, balbutia Regan.

Elle s'aperçut soudain qu'il avait raconté son histoire d'un ton calme et posé.

— Tu n'as pas…

Elle s'interrompit et rougit.

— L'histoire t'était destinée, *chère*, dit-il. Afin de t'aider à trouver le sommeil.

Cela faisait une éternité qu'elle ne s'était pas sentie aussi détendue, découvrit-elle, stupéfaite.

— Je te remercie.

— Crois-moi, le plaisir était pour moi. Fais de beaux rêves, trésor.

Elle raccrocha, tira le drap sur elle et sombra instantanément dans un profond sommeil.

— Je vois pas pourquoi on s'embête avec ça, grommela Josh le lendemain matin, comme ils quittaient la maison de Nate.

— Ce n'est pas compliqué. Tu es un enfant, et l'État de Louisiane, dans l'un de ses rares moments de sagesse, a décrété que tous les enfants iraient à l'école. *Ergo*[1], tu vas y aller.

---

1. « Donc » en latin (N.d.T.).

— D'abord, je m'appelle pas *Ergo*. Ensuite, à quoi ça sert que je m'inscrive si je m'en vais dans quelques jours ?

— Tu as toujours l'intention de ficher le camp ?

— Peut-être.

— Préviens-moi avant.

— Comme si t'en avais quelque chose à faire ! Tu vas pas me dire que tu as toujours rêvé d'avoir un délinquant dans les pieds pour foutre en l'air ta vie sexuelle ?

— Est-ce que j'ai dit que tu foutais en l'air quelque chose ?

— Non. Mais tu serais sûrement allé chez cette keuf hier soir si t'avais pas dû jouer au maton.

— Si tu traites de prison la maison que j'ai construite de mes mains, je vais me vexer, répliqua Nate. Et c'est vrai que j'aurais rejoint Regan à l'hôtel hier soir si tu n'avais pas été là. Mais pas pour la raison que tu crois.

— Me dis pas que t'as pas envie de la baiser !

— Il y a un tas de choses que j'aimerais faire avec elle. Mais, quand tu seras plus grand, tu découvriras qu'il existe une énorme différence entre baiser et faire l'amour.

— T'es amoureux d'elle ?

— Ce n'est pas ce que j'ai dit. Je t'explique seulement qu'on peut rechercher la compagnie d'une femme pour de nombreuses raisons.

— Le sexe, c'est le sexe, insista Josh.

— Nous reprendrons cette discussion quand nous aurons le temps, dit Nate en s'arrêtant devant un bâtiment en brique rouge.

De petits groupes d'élèves montaient les marches du perron en bavardant et en riant. Josh éprouva un pincement d'angoisse à l'idée de se retrouver, une fois de plus, dans la peau du nouveau dans une école inconnue. Il aurait préféré se jeter dans le bayou, les deux pieds coincés dans un bloc de ciment, plutôt que de l'admettre, mais il était content d'avoir enfilé un vieux tee-shirt noir de Nate à la place de celui qu'ornait la tête d'Ozzie Osbourne. Ce type n'avait pas menti : l'usage, ici, était d'éviter les vêtements provocants.

Non qu'il tînt à se conformer aux usages du pays, puisque, de toute façon, il n'allait pas s'incruster à Blue Bayou.

20

Les choses ne s'arrangeaient pas. Regan n'avait trouvé aucun certificat de mariage ni de divorce au nom de Linda Dale. Quant à l'acte de décès, il aboutissait à une impasse. La liste des médecins ayant exercé dans la région ne lui avait fourni aucune piste.

Restaient les actions. La mère ou le fils Melancon savait sûrement quelque chose. Vingt-cinq mille dollars ne représentaient pas une fortune pour une famille qui possédait une compagnie pétrolière, mais ce n'étaient pas non plus des clopinettes.

Elle résoudrait cette affaire. Linda Dale méritait que le mystère de sa mort soit percé et que son meurtrier soit châtié. Cela fait, Regan offrirait ses actions à une œuvre de Blue Bayou et regagnerait Los Angeles.

Elle venait d'abandonner ses recherches sur Internet et de se déconnecter lorsque le téléphone sonna.

— Salut, ma vieille, fit Vanessa. J'ai pensé à toi hier soir. Rasheed et moi, nous avons loué la cassette de *The Big Easy*, dont l'action se passe à La Nouvelle-Orléans. As-tu rencontré l'un de ces mâles cajuns supersexy ?

— Ça grouille de mâles cajuns ici. Et certains sont sexy.

— J'espère que tu t'amuses.

— Bien sûr.

Regan se força à sourire, en espérant que cela s'entendrait dans sa voix. Elle parla à Vanessa de Cajun Cal, de Beau Soleil et de Jack Callahan, dont son amie aimait les livres, mais ne fit aucune allusion à Nate, ni à la raison de sa présence à Blue Bayou.

— Il faut que je me dépêche, dit Vanessa au bout de vingt minutes. Ma sœur a organisé une réunion de femmes enceintes afin que nous nous encouragions mutuellement. Ça m'ennuie à mourir.

— Ce n'est pas cher payé pour un miracle du feng shui.

— J'y penserai pendant l'accouchement.

— Voilà ce que c'est que de vouloir laisser faire la nature. Si jamais je devais donner le jour à un enfant, je réclamerais plein de calmants dès la première contraction.

Elles bavardèrent encore un peu et se rappelèrent les naissances impromptues auxquelles elles avaient dû participer, dans des voitures de patrouille, sur la plage, en prison. En raccrochant, Regan songea qu'elle allait regretter leurs plaisanteries quotidiennes. Le problème avec la vie, se dit-elle en descendant au rez-de-chaussée pour attendre Nate, c'était qu'on ne savait jamais où elle vous entraînait.

Nate eut la courtoisie de ne pas évoquer leur conversation téléphonique de la veille. À la lumière du jour, Regan avait honte de sa conduite. Heureusement, il ignorait qu'elle avait rêvé de lui peu avant l'aube – un rêve dont les éléments essentiels étaient une douche fumante et un morceau de savon.

Blue Bayou n'était, certes, qu'un point sur la carte, mais son architecture méritait le détour. Le bureau du maire se trouvait dans le palais de justice, un splendide bâtiment de style italien au perron majestueux, aux fenêtres voûtées et aux pilastres élégants. Le drapeau acadien, rouge, blanc et bleu, flottait à côté de ceux des États-Unis et de la Louisiane. Un soldat confédéré et sa monture caracolaient au milieu de la pelouse. « Capitaine Jackson Callahan », disait l'inscription sur le socle en bronze.

— C'est un de tes ancêtres ? demanda Regan.

— Oui, m'dame.

— Je croyais que ton père venait de Chicago.

— Oui, mais son grand-père est né ici. Il est parti dans le Nord pour trouver du travail durant les années trente et y est resté. Lorsque mes parents se sont rencontrés, lors d'une soirée universitaire, ils se sont découvert des cousins communs. Selon papa, ils étaient destinés à se trouver et, bien qu'il ne crût pas au vaudou, qui coexiste ici avec le catholicisme, il pensait que maman et lui s'étaient déjà connus dans des vies antérieures et que leurs vies futures les remettraient éternellement en présence.

— C'est charmant.

— Moi aussi, je trouve ça charmant, même si je n'y crois pas.

— Voilà qui ne me surprend pas.

Nate éclata de rire.

— À mon avis, reprit-il d'un ton plus sérieux, si mon père est revenu ici, c'est autant pour retrouver ses racines que pour élever ses enfants à l'écart des violences urbaines et guérir maman du mal du pays.

« Quant au capitaine Jack, c'est l'une de nos gloires locales. Ses parents sont morts sur le bateau qui les amenait en Amérique, et il a grandi, pieds nus et à moitié sauvage, dans le marais. Lorsqu'on a recruté des hommes pour se battre contre les Yankees, il s'est dit que c'était peut-être l'occasion de faire quelque chose de sa vie et il s'est engagé dans un régiment d'infanterie surnommé les Confederate Tigers.

— Parce qu'ils se battaient très bien ?

— Comme des tigres. Simple soldat au début, Jack a été de toutes les batailles. Ces combats étaient très meurtriers, aussi les survivants obtenaient-ils de rapides promotions. Lorsque Jackson Callahan est revenu au pays avec le grade de capitaine, on a crié au miracle, et certaines personnes croient encore que toucher les naseaux de son cheval porte chance.

Nate parlait de ces événements vieux de plus d'un siècle comme s'ils s'étaient produits la veille, constata Regan qui, bien qu'étonnée, admirait cette intimité avec le passé.

Antoinette Melancon avait des cheveux blond vénitien, un tailleur Chanel rose et une allure distinguée.

— Je comprends le concept du Mardi gras, dit-elle. Après tout, mon mari fait partie des Chevaliers de Colomb et est diacre à Notre-Dame-de-l'Assomption. En outre, cela fait des décennies que les femmes de ma famille aident les prêtres à entretenir l'église et les objets de culte. Je comprends que ce soit une occasion de se réjouir avant le carême, mais pourquoi notre communauté ne pourrait-elle pas le faire avec grâce et élégance ?

— Parce que c'est Mardi gras, pas Mardi maigre ! s'écria Émile Mercier, le propriétaire de la Boucherie Acadienne. Les gens sont censés s'amuser et s'en mettre plein la panse.

— C'est inconvenant, protesta Antoinette Melancon avec une moue dégoûtée. Mais j'imagine qu'on ne peut rien attendre d'autre de la part d'un homme qui s'enrichit en vendant des saucisses.

Les mormons devaient plus s'amuser lors de leurs réunions de prières que cette femme le Mardi gras, commenta Regan en son for intérieur.

Émile Mercier croisa ses bras épais sur sa large poitrine, fronça ses sourcils gris et fusilla Antoinette Melancon du regard.

— Peut-être que, dans ma prochaine vie, je reviendrai dans la peau d'un roi du pétrole et que je ferai fortune en déversant du poison dans les rivières, répliqua-t-il.

— Cette remarque est odieuse et offensante, protesta Antoinette en redressant un menton certainement remodelé.

— Ouais, ben, nous autres, on trouve sacrément offensant de pêcher des grenouilles à trois pattes ou à trois yeux, grommela un barbu du fond de la salle.

— Melancon ne pollue pas.

— Allez dire ça à la Commission pour la protection de l'environnement, intervint une femme en qui Regan reconnut l'assistante du procureur de Blue Bayou.

— Cette plainte n'a aucun fondement. Mon mari travaille en ce moment même avec l'administration à rectifier ce malentendu.

— Autrement dit, il graisse quelques pattes, suggéra Cal qui, lorsque Regan était arrivée, l'avait saluée d'un clin d'œil.

Adossé à une carte murale de la région, Nate écoutait les débats d'un air résigné. Il se redressa et entra dans la bataille.

— Nous sommes ici pour parler de l'orchestre, rappela-t-il d'un ton bon enfant. En se décommandant à la dernière minute, les Dixie Darlings nous ont mis dans le pétrin. Mais il se trouve qu'à Tulane j'ai joué au base-ball avec Steve Broussard et que son groupe et lui ont interrompu leur tournée pour travailler leur nouveau CD. Alors, je me suis dit : «Chiche!» Je suis allé le voir à Houma et je lui ai demandé de venir jouer chez nous.

— Comme si Broussard et les Swamp Dogs allaient nous faire cet honneur! s'exclama l'assistante du procureur. Je vous rappelle que leur dernier album a été disque de platine.

— Steve a dit qu'ils viendraient avec plaisir, dit Nate d'un ton posé. Et qu'ils offriraient les bénéfices de leur concert au club des ados.

— Eh ben dis donc, fit Cal tandis que l'assistance applaudissait.

Même l'assistante du procureur avait l'air impressionnée. Toni Melancon, pas du tout. Mais Regan avait déjà compris que, dans cette petite ville, peu de choses avaient l'heur de lui plaire.

Que cette femme soit snob était une évidence. Qu'elle soit froide comme un alligator en train d'hiberner était tout aussi visible. Son mari avait-il couché avec Linda Dale ? Bien qu'elle condamnât l'adultère, Regan pouvait comprendre que l'époux d'une telle chipie ait eu envie d'aller voir ailleurs. Et maintenant qu'elle connaissait Toni Melancon, elle l'imaginait sans peine éliminer une rivale. Pas par amour, car elle n'avait sûrement pas la fibre sentimentale, mais pour l'argent, éternel mobile des meurtres. Évidemment, le nom de Charles ne collait pas avec l'initiale J., mais il était possible que le mystérieux amant du journal intime ne soit pas concerné par le crime. Ce qui n'expliquait pas pourquoi, s'il était innocent, il n'avait rien dit à personne après la mort de Linda.

La réunion s'acheva. Toni Melancon fut la première à partir, Nate et Regan les derniers.

Lorsqu'ils sortirent du palais de justice, Toni Melancon, debout à côté de sa Jaguar verte, piétinait d'impatience.

— Vous avez un problème ? demanda Nate.

— Cette stupide voiture refuse de démarrer, ronchonna-t-elle, avec l'air d'un enfant gâté qui s'apprête à bousiller son jouet de luxe. J'avais bien dit à Charles qu'il fallait acheter allemand. Mais non ! Il tenait à cette merde anglaise.

— Elle est superbe, dit Nate. Quand elle est sortie, en 1968, elle passait pour la plus belle voiture au monde.

— C'est une superbe merde, dans ce cas.

Au temps pour la grâce et l'élégance. Le comportement irascible de cette femme faisait penser à celui de Josh qui, lui, avait quelques excuses.

— Je peux jeter un coup d'œil au moteur ?

— Comme vous voulez, fit-elle, apparemment plus agacée que reconnaissante.

Il ouvrit le capot et tripota des fils.

— Bon. La bonne nouvelle, c'est que ça n'a pas l'air dramatique.

— Et la mauvaise ?

— Je ne peux pas la réparer.

— Pourquoi ? s'écria-t-elle, furieuse.

— Vous voyez ce fil rouge et blanc ?

Elle soupira et jeta un coup d'œil au moteur sans s'approcher, de peur de salir son tailleur.

— Oui, et alors ?

— Il est détaché. On pourrait le fixer, mais si vous regardez bien, poursuivit-il en désignant un point précis du fil, vous voyez qu'ici, il est dénudé. Il faut le changer.

— Je savais bien qu'on aurait dû acheter une BMW, grommela-t-elle.

— Ne vous en faites pas, dit Nate. Je vais appeler Earl pour qu'il l'emmène au garage, et je vous raccompagnerai chez vous.

Son sourire gamin parut dérider la gorgone.

— Bon, si ça ne vous gêne pas…

— Ce sera avec plaisir, assura-t-il. Ça ne vous ennuie pas que Mlle Hart nous accompagne ? Je lui fais visiter la région.

Toni Melancon regarda Regan comme si elle découvrait seulement sa présence.

— Vous devez être le nouveau shérif dont on m'a parlé.

— C'est une erreur. Je suis là en visite.

— Dommage, nous avons vraiment besoin d'un shérif. Je ne comprends toujours pas à quoi vous pensiez en engageant Dwayne, ajouta-t-elle à l'adresse de Nate.

— Il est un peu novice, mais il fait des progrès.

— Mais c'est un… vous voyez ce que je veux dire, acheva-t-elle avec la moue réprobatrice qui semblait être son expression la plus courante.

— Un diplômé de l'université ? demanda Nate.

— Ne jouez pas au plus malin avec moi, Nathaniel Callahan. Vous savez très bien ce que je veux dire.

— Oui, mais Dwayne est parfaitement qualifié pour ce poste. Non seulement il a un diplôme de justice criminelle, mais en plus, il est du pays et se sent concerné par ce qui s'y passe. Enfin, nous n'avons pas eu d'officier de police afro-américain depuis que mon père a engagé l'oncle de Dwayne dans les années soixante-dix. Il était largement temps qu'on rattrape cette erreur.

— Je sais que Jake Callahan est considéré comme un héros et je regrette sincèrement qu'il soit mort de façon aussi tragique, mais, comme je le lui avais dit à l'époque, le changement pour le changement n'est pas forcément une bonne chose. Puisque nous avons abordé ce sujet, je pense que Blue Bayou doit maintenir les traditions qui l'ont protégé du déclin dont souffrent les trois quarts de l'État.

— Certaines traditions méritent de disparaître, dit Nate en lui ouvrant la portière de sa voiture, garée juste derrière la Jaguar. Comme l'esclavage. Ou les lynchages.

— Vous parlez comme votre père. Je ne lui en voulais pas, puisqu'il était yankee. Mais j'espérais que votre mère vous avait transmis le respect de notre patrimoine.

— Oh, elle l'a fait, mais après avoir effectué un tri.

Toni Melancon ne parut pas remarquer le regard dur de Nate, qui la prenait par le coude et l'aidait galamment à s'installer sur le siège du passager. Toute personne moins égocentrique aurait senti qu'il était à bout de patience.

Regan, elle, comprit qu'il ne tenait sa langue que pour lui rendre service et, lorsque leurs regards se croisèrent dans le rétroviseur, elle articula un « merci » silencieux.

21

Une longue allée bordée de chênes menait à la demeure des Melancon. De petits bâtiments, sans doute d'anciennes cases d'esclaves, étaient éparpillés dans les champs en friche, reliques d'une époque disparue.

La maison des Melancon était aussi grande que Beau Soleil, mais n'en avait pas la grâce. Quatre massives colonnes doriques plantées sur des socles en granit soutenaient le toit de la véranda. Des taches vertes de moisissure souillaient les briques dont le rose s'était fané au fil des siècles. La plantation St. Elmo[1], ainsi nommée, selon Nate, à cause du gaz phosphorescent qui s'élevait du marais en brillant dans la nuit, donnait une impression de désolation, à croire qu'elle était habitée par de lointains cousins sudistes de la famille Adams.

Nate s'arrêta devant le perron délabré.

— Eh bien, merci, Nate, fit Toni en guise de concession aux bonnes manières.

— Je vous en prie, dit-il en l'aidant à mettre pied à terre.

Un silence inconfortable suivit.

— Bonne journée, dit-elle.

Au temps pour l'invitation à prendre un verre.

---

1. Les feux de Saint-Elme (Elmo en anglais) sont des lumières dues à des décharges électriques. Elles peuvent apparaître sur des objets saillants lors de grandes tempêtes (N.d.T.).

— Vous savez, dit-il, il y a longtemps que je n'ai pas rendu visite à Mme Bethany. J'ai envie de lui dire un petit bonjour. Cela me désolerait qu'elle entende la voiture et m'en veuille de ne pas avoir pris le temps de lui présenter mes hommages.

Son sourire allait-il opérer sa magie habituelle ?

— Comme vous voudrez, dit Toni qui, par un énième soupir, révéla l'immense ennui que ce monde lui inspirait. Mais ne vous attendez pas qu'elle vous reconnaisse. La pauvre vieille déraille complètement.

— Comme c'est triste ! dit Nate tandis qu'ils grimpaient les marches du perron. Nous aurons peut-être la chance qu'elle soit dans un bon jour.

La porte d'entrée massive était ornée d'armoiries et surmontée d'un quatuor de gargouilles peu amènes.

Dans le vestibule, ils furent interceptés par une mulâtresse d'au moins un mètre quatre-vingts et dont l'âge devait se situer quelque part entre soixante et cent ans. D'étranges yeux turquoise éclairaient son visage cuivré. Diverses amulettes pendaient sur sa robe noire.

— Mme Melancon ne reçoit pas, gronda-t-elle.

— Voyons, mademoiselle Caledonia, je ne suis pas n'importe quel visiteur, dit Nate en déployant tout son charme. J'ai apporté des bonbons de chez *Paula's Pralines*, ceux que Mme Bethany et vous aimez tant, poursuivit-il en brandissant deux petits sachets qu'il avait sortis de la boîte à gants.

La femme fit claquer sa langue et prit les sachets.

— Tu es un effronté, Nate Callahan.

— Vous n'êtes pas la première à me le dire, riposta-t-il en décochant un clin d'œil à Regan.

— J'imagine. Bon, mais ne reste qu'une minute. C'est l'heure de sa sieste.

— Promis.

Elle secoua la tête et s'éloigna à grands pas.

— Est-ce que tu as lu *Rebecca* ? murmura Regan, tandis qu'ils la suivaient dans un couloir le long duquel se dressaient à intervalles réguliers des bustes de Melancon décédés depuis belle lurette.

— Non. Mais la fille dont je t'ai parlé, celle qui voulait du Bouton-d'or, adorait la chaîne Sentiments, si bien que j'ai vu le film.

— À côté de Caledonia, Mme Danvers ressemble à Mary Poppins.

— C'est un vrai garde-chiourme, admit-il. Mais elle est très dévouée à Mme Melancon. C'était sa nounou, et maintenant, c'est elle qui dirige la maison.

— Toni n'a pas l'air de l'aimer.

La femme de Charles était passée devant la gouvernante sans même lui accorder un regard, avant de disparaître dans les profondeurs de la maison.

— Elle a peur d'elle. Selon la rumeur, peu après son mariage, Toni a voulu chasser sa belle-mère de la maison pour y régner en châtelaine. Caledonia l'a menacée d'un sortilège vaudou, et la discussion s'est arrêtée là.

Ils entrèrent dans un salon encombré de plantes diverses. Sur la soie rouge et tachée d'humidité qui recouvrait les murs, d'autres ancêtres Melancon grimaçaient dans leurs cadres dorés. La chaleur était telle que Regan n'aurait pas été surprise de voir des champignons pousser sur le tapis oriental. L'odeur lourde des fleurs lui donna immédiatement mal à la tête.

Assise dans un fauteuil à bascule dissimulé derrière un philodendron, une femme âgée, d'apparence aussi fragile qu'un petit oiseau, disparaissait à moitié sous plusieurs couches de châles multicolores.

— Bonjour, madame Bethany, dit Nate. Que vous êtes belle aujourd'hui! Comme une fleur de printemps!

Le regard de la femme resta fixé sur trois statues de nymphes qui, de l'autre côté des portes-fenêtres, dansaient autour d'une fontaine.

— M. Nate vous a apporté vos pralines préférées, dit Caledonia d'une voix douce.

Elle ouvrit un sachet et mit un bonbon sous le nez de la vieille femme.

Une main tachetée de brun et chargée de bagues arracha la friandise, qui disparut vivement entre les lèvres outrageusement maquillées. Puis la main se tendit de nouveau, paume vers le ciel.

— Après votre sieste, dit Caledonia en posant les sachets sur un rayonnage élevé.

On eût dit qu'elle s'adressait à un enfant. Mme Melancon laissa fuser un chapelet de mots français et de jurons qu'une dame de sa génération n'était pas censée connaître.

— Vous savez bien que trop de sucre vous empêche de dormir, répondit Caledonia d'une voix placide. Quand vous vous réveillerez, les pralines seront toujours là. Vous allez souhaiter un bon après-midi à M. Nate et son amie ? demanda-t-elle en rajustant les châles.

Elle glissa un doigt sous le menton de la vieille dame, l'obligeant à relever les yeux.

— Bonjour, madame Bethany, s'écria de nouveau Nate.

Pour une fois, son sourire resta sans effet. Le regard de la vieille dame les traversait comme s'ils avaient été des fantômes. Le cœur serré, Regan comprit qu'elle ne tirerait rien de cette visite.

— C'est l'heure de sa sieste, dit Caledonia.

— Très bien, fit Nate en cachant sa déception. Je vous remercie de votre hospitalité.

Regan et lui rebroussèrent chemin le long du couloir et traversèrent le vestibule. Ils venaient de quitter la maison lorsque Caledonia les rattrapa.

— Nathaniel, j'ai quelque chose pour ton amie, déclara-t-elle.

Elle plongea la main dans une poche de sa robe et en sortit une mince lanière noire d'où pendait une pièce de dix cents percée au milieu.

Regan échangea un regard avec Nate et prit le collier.

— Merci.

— N'oubliez pas de le porter, insista la gouvernante, dont le regard turquoise prit une teinte plus sombre. Votre présence ici ne plaît pas à tout le monde. Les esprits s'agitent. Ce grigri vous protégera.

Son insistance glaça Regan. Nate vint à son secours.

— Merci beaucoup, mademoiselle Caledonia.

Il prit la lanière et la glissa autour du cou de Regan. Était-ce un effet de son imagination? Il lui sembla que sa peau s'échauffait au contact de la pièce.

— Personne ne fabrique de meilleurs grigris que Mlle Caledonia, dit-il à Regan avec un sourire rassurant. C'est une descendante des Marie Laveau.

— Ce garçon dit la vérité, renchérit la femme en se redressant fièrement.

— Comme c'est intéressant, fit Regan, qui s'efforçait de sourire. *Merci*, ajouta-t-elle en français.

Sans répondre, Caledonia leur ferma la porte au nez.

— Eh bien, murmura Regan. Pour une expérience, c'en était une.

— Caledonia est très pittoresque. Je regrette que Mme Melancon ait été aussi absente.

— Tu m'avais prévenue.

— On me l'avait dit, mais je ne pensais pas que son état avait empiré à ce point depuis la dernière fois que je l'ai vue, il y a environ un mois.

— C'est la maladie d'Alzheimer?

— Probablement. Autrefois, c'était une femme à l'esprit vif et acéré. Elle a repris la direction de la compagnie après le décès de son mari, qui est mort dans les bras de la maîtresse qu'il entretenait à La Nouvelle-Orléans.

— Pourquoi est-ce que cette histoire ne me surprend pas? fit Regan un peu sèchement, en montant dans la voiture.

— Cela a causé un sacré scandale, même ici. On a découvert que cette femme et Charles senior avaient eu trois enfants ensemble. La succession n'a été réglée qu'après plusieurs années de litiges.

— Manifestement, c'est la famille légitime qui a gagné.

— En grande partie, oui, mais la maîtresse et les enfants naturels ont pu garder leur maison et les actions que Charles senior avait mises à leurs noms.

— Décidément, il y a des quantités d'actions de Melancon Petroleum qui se baladent à droite et à gauche.

— Ce n'est pas anormal, vu que Melancon est le plus gros employeur de la région. C'est comme posséder des actions de Coca-Cola pour un habitant d'Atlanta.

— Qui sont les Marie Laveau ?

— Oh, deux femmes très intéressantes. La première coiffait les riches Créoles de La Nouvelle-Orléans dans les années 1820. Catholique fervente, elle pratiquait aussi le vaudou et faisait office de conseillère spirituelle auprès des esclaves, de leurs maîtres et des épouses de ceux-ci, ses clientes. À ces talents s'ajoutait la générosité, car elle était la première à sortir soigner les malades lorsque des épidémies de fièvre ravageaient la ville. Des adeptes continuent à inscrire des X rouges sur sa tombe et à y laisser des pièces pour acheter des sortilèges. Sa fille, la deuxième Marie, a poussé les choses plus loin et élaboré des rites vaudous beaucoup plus sophistiqués. On dit que sa popularité était telle que même des prêtres et des évêques venaient la consulter.

— Et Caledonia descend de ces femmes ?

— C'est ce qu'on raconte.

— Le vaudou, je n'y crois pas une seconde, dit Regan en touchant la pièce de dix cents. Pas plus qu'au danger qui, selon Caledonia, me menace.

Qui tentait-elle de convaincre ? se demanda-t-elle aussitôt.

— Peut-être était-ce à moi et à mes qualités d'amant qu'elle faisait allusion, dit Nate.

Regan rit et se sentit mieux. Mais le mystère posé par les actions de Linda restait entier.

— Il faut vraiment que je parle avec Melancon.

— Tu n'en auras pas l'occasion avant Mardi gras, alors tu ferais mieux d'accepter de venir à la fête.

— Je pense que tu as raison.

— Ne t'inquiète pas, *très chère*, dit Nate en lui prenant la main pour y déposer un baiser. Je veillerai à ce que tu t'amuses.

Certes, il regrettait l'échec de leur visite à Mme Melancon, mais il se réjouissait que Regan doive prolonger son séjour. Quel phénomène étrange ! songea-t-il. Ils ne se connaissaient que depuis quelques jours et, déjà, sa vie d'avant s'effaçait de sa mémoire.

Heureusement, en dehors des travaux en cours à Beau Soleil et dans le bureau du shérif, aucune tâche urgente n'exigeait son attention. Il n'aurait jamais pu s'en occuper correctement. C'était comme s'il s'était mis à regarder la vie par le mauvais côté d'un télescope : Regan Hart occupait toute l'image.

Il pensait trop souvent à elle. Presque tout le temps, en fait. Du moment où il se brossait les dents le matin jusqu'à l'instant où il s'endormait.

Elle surgissait dans sa tête sans prévenir. Ainsi, alors qu'il était en train d'étudier un plan d'architecte, au lieu de voir le mur porteur, c'était Regan qui était apparue, les cheveux ébouriffés par la brise de l'océan Pacifique.

Tandis qu'il attendait qu'elle débarque à Blue Bayou, il avait peint les lambris de la salle à manger de Beau Soleil en vanille française au lieu du café suisse qu'avait choisi Dani. Quel imbécile ! Il n'avait plus commis ce genre d'erreur depuis les étés où, adolescent, il s'initiait aux métiers du bâtiment.

Bref, avant même que Regan arrive, avec ses jambes immenses et des problèmes que tout homme raisonnable aurait essayé d'éviter, il travaillait du chapeau. Or, Nate s'était toujours targué de garder son sang-froid en ce qui concernait les femmes. Mais on aurait dit qu'elle lui avait jeté un sort d'amour vaudou qui enfiévrait son cerveau et tourmentait son corps.

Ce dernier élément était particulièrement exaspérant, se dit Nate en tournant sur Bienville Boulevard, à deux pâtés de maisons de l'hôtel. Il ne se souvenait pas d'avoir éprouvé une telle frustration sexuelle depuis qu'il avait eu la joie de découvrir que les femmes aimaient autant que les hommes faire l'amour. Dès qu'il aurait attiré cet inspecteur délectable dans son lit et satisfait son désir – tout en lui donnant du bon temps à elle aussi, bien sûr –, il serait délivré de ce qui devenait une obsession.

— Ô mon Dieu !

— Que se passe-t-il ?

L'image mentale dans laquelle il dévorait de baisers son torse mince creva comme une bulle de savon. Elle agrippa son bras si violemment qu'ils faillirent quitter la route.

— Arrête-toi ! cria-t-elle.

Il s'exécuta et coupa le moteur.

— Qu'y a-t-il ? demanda-t-il en se tournant vers elle.

Elle était aussi pâle que le fantôme de Beau Soleil.

— C'est cette maison.

D'une main tremblante, elle désigna une petite maison de style créole, aux murs bleus et à la porte rouge. Une pancarte « À vendre » était plantée sur le carré de gazon défraîchi.

— Eh bien ?

— C'est la maison de Linda Dale.

La pauvre ! Cette entrevue stérile avec la vieille dame et les sottises vaudoues de Caledonia lui avaient mis la tête à l'envers.

— La maison de Linda Dale a été balayée par un ouragan, *chère*, dit-il en caressant les épaules crispées de Regan. Tu te souviens ? J'ai consulté le cadastre.

— Il y a sûrement eu une erreur. C'est cette maison-là, insista-t-elle.

Discuter ne servirait à rien, décida Nate. Il valait mieux qu'elle s'aperçoive toute seule de sa méprise.

— Je vais appeler la directrice de l'agence immobilière pour qu'elle nous fasse visiter.

Regan ne ricanant point lorsqu'elle l'entendit demander à parler à une femme du nom de Scarlett O'Hara, Nate comprit qu'elle était vraiment mal en point.

— La clé est sous le paillasson, dit-il en éteignant son portable. Elle la laisse là pour les gens qui veulent jeter un coup d'œil sans s'encombrer de la présence d'un vendeur.

— Le salon est à gauche quand on entre, murmura Regan, tandis qu'il écartait le paillasson et ramassait la clé. Et la salle à manger à droite.

— C'est la disposition habituelle des maisons créoles. Quatre pièces. Deux à droite, deux à gauche.

— Comment l'aurais-je su ? Je te le dis, c'est cette maison.

Elle alla directement dans l'une des pièces du fond.

— C'est ma chambre. Elle était peinte en jaune, sauf le plafond qui représentait un ciel bleu avec quelques nuages blancs.

— Charmant souvenir, fit-il, bien qu'il doutât toujours.

— C'est dans le salon que Linda a été tuée. Mon lit était là, contre le mur.

Nate vit son regard devenir distant.

— Il était couvert de peluches, poursuivit Regan. Mais ma préférée était un éléphant rouge et vert que j'avais reçu pour mon anniversaire.

— Ce sont les couleurs du Mardi gras.

— Oui. J'ai toujours cet éléphant, avoua-t-elle. À Los Angeles. Il s'appelle Gabriel… Je ne sais pas pourquoi je l'ai baptisé ainsi.

— À mon avis, ta mère t'a suggéré ce nom à cause du poème de Longfellow sur les amants séparés par le Grand Dérangement[1].

— Je ne l'ai pas lu.

— C'est une histoire d'amour qu'on nous faisait étudier presque tous les ans en classe. Evangeline Bellefontaine est une jeune fille acadienne que les événements séparent de son fiancé, Gabriel Lajeunesse, le jour de leur mariage. Lorsqu'elle arrive ici avec un groupe de déportés, elle apprend qu'il y est venu mais en est reparti. Elle le cherche partout et, des années plus tard, alors que tous deux sont grisonnants, elle le retrouve, agonisant, dans un hospice de Philadelphie. Ils s'étreignent, et il rend son dernier soupir dans ses bras. Le cœur brisé, elle meurt à son tour, et on les enterre ensemble.

— C'est tragique, dit Regan avec un soupir las. Comme presque toutes les histoires d'amour.

— Beaucoup ne le sont pas. Un de ces jours, je te parlerai de Jack et Dani. Seigneur, ils ont souffert, plus peut-être qu'Evangeline et Gabriel, mais regarde comme ils sont heureux maintenant.

— Je suis contente que tout ait bien tourné pour eux, dit Regan d'un ton absent, les yeux fixés sur la petite chambre. Elle est morte dans le salon. Je l'ai entendue crier et je me suis cachée sous les draps. J'avais peur que le cauchemar ne soit venu me manger.

— Tu fais allusion à un vieux conte cajun qu'on racontait aux enfants pour les faire obéir : « Sois gentil, sinon le cauchemar va t'attraper. »

— Il avait des pattes d'écrevisse à la place des mains. J'ai eu beau faire ce cauchemar des dizaines de fois, jamais je ne me suis demandé d'où me venaient ces images... Il y a eu des cris, un fracas énorme...

---

1. Evangeline : poème épique de Longfellow (1847), qui raconte les amours et l'odyssée d'Evangeline et de Gabriel, deux Acadiens déportés de Nouvelle-Écosse en Louisiane (N.d.T.).

Son regard se fit de nouveau absent. Nate, désemparé, la regarda replonger dans le passé.

— J'étais terrorisée. J'ai attendu longtemps avant d'oser sortir de ma chambre, mais maman n'était plus là. Je l'ai cherchée dans toutes les pièces. Je mourais de faim.

Il la suivit dans la cuisine peinte d'un vert joyeux.

— Je suis montée sur une chaise et j'ai trouvé des cookies dans le placard. Et du pain, ajouta Regan en passant le doigt sur la porte d'un des placards. Ensuite, je pense que j'ai dormi. J'ai sûrement dormi.

Elle alla ouvrir la porte de derrière, sortit sur la véranda et regarda le petit garage.

— Je ne sais pas combien de temps j'ai attendu le retour de maman. Elle m'avait interdit d'aller toute seule dans la rue, de peur que je ne me fasse écraser. Alors, je suis restée dans la maison durant ce qui m'a semblé une éternité.

Ne doutant plus que Regan avait vécu dans cette maison et qu'elle revivait chaque instant du drame, Nate l'enlaça. Elle prit appui sur lui, geste qu'il interpréta comme une marque de confiance.

— Un gentil docteur m'a donné une sucette à la cerise. Le parfum que je préférais. Et un autre homme très gentil, aux cheveux noirs et au regard amical, m'a prise dans ses bras et m'a emmenée chez lui.

— C'était mon père.

Jake Callahan avait consigné cet épisode dans son carnet, mais Nate n'en avait pas parlé à Regan, de crainte qu'elle ne le soupçonne de chercher à tirer avantage de la gentillesse de son père.

— Cela ne me surprend pas du tout, dit-elle en le regardant, les yeux humides. Et Finn n'est pas le seul Callahan à avoir hérité de son père.

Elle caressa la joue de Nate, qui perdit pied aussitôt.

— Je ne veux pas que tu te méprennes, Regan, que tu penses que je cherche à profiter de ton émotion, dit-il en prenant sa main pour embrasser sa paume. J'ai essayé de me comporter en gentleman, de te laisser du temps… mais, voilà, je ne crois pas pouvoir attendre encore longtemps.

Il lui caressa les cheveux, la nuque, le dos, les reins. Puis il l'attira contre lui, pour qu'elle sente à quel point il la désirait.

Les yeux de Regan lui répondirent en premier. Puis elle murmura, avec un léger sourire :

— Oui.

22

Regan avait accepté l'idée que Linda Dale avait été sa mère. Elle en était même venue à penser que les événements terribles qui hantaient son sommeil depuis des années étaient plus des souvenirs que des cauchemars. Mais entrer dans la maison de son enfance avait réveillé d'autres images.

— Elle était rose, dit-elle tandis qu'ils roulaient le long du bayou. La maison, précisa-t-elle, comme Nate lui jetait un coup d'œil perplexe. Elle était peinte en rose. Maman disait que c'était la maison idéale pour deux filles.

Elle se frotta les tempes. La migraine menaçait de réapparaître.

— Du moins, je pense qu'elle était rose. J'ai du mal à distinguer la réalité du cauchemar.

— Il me semble que, dans ton cas, c'est la même chose. Elle peut très bien avoir été rose. Les maisons de style créole ont toujours été colorées.

— Si j'arrive à me souvenir de la couleur de la maison et des nuages sur le plafond de ma chambre, je devrais pouvoir décrire l'homme avec qui ma mère avait une liaison.

— Il faut sans doute éviter de trop insister. Ça te reviendra tout seul.

— Peut-être… Callahan, comment se fait-il que tu attires les amnésiques ? s'écria-t-elle avec un rire qui n'avait rien de gai.

— Mettons que j'ai de la chance, répondit-il en souriant.

Il reporta son attention sur la conduite, et un silence étrangement apaisant s'installa. Ils longèrent un cimetière surélevé, comme l'étaient ceux de La Nouvelle-Orléans, afin d'empêcher les corps de remonter à la surface lors des grandes crues. Le soleil étincela sur l'aile brisée d'un ange. Deux immenses hérons s'envolèrent du bayou dans un bruissement d'ailes bleu-gris.

— On se croirait dans un autre monde, dit Regan.

— Je parie qu'avant de venir ici le mot « marais » n'évoquait pour toi que des serpents, des moustiques et des alligators.

— C'est vrai.

— Les touristes font des tours en bateau pour visiter le bayou – ce que je ne critique pas, car tout le monde doit gagner sa vie, et de toute façon, c'est mieux que de ne rien visiter du tout. Mais, après avoir vu le guide jeter des bouts de poulet aux alligators, avalé des écrevisses cuites à l'étouffée et des huîtres à la sauce piquante, et écouté quelques morceaux de zydeco, la musique locale, ils repartent avec la conviction de tout savoir du bayou. Ils se trompent complètement. On ne peut pas découvrir cette région en quelques heures. C'est un lieu où on doit s'attarder. Il faut du temps pour s'en imprégner.

À la sortie d'un virage, un lac apparut. Sur la rive, des pilotis soutenaient une petite maison au long toit en pente. Une large véranda en faisait tout le tour.

— On dirait qu'elle a poussé directement du bayou.

— C'est une maison de style planteur, conçue pour les climats chauds. La pente du toit et cette véranda laissent l'air circuler dans les pièces… Je peux aussi pêcher de mon lit, ce qui n'est pas négligeable.

Elle sourit.

— Tu l'as construite ou rénovée ?

— J'espérais garder le bâtiment d'origine, mais les termites s'en étaient régalés. Il était fichu. J'ai donc abattu ce qui en restait et tout reconstruit en respectant le style et, chaque fois que c'était possible, les techniques de l'époque, par exemple en utilisant des chevilles au lieu de clous.

— Je suis impressionnée.

Mais, ayant vu ses travaux à Beau Soleil, elle n'était pas surprise.

— Je te l'ai dit, être maire n'est qu'un travail à mitemps. C'est le bâtiment qui paie les factures.

— Tu aimes ça. Ce n'est pas pour l'argent que tu as choisi de restaurer les vieilles maisons, dit Regan, tout en songeant que dans une région plus prospère, il aurait pu faire fortune.

— Il y a des tas d'autres choses que je voudrais faire dans cette maison. J'y travaille depuis déjà cinq ans, mais je manque de temps.

— Je sais ce que c'est.

À la pensée de la pile de dossiers dont elle ne venait jamais à bout, elle soupira. Puis elle chassa cette image de sa tête. Ce n'était ni le lieu ni le moment de s'y attarder.

L'intérieur de la maison était rustique, mais accueillant et étonnamment propre. Le solide mobilier en bois était de taille à supporter des générations d'enfants chahuteurs, et les fauteuils rembourrés visaient plus le confort que le style. Le plancher était constitué de larges lattes, et les poutres semblaient avoir été taillées à la main.

Un autre silence s'établit, un peu moins décontracté que le précédent.

Regan s'était toujours trouvée courageuse. Mais maintenant qu'arrivait le moment vers lequel ils se dirigeaient depuis le jour où Nate Callahan était entré dans le poste de police de Los Angeles, son sang-froid la désertait.

Éclairé de dos par le soleil, il ressemblait à une statue de bronze. Elle le revit, torse nu, maniant le marteau d'un bras musclé. Jamais elle n'avait vu quelqu'un s'approcher autant de la perfection physique. Elle-même en était loin.

— Tu vas me détester, déclara-t-elle.

— C'est impossible.

Regan repoussa ses cheveux d'une main tremblante, parfaitement incongrue chez une championne de tir.

— Cela ne nous mènera nulle part, reprit-elle.

— Cela nous a déjà menés quelque part, dit-il d'un ton apaisant.

— Tu ne comprends pas.

— Explique-moi.

— J'ai des cicatrices.

— Personne ne peut vivre sans récolter quelques cicatrices, *chère*. Jack en a, Finn aussi… Même moi, qui suis pourtant parfait, j'en ai quelques-unes, acheva-t-il avec un sourire qui ôtait toute arrogance à son propos.

— Non, dit-elle en se détournant.

Elle s'approcha d'une fenêtre qui donnait sur le lac et serra les bras sur sa poitrine.

— Je parle de vraies cicatrices. De cicatrices physiques.

Elle ferma les yeux pour chasser l'image du corps abîmé qu'elle avait appris à ne plus examiner dans la glace de sa salle de bains.

Nate savait qu'il était proche du point de non-retour. S'il voulait éviter de tomber dans une relation sérieuse, il lui suffisait de reculer. Tout de suite.

C'eût été le plus sage. Mais, voilà, il désirait cette femme. Sa tête, son corps, son cœur la réclamaient. Aussi, au lieu de se retirer prudemment sur un terrain plus sûr, traversa-t-il la pièce.

— Où ?

— Partout.

Il posa les mains sur ses épaules et la fit pivoter vers lui.

— Ici ? demanda-t-il en prenant chaque sein dans une main.

248

Ils s'y logèrent parfaitement, comme si Regan avait été créée uniquement pour lui.

Elle le regarda dans les yeux et hocha la tête.

Toutes les conquêtes de Nate avaient abordé cet instant avec l'air décontracté de la femme blasée. Regan, la plus coriace de toutes, trembla lorsqu'il caressa la pointe de ses seins.

Le désir s'empara de lui, accompagné d'une sensation inédite : la peur d'être trop brutal. Son corps réclamait le plaisir, sa tête conseillait la retenue. Son cœur, qui semblait avoir enflé au point de remplir toute sa poitrine, choisit un terrain intermédiaire.

— Et ici ?

Sa main descendit sur le torse de Regan.

— Oui, chuchota-t-elle en fermant les yeux, de peur de lire le dégoût ou la pitié dans le regard de Nate.

— Et ici ? fit-il en s'arrêtant sur son ventre.

— Oui. Bon sang, Nate…

— Et ici ? insista-t-il en descendant sur une cuisse.

— Partout. Et elles sont affreuses.

— Voyons, chérie, j'ai du mal à te croire.

Il la prit dans ses bras et, avec un soupir, elle posa la tête sur son épaule. Ils restèrent ainsi un long moment, sans mot dire. Des nuages passèrent devant le soleil, assombrissant la pièce. Nate sentit qu'elle ne tremblait plus et s'émerveilla de leur accord. Un accord parfait.

— J'ai peur, avoua-t-elle.

— De moi ? s'écria-t-il en écartant la tête.

— Je n'aurai jamais peur de toi, dit Regan, qui suivit du doigt le dessin de ses lèvres. J'ai peur de ce dans quoi nous nous lançons.

— Puisque c'est le jour des confidences, tu veux savoir ce dont j'ai le plus peur ?

— De quoi ?

— De ne pas être capable de te faire l'amour comme tu le mérites.

Le rire de Regan le surprit, tout en l'enchantant.

— Eh bien, c'est sans doute la seule chose qui ne m'inquiète pas.

Elle se hissa sur la pointe des pieds et caressa la bouche de Nate de la sienne.

— Emmène-moi au lit, Nate, dit-elle contre ses lèvres.

Il n'eut pas besoin qu'elle répète sa requête. Il la souleva dans ses bras et l'entraîna dans la chambre, tel Rhett portant Scarlett dans l'escalier.

— Oh, j'ai l'impression de m'enfoncer dans un nuage, murmura-t-elle comme il la déposait sur le lit. Ça sent les fleurs.

Il s'allongea à côté d'elle, et elle darda sur lui des yeux qui brillaient comme les doublons en or du pirate Jean Lafitte.

— Le matelas est fait de mousse espagnole et d'herbes.

Le rire de gorge de Regan le fit frémir.

— Je n'achèterai plus jamais de matelas dans un magasin.

Nate faillit lui suggérer une solution : qu'elle reste avec lui. À Blue Bayou. Dans sa maison. Dans son lit.

Non. On ne disait ce genre de choses que lorsqu'on y avait vraiment réfléchi. Ce qui n'était pas le cas.

Il prit le visage de Regan entre ses mains.

— Tu es différente de toutes les femmes que j'ai connues, dit-il d'un ton émerveillé qui le surprit lui-même. Ce que nous vivons est différent.

— Je sais, répondit-elle avec un regard qui éveilla en Nate quelque chose qui n'avait rien à voir avec la sympathie ou le désir physique. Pour moi aussi, c'est différent.

Parce qu'il avait été élevé en gentleman, Nate se sentit obligé de lui offrir une dernière chance.

— On peut encore s'arrêter. Avant que les choses nous échappent.

— C'est ce que tu veux ?

— Non.

— Moi non plus.

Que lui arrivait-il ? Faire l'amour à une femme ne lui avait jamais paru aussi compliqué, ni aussi important. Un peu agacé par ses propres doutes, Nate se dit que s'il devait se perdre, au moins, il ne chuterait pas tout seul, et il s'empara des lèvres de Regan.

Lorsqu'il lui ôta son tee-shirt, elle se crispa et couvrit instinctivement ses seins de ses mains.

— Tout va bien, dit-il en l'embrassant de nouveau. Je veux te voir, chérie. Tout entière, ajouta-t-il en lui mordillant la lèvre inférieure.

Elle se détendit tandis qu'il la déshabillait lentement, en prenant le temps d'embrasser chaque parcelle de peau dénudée, comme Antoine dans l'histoire qu'il lui avait racontée au téléphone. La vue du petit slip rouge le fit sourire. C'était bien celui qu'il avait imaginé chez Cal, se rappela-t-il en le faisant glisser le long des jambes fines et musclées de Regan.

— Je t'avais prévenu, dit-elle comme il posait sa bouche sur la ligne irrégulière qui descendait d'un mamelon rose jusqu'au milieu du ventre. J'ai pourtant fait appel au meilleur chirurgien esthétique de Los Angeles. Tu ne peux pas aller au cinéma ou regarder la télévision sans voir l'une de ses œuvres. Il n'a pas pu me rendre l'aspect que j'avais avant l'accident, mais pour le visage, il a fait de tout petits points et utilisé des pansements spéciaux, et il a caché autant que possible les points sous les cheveux. Mais après toutes ces interventions, j'en ai eu marre de la chirurgie, et pour le corps...

— Il est magnifique.

Il embrassa le sein blessé et promena ses mains, ses lèvres sur le corps de Regan.

— Tu n'es pas obligé de mentir.

— Je ne mens pas. La perfection, c'est très ennuyeux.

Sa langue glissa sur le ventre de Regan, puis plus bas, et s'arrêta. Elle retint son souffle.

Nate disait la vérité. Il la trouvait merveilleusement belle.

Le plaisir la détendait. Faisant taire son impatience, il continua à explorer les courbes et les creux gracieux du corps de Regan en regardant son visage. Là où ses mains jouaient, elle s'embrasait ; là où sa bouche la réchauffait, elle tremblait et se cambrait.

Malgré le désir qui le torturait, il poursuivit ses caresses. Ses doigts dessinèrent des cercles dans les boucles sombres de son bas-ventre, lui arrachant un gémissement. Il recommença, tout en l'embrassant, si bien que, cette fois, il sentit son gémissement en même temps qu'il l'entendit.

— Mon Dieu, que je t'aime comme ça ! murmura-t-il.

Brûlante. Affamée. Sienne. Il promena la main sur l'intérieur soyeux d'une cuisse, puis de l'autre.

— Ouvre-toi à moi, *chère*. Laisse-moi te voir tout entière.

Regan était abasourdie. Elle avait deviné que Nate Callahan serait un bon amant, qu'il saurait comment lui donner du plaisir. Mais ce qu'elle éprouvait allait au-delà du plaisir. Ses mains intelligentes lui révélaient des zones érogènes dont elle ignorait l'existence.

Regan avait toujours préféré dominer, physiquement et émotionnellement. Mais ça, c'était avant Nate. Être allongée nue sur un matelas rempli d'herbes et de mousse, dans les bras d'un homme encore habillé, était étrangement érotique, et elle éprouvait une joie inédite à capituler, à s'abandonner à un homme qui lui inspirait toute confiance. Il n'y avait rien, découvrit-elle avec émerveillement, qu'elle lui eût refusé.

Lorsqu'il pressa ses paumes sur l'intérieur de ses cuisses tremblantes, elle ouvrit les jambes, offrant à son regard la partie la plus féminine de son corps. Malgré la pluie qui s'était mise à tomber, la pièce était assez claire pour qu'il puisse voir ses imperfections. Mais cela n'avait pas d'importance. Il la voulait quand même. Il la trouvait toujours désirable. Belle.

— Ravissant, murmura-t-il.

Ses doigts caressèrent la chair brûlante de Regan et la firent gémir. Jamais elle ne s'était autant exposée, jamais elle ne s'était sentie aussi vulnérable. Pourtant, elle n'éprouva aucune gêne lorsqu'il écarta les plis frémissants de sa chair.

— Des pétales, doux, lisses et brillants sous la rosée du matin.

Elle perdit pied. Avide de le toucher comme il la touchait, elle voulut le déshabiller, le prendre dans sa bouche, le tourmenter comme il la tourmentait.

— S'il te plaît, Nate…

Cela aussi était nouveau. Jamais elle n'avait supplié un homme.

— J'ai envie de toi.

— Bientôt, *chère*, dit-il en prenant ses poignets. Nous ne sommes pas pressés.

— Ça t'est facile de dire ça, gémit-elle comme il levait ses mains au-dessus de sa tête.

Jamais de sa vie elle ne s'était sentie aussi impuissante. Elle était incapable de résister à Nate. À son propre désir grandissant.

— Plus facile à dire qu'à faire, répliqua-t-il d'une voix enrouée par le désir. Mais je te l'ai dit : ici, dans le Sud, nous faisons tout un peu plus lentement que dans le reste du monde.

À l'instant où elle pensait mourir de désir, la main libre de Nate se plaqua sur la source de l'incendie. L'orgasme la balaya instantanément. Nate pressa la bouche entre ses jambes.

Il la dévorait comme un fruit mûr. Submergée par le plaisir, Regan se tordit sous sa langue impitoyable. La frontière entre la douleur et l'extase se brouilla, et elle jouit de nouveau. Et, même alors, sa seule pensée fut : « Encore. »

Comme s'il lisait dans son esprit, il s'écarta, le temps de se débarrasser de ses vêtements et de mettre un préservatif – précaution à laquelle, le cerveau embrumé, elle n'avait pas pensé.

Enfin, il agrippa ses hanches, la souleva légèrement et s'introduisit aisément en elle. Avait-elle jamais éprouvé quelque chose d'aussi merveilleux ? Quelque chose qui parût aussi juste ?

Il se mit à bouger, lentement d'abord, puis plus rapidement, les enfonçant tous les deux dans le matelas odorant. Elle noua les jambes autour de ses reins et se plia à son rythme. L'orgasme les entraîna en même temps dans l'oubli du plaisir. Et dans une relation qu'aucun d'eux n'avait prévue ni souhaitée.

23

Effondré sur Regan, Nate sentait leurs deux cœurs reprendre peu à peu un rythme normal. La pluie crépitait sur le toit. Plus jamais, se dit-il, il ne pourrait entendre ce bruit sans penser à Regan. Pourquoi ne pas rester au lit encore et encore, avec elle ?

— Incroyable, dit-il en repoussant les cheveux de la jeune femme, dont les longs cils reposaient en franges sombres sur les joues. Absolument incroyable.

— Mmm… Franchement, je n'avais jamais éprouvé ça.

— Moi non plus.

Craignant de l'écraser, il bascula sur le côté. Elle avait les lèvres rouges et un peu tuméfiées à cause de leurs baisers. Il les embrassa doucement.

— Ça change tout, dit-il.

Ce qui venait de se passer n'était pas anodin. Éprouver un tel accord, une telle fusion l'aurait épouvanté s'il ne s'était senti aussi heureux.

— Pourquoi ? fit-elle en s'écartant légèrement. Nous sommes tous les deux adultes. C'était merveilleux, exceptionnel, mais aucun papa courroucé ne t'attend avec un fusil dans les coulisses.

— Ouf, me voilà soulagé, plaisanta-t-il. La perspective de prendre une volée de plombs ne me tentait pas.

À propos de tentation… Sa main se porta sur un des seins de Regan.

— Je te l'ai dit, reprit-il en la sentant se crisper. Tes cicatrices n'ont aucune importance.

— Je n'aime pas en parler.

— Raconte-moi quand même.

— Ce n'est pas un secret d'État, dit-elle en soupirant. Finn t'aurait aisément fourni le compte rendu officiel. Toi aussi, d'ailleurs, tu aurais pu être au courant, car, je l'ai su plus tard, les journaux nationaux en ont parlé. On m'a même proposé de m'asseoir à côté de la Première Dame lors du discours annuel du président à la nation, mais j'ai refusé.

— Pourquoi ?

Nate connaissait nombre de femmes qui auraient volontiers échangé leurs bijoux contre la gloire de paraître sous les projecteurs.

— En partie parce que je n'aime pas les hommes politiques, mais surtout parce que je ne pense pas que la stupidité mérite de récompense.

— Même si tu essayais, tu ne pourrais pas être stupide.

— Merci, c'est très gentil. Mais, hélas, c'est faux, ajouta-t-elle avec un nouveau soupir. Ça s'est passé il y a plusieurs années, quand je patrouillais. On ne m'aimait pas dans ce quartier parce que j'avais travaillé avec la brigade des stupéfiants et que nous avions mis à l'ombre pas mal de dealers. J'étais dans l'équipe de nuit et je m'apprêtais à arrêter une voiture dont la plaque d'immatriculation m'intriguait lorsqu'elle a accéléré. Je l'ai suivie.

Elle eut un étrange sourire empli de regrets, sans doute destinés à elle-même.

— C'était la première fois que je poursuivais une voiture, et j'avoue que j'ai pris mon pied. L'adrénaline m'enivrait. Tout me semblait plus intense – le bruit de la sirène, le crissement des pneus, l'odeur du caoutchouc brûlé dans les virages...

« Je devais rouler à plus de cent. L'autre voiture a franchi un croisement et, brusquement, un camion de déménagement s'est mis en travers de la route. Je suis rentrée en plein dedans.

— Seigneur...

L'image glaça le sang de Nate.

— Mais supprimer quelqu'un dans un accident, c'est aléatoire, à cause de l'airbag et de la ceinture de sécurité, poursuivit-elle d'un ton étrangement prosaïque. Les dealers tenaient à mettre toutes les chances de leur côté. Ils ont sorti leurs armes automatiques et arrosé ce qui restait de ma bagnole. Je ne me rappelle rien de ce qui a suivi l'explosion du pare-brise, mais, plus tard, j'ai vu les photos. La carcasse de ma voiture ressemblait à une boîte de conserve sur laquelle on se serait exercé au tir. Il y avait plus de trous que de métal. Et une grande partie de ce métal s'était incrustée en moi... Fin de l'histoire, acheva-t-elle en touchant instinctivement sa poitrine.

Dans le cœur de Nate, la fureur chassa la compassion. La mort de son père lui avait toujours paru tragique, mais ce que Regan avait vécu était pire.

— Et malgré cela, tu as repris le travail ?

Après l'embuscade que lui avaient tendue des trafiquants de drogue en Amérique du Sud, Jack avait démissionné de la brigade des stupéfiants et était revenu à Blue Bayou où, durant plusieurs mois, il avait tenté de noyer ses souvenirs dans l'alcool.

— Pas tout de suite. Les interventions chirurgicales et la rééducation ont pris beaucoup de temps. Mais je suis flic. Il n'était pas question que ces truands m'empêchent de faire ce que j'avais toujours voulu faire.

— Toujours ?

— Dani m'a raconté que tu ramassais du bois dans le marais pendant que Jack et Finn s'entraînaient à dégainer.

— Il fallait bien que quelqu'un construise la prison.

— Eh bien, moi, quand j'étais enfant, je faisais arrêter Ken par l'officier de police Barbie.

L'espace d'un instant, un voile rouge brouilla la vue de Nate. L'envie brutale le prit de sauter dans un avion, de retrouver les criminels qui avaient piégé

Regan et de les égorger de ses propres mains.

— Je t'admire, murmura-t-il.

— Pourquoi ?

— Parce que tu as survécu à cette terrible épreuve. Parce que tu es toi... Je n'arrive pas à te dire ce que j'éprouve.

— Eh bien, montre-le-moi, dit-elle avec un sourire.

Dehors, la pluie continuait à tomber.

À l'intérieur, les mains lentes et les lèvres chaudes, ils se perdirent dans un monde clos, brumeux et palpitant.

— À quoi penses-tu ? demanda Nate, un peu plus tard.

— Au fait qu'après l'avoir détestée, j'ai décidé que j'aimais la pluie.

— Les grands esprits se rencontrent, déclara Nate en l'étreignant. C'est exactement ce à quoi je pensais tout à l'heure. Je me disais que ce serait super si je pouvais rester toute ma vie comme ça, au lit avec toi.

Cela paraissait merveilleux. Trop merveilleux. Si elle n'avait pas été d'aussi bonne humeur, la perfection de ce scénario l'aurait agacée.

— Malheureusement, reprit Nate en jetant un coup d'œil à sa montre, nous n'allons pas tarder à avoir de la compagnie.

— De la compagnie ?

— Josh doit rentrer de l'école dans dix minutes.

— Ô mon Dieu, comment ai-je pu l'oublier ?

Regan bondit hors du lit et ramassa ses vêtements éparpillés sur le sol.

— Dépêche-toi de te lever, voyons !

— Ne t'affole pas, il n'y a pas le feu, dit-il en s'extirpant des draps emmêlés.

— Tu ne sais rien faire autrement que lentement ? Bon sang, où était son slip ?

— Tu ne t'en plaignais pas tout à l'heure.

— En fait, si.

Ah, il était là, perché sur le chapeau d'une lampe.

— Très bien. La prochaine fois, je te proposerai un petit coup vite fait, bien fait.

Même cela la tentait. Cet homme l'avait-il transformée en nymphomane ?

— Qu'est-ce que tu fais ? demanda-t-il.

— J'ouvre les fenêtres. Ça sent le stupre, ici.

— Heureusement, sinon cela voudrait dire que nous avons eu un moment décevant. Josh n'a aucune raison d'entrer dans cette chambre.

— On ne sait jamais. Je ne veux pas qu'il comprenne qu'on a fait l'amour en plein milieu de la journée.

Depuis quand cela ne lui était-il pas arrivé ? Des années. Elle avait toujours veillé à ce que ses ébats se déroulent le soir, dans la pénombre, avec, si son partenaire insistait, une unique bougie allumée.

— Il sait ce que font les hommes et les femmes ensemble. De jour et de nuit.

— Il sait beaucoup trop de choses pour son âge. Je ne veux pas lui donner un mauvais exemple.

Elle se retourna pour voir où Nate en était. Nu comme au jour de sa naissance, il la regardait avec un étrange sourire.

— Je ne veux pas t'effrayer, *chère*, mais il y a quelque chose que tu dois savoir.

— Quoi ? s'écria-t-elle avec impatience.

— Je peux me tromper, tu sais. Ce genre de sentiment ne m'est pas familier, car je ne l'ai jamais éprouvé jusqu'à aujourd'hui…

— Nate, tu es un type charmant, gentil, attentionné, intelligent, merveilleux au lit, mais le temps presse. Peux-tu, pour une fois, entrer directement dans le vif du sujet ?

— Eh bien, je pense qu'il est possible que je sois en train de tomber amoureux de toi.

Les doigts subitement mous, Regan lâcha son soutien-gorge, qu'elle avait retrouvé à la tête du lit. Bouche bée, elle fixait Nate lorsque, du coin de l'œil, elle vit par la fenêtre un bus scolaire jaune s'arrêter devant la maison. Seigneur, avait-elle vraiment besoin de complications supplémentaires dans sa vie ?

— Retiens-toi, jeta-t-elle.

Elle ramassa son soutien-gorge et disparut dans la salle de bains, dont elle claqua la porte.

Nate enfila son pantalon et, ne retrouvant pas sa chemise, en sortit une propre de la commode.

— Bon. Eh bien, ç'aurait pu être pire.

24

Après une longue douche chaude destinée non seulement à chasser l'odeur de l'amour mais aussi à lui éclaircir les idées, Regan prit le temps de se sécher les cheveux, afin de ne pas ressembler à un épagneul mouillé.

Puis elle dénoua la serviette dans laquelle elle s'était drapée et, pour la première fois depuis longtemps, examina son corps dans la glace, ses doigts suivant les sillons qui n'avaient pas rebuté Nate.

Lorsqu'elle entra dans la cuisine, Josh épluchait un épi de maïs au-dessus de l'évier.

— Salut, dit-il d'un ton presque joyeux. Nate est sorti. Il a dit que tu étais invitée à dîner et qu'il allait revenir bientôt.

Rester ici après la déclaration d'amour intempestive de Nate n'enchantait pas Regan, d'autant moins que Josh ne semblait pas s'étonner de sa présence. Comment Nate avait-il fait pour transformer un délinquant grossier en adolescent bon chic bon genre ?

— Ça s'est bien passé, en classe ?

— Pas mal, répondit-il en haussant les épaules. J'avais peur d'avoir du retard, mais, à part en géométrie, je suis dans les meilleurs. Le conseiller d'éducation pense me faire suivre des cours de rattrapage en maths. Si je reste ici.

— C'est formidable.

Il était hélas peu probable qu'il reste à Blue Bayou, se dit-elle, le cœur serré, à moins que Judi Welch ne lui trouve une famille d'accueil.

— Moi aussi, j'ai toujours eu des difficultés en géométrie, reprit-elle. Le prof disait que si on apprenait par cœur les théorèmes, on était capable de résoudre n'importe quel problème. Mais j'avais beau pouvoir les réciter sans hésiter, ça ne m'aidait pas à les utiliser.

Josh acheva d'éplucher l'épi et le passa sous le jet d'eau.

— Ouais. C'est la même chose pour moi. Je déteste ces conneries de sinus et de cosinus. Je veux dire, pourquoi il faut que j'apprenne ces trucs de merde ?

Elle fut presque soulagée de retrouver brièvement le Josh grossier dont elle avait fait la connaissance deux jours plus tôt.

— J'imagine que ça peut rendre service… Nate a dû en avoir besoin pour construire une maison comme celle-ci, ajouta-t-elle en regardant la disposition des poutres.

— Ouais, c'est ce qu'il a dit. Il a promis de me donner un coup de main.

Regan examina la pièce, chaleureuse mais résolument masculine. Il n'y manquait qu'une touche féminine.

— C'est cool, hein, comme baraque ? reprit Josh.

— Oui.

— Ça doit être super de vivre ici.

— Oui. Sûrement.

La porte s'ouvrit et Nate entra, chargé d'une brassée d'iris pourpres et jaunes prélevés sans doute sur le buisson qu'elle avait remarqué en arrivant.

— Je me suis dit que, puisque nous avions une invitée, il fallait des fleurs sur la table.

— Elles sont ravissantes.

Et voilà pour la touche féminine. Heureusement, rien dans l'attitude de Nate ne trahissait les sentiments qu'il lui avait avoués trente minutes plus tôt.

— L'ennui, c'est que, malgré tous mes talents, je suis nul pour les bouquets.

— Je vais m'en occuper.

Leurs doigts se frôlèrent, et une étincelle parcourut le corps de Regan. Elle regarda Nate, se demandant s'il avait ressenti la même chose, mais son visage resta parfaitement neutre.

Il avait dû parler sous l'effet de l'euphorie due à leurs ébats, se dit-elle en arrangeant les fleurs dans un pichet en étain. Il s'était mépris sur la nature de ses émotions. Et il allait faire exactement ce qu'elle lui avait recommandé : se retenir de tomber amoureux d'elle. Cela vaudrait mieux pour tout le monde, non ?

Nate estima que son dîner de crevettes grillées, riz et salade était très réussi, pour un type dont les repas étaient d'ordinaire préparés par ses conquêtes féminines. La conversation fut étonnamment aisée, vu la situation de chacun. Josh mangea aussi proprement que possible et surveilla son langage. Il parut heureux que Regan s'intéresse à son désir de devenir écrivain, ce qui fit dévier la conversation sur les livres de Jack, puis sur la drogue, à laquelle le garçon jura n'avoir jamais touché.

— La drogue, c'est pour les cons, marmonna-t-il en terminant sa troisième assiette de riz.

Puis, comme pour prouver que les miracles existaient, il proposa de faire la vaisselle pendant que Nate ramenait Regan à l'hôtel.

Ils descendaient les marches de la véranda lorsque le garçon rappela Nate.

— Merci, chef.

— Pour le dîner ? N'importe quel abruti est capable de poser des crevettes sur un gril.

— Non. Enfin, ça m'a plu. J'ai bien aimé le riz aussi.

— Oui, je m'en suis rendu compte.

— Je parlais d'aujourd'hui. Tu m'as laissé rentrer avec le bus au lieu de venir me chercher et de donner aux autres l'impression que j'étais en liberté surveillée.

— Ce n'est pas le cas, dit Nate en revenant vers Josh pour lui presser l'épaule. De toute façon, si tu décides de ficher le camp, je ne peux pas t'en empêcher. Dès que tu auras fini la vaisselle, mets-toi au travail, et nous attaquerons la géométrie à mon retour.

— D'accord, fit l'adolescent.

Il jeta un coup d'œil à la voiture, dans laquelle attendait Regan.

— Mais tu as des choses plus intéressantes à faire, ajouta-t-il.

— J'ai dit que je t'aiderais, et je le ferai, affirma Nate d'une voix ferme et assurée qui lui rappela celle que son père prenait pour s'adresser à ses fils.

Tandis qu'il s'éloignait, il vit Josh, debout sur le seuil, suivre des yeux les feux arrière de la voiture.

— Je ne sais pas ce que tu lui as fait, murmura Regan, mais ce n'est plus le gamin hargneux de l'autre soir.

— C'est un brave gosse. Il a seulement besoin d'être encouragé. En outre, il fait de son mieux pour nous séduire afin que je le garde.

— Je l'ai remarqué. C'est un peu triste. Il fait penser à un chien égaré qui tente de rentrer dans les bonnes grâces de la première famille qui lui donne à manger.

— Oui. Mev'là s'est comportée de la même façon. Et la voilà douillettement installée chez Jack, Dani et les enfants comme si elle y était née.

— Les gens accueillent plus volontiers un chien perdu qu'un adolescent à problèmes.

— Tu as raison, dit Nate en songeant à l'air affamé du garçon lorsqu'il les avait regardés s'éloigner.

Affamé, mais pas de nourriture.

— Euh… à propos de ce que tu as dit tout à l'heure… commença prudemment Regan.

— Ne t'inquiète pas pour ça. J'ai parlé sans réfléchir.

— Je n'ai pas réagi très gentiment. Excuse-moi.

— Tu as eu une dure journée. J'ai eu tort de te dire ça.

— C'est seulement qu'en ce moment, ma vie est vraiment confuse.

— Je sais, trésor.

Il prit la main de Regan et la posa sur sa cuisse.

— Ce n'était qu'une idée que j'ai lâchée comme ça, sous l'effet d'un reste d'hormones, sans doute.

— Ça, je peux le comprendre, dit-elle d'un ton soulagé.

Il l'accompagna jusqu'à la porte de sa suite, mais, refoulant un accès de désir visiblement partagé, s'interdit d'entrer. Après un bref mais brûlant baiser d'adieu, il quitta l'hôtel et monta dans sa voiture en sifflotant sans s'en rendre compte *You are my sunshine*.

Quelle idiote ! se sermonna Regan le lendemain matin. Elle avait vécu sans Nate Callahan pendant trente-trois ans, passer quelques heures sans lui n'aurait pas dû être aussi pénible.

Finn étant arrivé de la ville pour fêter Mardi gras à Blue Bayou, les trois frères étaient allés passer un moment dans leur cabane, histoire de pêcher, siffler des bières et bavarder entre hommes. Nate parlerait-il d'elle ? En quels termes ? Et que diraient Finn et Jack ?

Regan, elle, s'était rendue au palais de justice pour consulter les archives, afin de savoir qui habitait dans le voisinage de Linda Dale. Jusqu'à présent, elle avait trouvé dix noms et passé dix coups de téléphone. Neuf étaient restés sans réponse et, au dixième, un homme avait prétendu se souvenir que Linda Dale était danseuse au *Chien assoiffé*.

— En voilà un autre, dit Shannon Chauvet en lui apportant un troisième registre relié de cuir vert.

Regan avait immédiatement reconnu la femme que Nate avait réconfortée à l'hôpital la nuit de l'accident.

La plaie de sa joue était en bonne voie de cicatrisation, et il ne restait plus qu'une tache jaunâtre de son œil au beurre noir. Elle n'avait rien dit, mais, à en croire son expression, elle aussi avait reconnu Regan, qui s'était promis d'aborder le sujet des violences conjugales avant de partir et de féliciter Shannon d'avoir quitté son mari.

— Regan ?

Elle leva les yeux. Josh se tenait debout devant elle. Absorbée par son travail, elle ne l'avait pas entendu entrer.

— Tu ne devrais pas être en classe ?

— Y a une panne d'électricité, et comme c'est Mardi gras demain, la principale a décidé de nous libérer plus tôt.

Bon, malgré les efforts de Nate, la transformation du gamin n'était pas absolue. Mais s'il était décidé à devenir un vrai délinquant, il avait des progrès à faire en matière de mensonge.

— Tu veux que je te ramène chez Nate en voiture ?

— Non. Ce n'est pas loin. Je peux marcher ou faire du stop.

— Faire du stop, c'est dangereux.

— La vie est dangereuse. Mais là, tout de suite, je fais pas de stop.

— Alors, qu'est-ce que tu fais ? À part sécher les cours ?

Les joues du garçon rougirent.

— Putain ! On peut pas bouger un cil sans que ça se sache, ici.

— Eh bien, garde ça en tête pour la prochaine fois. Et arrête de dire des gros mots.

— Tu le fais bien, toi.

— Pas souvent. Et de toute façon, je suis flic. C'est le métier qui veut ça.

— En voilà une bonne excuse.

— Il me semble que c'est toi qui as besoin d'une excuse. Alors, réponds. Que fais-tu ici ?

— J'ai vu ta voiture dehors et je me suis dit que je pourrais t'aider dans tes recherches au sujet de ta mère.

Elle haussa les sourcils.

— Tu sais ce que je fais ?

— Bien sûr. Tout le monde s'y intéresse, à l'école. Sauf les types qui se déguisent en mafieux pour faire croire qu'ils transportent de la drogue dans leurs grandes vestes et les abrutis qui n'ont pas décollé le nez d'un ordinateur depuis le jour où ils ont reçu leur première Game Boy.

— Il y a des dealers au lycée ?

Cela ne collait pas avec l'image de la petite ville honnête et paisible qu'était censée être Blue Bayou.

— Non. C'est juste un air qu'ils se donnent. Mais ça va pas durer, parce que le comité d'établissement a voté un code vestimentaire qui interdit ce genre de fringues. Moi non plus, je peux pas m'habiller comme je veux. Nate m'oblige à mettre des trucs ringards.

— Je te trouve très chic avec ce tee-shirt blanc. C'est ce que portait James Dean.

— Qui c'est, ce mec ?

Regan soupira. À un moment donné, sans qu'elle s'en rende compte, elle avait basculé de l'autre côté du gouffre qui séparait les générations.

— Un acteur qui est mort très jeune. Eh bien, puisque tu es là, assieds-toi. Tu vas m'aider un peu et, ensuite, nous irons déjeuner au *Cajun Cal's Café*.

— D'accord, dit Josh en s'asseyant.

Regan lui passa une page du registre et, se doutant qu'il ne lui avait pas révélé la vraie raison de sa présence, attendit.

Elle n'eut pas à patienter longtemps.

— C'est une gentille dame, dit-il en regardant Shannon Chauvet, qui classait des papiers.

— Oui, elle m'a bien aidée.

— Elle m'a invité à passer la nuit dans la maison d'amis. Si Nate dit oui.

— Tu lui demanderas la permission.

— Ouais… Tu sais que son mari lui cognait dessus ?

— C'est ce qu'on m'a dit.

— Il cognait sur Ben aussi.

— Ça, je l'ignorais.

Mais cela ne la surprenait pas.

— Ben a voulu les séparer, l'été dernier, et ce salaud lui a cassé le bras.

— Les violences domestiques, c'est merdique.

— Hé, qui c'est qui dit des gros mots, maintenant ?

— Tu as raison, j'aurais dû en choisir un autre.

— Tu peux en trouver un plus joli, mais pas plus juste. Si j'ai un enfant, je lui cognerai jamais dessus.

— Je suis contente d'entendre ça.

Une sonnette d'alarme retentit dans la tête de Regan.

— Quelqu'un t'a frappé, Josh ?

Il évita son regard.

— Les adultes font ça souvent, non ?

— Pas tous.

— Les flics peuvent pas arrêter tous les gens qui donnent des fessées à leurs enfants.

— La loi permet la fessée.

— Et les coups de poing ?

— Ça, c'est inacceptable. Si je tombais sur un cas comme ça, j'interviendrais.

— Et le proxénétisme ?

La question avait été posée d'un ton si neutre que Regan n'en comprit pas tout de suite les implications.

— Qu'est-ce que tu as dit ?

— Je pense que tu laisserais pas non plus un type vendre un gosse, reprit-il sans la regarder.

— Merde ! D'accord, tu m'as eue, fit-elle comme il prenait un air ironique. Encore un gros mot.

Du coin de l'œil, elle vit Shannon s'approcher, un autre registre dans les mains.

— Viens, dit-elle en se levant.

— Où on va ?

— Faire une balade.

— Tu vas pas appeler les flics, quand même ?

— Si.

— Faut pas.

— Bon sang, Josh… Est-ce seulement ton vrai nom ?

— Oui.

— Écoute, Josh, tu as réussi à éluder les questions jusqu'à présent, mais ça ne marchera pas éternellement. Mme Welch va finir par trouver qui tu es et d'où tu viens. Et elle essaiera de te renvoyer chez toi.

Elle prit l'une des mains glacées de l'enfant entre les siennes et le regarda avec gravité.

— Mais ça n'arrivera pas, parce que je m'y opposerai. Il ne te fera plus jamais de mal.

— Il peut pas.

— C'est ce que j'ai dit.

— Non, fit Josh, les yeux remplis de larmes, les lèvres tremblantes. Tu comprends pas. Il peut plus me faire de mal parce que je l'ai tué.

En entendant un objet tomber derrière elle, Regan crut que Shannon avait surpris les confidences de Josh et lâché le registre.

— Oh, merde… marmonna Josh.

Regan suivit son regard. Un homme se tenait sur le seuil de la pièce. Une ceinture de cartouches lui enserrait le torse, et il pointait sur eux une Remington 7mm.

25

Cette sortie entre hommes était l'occasion de se
retrouver dans la cabane qui appartenait à leur
famille depuis des générations, de boire des bières,
d'attraper du poisson et de parler des femmes, ce qui,
depuis que Finn et Jack étaient mariés, ne donnait
plus lieu à des plaisanteries grivoises. Nate s'était
réjoui à la perspective de cette journée, mais il n'avait
pas prévu qu'il devrait essuyer les railleries de ses
frères.

— Tu lui as dit que tu l'aimais ? demanda Finn,
incrédule.

— J'ai dit que je pensais que j'allais peut-être tomber amoureux d'elle, rectifia Nate.

— C'est la même chose, intervint Jack.

— Ça ne te ressemble pas, une telle maladresse, dit
Finn, avec un regard méprisant qui rappela à Nate le
jour où son aîné l'avait surpris en train de fumer en
cachette. Tu es censé être le Callahan qui sait se
débrouiller avec les femmes. Même moi, je n'aurais
pas lâché comme ça quelque chose d'aussi important.

Nate jeta sa ligne depuis la terrasse. Des trois frères,
il était le seul qui utilisait la cabane pour pêcher.

— Ça te va bien de me critiquer, riposta-t-il. Il n'y a
pas si longtemps, tu as tellement bousillé les choses
entre Julia et toi que tu t'es salement soûlé. Jack et
moi, on a dû te dégriser et t'envoyer ramper à Katmandou. Après que tu m'as eu cassé le nez.

— J'y serais allé de toute façon, grommela Finn. Je

voulais juste laisser à Julia le temps de s'habituer à l'idée de la vie commune.

— Tu as de la chance qu'elle n'ait pas utilisé ce temps pour tomber amoureuse d'un autre type, dit Jack.

— Ça ne risquait pas, admit Nate. J'ai suivi l'histoire depuis le début. À partir du jour où notre grand frère est allé la chercher à l'aéroport, elle n'a regardé aucun autre homme. Et Dieu sait que j'ai essayé d'attirer son regard, acheva-t-il avec un sourire malicieux.

Il avait été sensible au charme de Julia Summers dès la réception que le conseil municipal avait organisée pour accueillir l'équipe de la série télévisée *River Road*. Lorsque l'actrice était partie à Katmandou incarner la nouvelle James Bond Girl, la série avait perdu une grande partie de son public, et la rumeur annonçait sa disparition prochaine.

— Ça n'a duré que deux semaines, répondit Finn à Jack. Je te rappelle que, toi, il t'a fallu treize ans pour retrouver Danielle.

— La plupart du temps, elle était mariée.

— Si elle a épousé cette ordure de politicien, c'est parce que tu n'étais pas resté ici pour faire d'elle une honnête femme. Tu as de la chance que ce type ait reçu un piano sur la tête, sinon tu serais encore en train de rêver d'elle en picolant.

— Bon sang, s'écria Jack en bondissant, comment pouvais-je savoir qu'elle était enceinte ? Le juge m'avait expulsé de la ville ! Si quelqu'un s'était donné la peine de me prévenir…

Il jeta un regard accusateur en direction de Nate.

— C'est du passé, s'empressa de dire celui-ci, de peur qu'on ne lui casse de nouveau le nez. De l'eau a coulé sous les ponts, ajouta-t-il en relevant sa ligne pour la relancer.

Jack se rassit dans son fauteuil et posa ses bottes sur la rambarde.

— Ouais. Tu as raison. Alors, quels sont tes plans en ce qui concerne cette dame ?

— Je ne sais pas.

— Quel imbécile ! grommela Finn. Tu l'emmènes au lit, vous faites l'amour…

— Merveilleusement, précisa Nate.

— Vous faites l'amour, répéta Finn, et tu lui lâches tout à trac que tu l'aimes. Quelle bêtise !

— Ouais, peut-être, admit Nate.

— En plus, tu fais ça au moment où le gamin rentre de l'école, ce qui vous empêche de parler tranquillement. Tu n'as pas réfléchi avant d'ouvrir la bouche ?

— Si j'avais réfléchi, je n'aurais rien dit. J'ai toujours été direct avec les femmes, je n'ai pas pensé qu'il fallait changer d'attitude.

D'ailleurs, en aurait-il été capable ? Cette femme lui avait complètement brouillé le cerveau.

— Tout le monde ne mène pas sa vie comme toi, d'une façon rigide, contrôlée, organisée de A à Z.

— Autrement dit, intervint Jack en lui tendant une canette de bière, tu n'as aucune idée de ce que tu vas faire maintenant ?

— Pas la moindre.

— Tout va s'arranger, dit Regan à Josh, face à l'homme au fusil.

— Ô mon Dieu, il va nous tuer, murmura Shannon, qui se tenait à côté d'eux.

— Non, assura Regan. J'ai déjà vécu ce genre de situation.

— Tu m'as abandonné, salope ! cria l'homme à Shannon.

Sa gorge, son visage et même ses oreilles étaient rouges de colère.

La main de Shannon se porta à son visage.

— Je n'avais pas le choix. Tu m'as frappée.

— Parce que t'arrêtais pas de dire des conneries !

Regan perçut autant de douleur que de rage dans sa voix. C'était bon signe, à condition qu'il ne s'apitoie pas sur lui-même au point de vouloir se suicider en emmenant sa femme avec lui.

— Je suggérais seulement de déménager à Breaux Bridge. Juste pour quelque temps, dit Shannon dans un murmure saccadé.

— J'étoufferais en ville. Je préférerais mourir tout de suite. Maintenant.

Oh, zut !

— Ce n'est pas vraiment la ville, Mike. Il n'y a pas plus de sept mille habitants à Breaux Bridge.

— C'est dix fois plus qu'ici. Où est-ce que je tendrais mes pièges là-bas ?

Devinant qu'ils avaient eu cette discussion d'innombrables fois, Regan décida d'intervenir.

— Quelle sorte d'animaux prenez-vous au piège ?

Il la regarda comme s'il découvrait subitement sa présence.

— Des ragondins. Des alligators. Des écrevisses.

— Ça doit bien marcher ici.

— Pas cette année. Les écrevisses se font rares. Si ça continue, c'est sur les cafards que je vais devoir me rabattre.

— C'est pour ça que je pensais que tu pourrais travailler pour mon oncle, dit Shannon. Il te l'a proposé plusieurs fois.

— Je t'ai déjà dit que je préférerais me jeter d'un pont plutôt que de vendre des voitures d'occasion, bon Dieu !

— Il gagne bien sa vie.

— Vendre de la camelote et la reprendre quand le client peut plus payer, c'est pas vivre. C'est mourir. Plus lentement qu'avec d'autres moyens.

Il étreignait son fusil comme une poupée fétiche, en caressant machinalement le canon. Si ses doigts glissaient vers la gâchette, ils auraient un vrai problème.

Regan avait appris que tous les preneurs d'otages agissaient ainsi pour une raison précise, autre que celle qu'ils proclamaient. C'était au négociateur de l'identifier.

Il n'avait attrapé aucun poisson, mais après tout, ce n'était pas l'objectif de cette réunion, se disait Nate sur le chemin du retour lorsque son portable sonna.

— Salut, Dwayne. Qu'y a-t-il ?

Le jeune homme parla si vite qu'il ne comprit rien.

— Respire à fond et recommence depuis le début, plus lentement. D'accord ?

Il entendit le bruit rauque d'une respiration, puis Dwayne reprit :

— Il s'agit de cette dame, Mme Hart.

Le sang de Nate se glaça tandis qu'il écoutait la suite. Regan était enfermée dans la bibliothèque du tribunal, avec Josh, Shannon et un Mike Chauvet furieux et armé.

Il serait toujours temps de s'abandonner à la peur plus tard, lorsque Regan serait saine et sauve, songea-t-il en enfonçant la pédale de l'accélérateur.

Des pneus crissèrent à l'extérieur.

— Personne ne bouge, s'écria Mike. Sinon, je tire.

Sans cesser de viser le petit groupe, il s'approcha de la fenêtre.

— Merde. Les flics.

C'était la réponse à la question que se posait Regan depuis le début : quelqu'un avait-il vu Chauvet entrer dans le tribunal avec une arme ? Qu'on ne lui parle plus de la paix dont jouissait la petite ville de Blue Bayou ! En moins d'une semaine, elle avait eu droit à une collision entre un train et un camion, à la découverte d'un meurtre inexpliqué et, maintenant, à une prise d'otages.

Les drames conjugaux pouvant devenir explosifs, l'arrivée d'une équipe qu'elle ne connaissait pas n'emballait pas Regan. Le pire serait l'irruption d'une troupe de matamores pressés d'en découdre.

— Nous n'avons pas été présentés, dit-elle. Je m'appelle Regan Hart.

— Ouais. J'ai entendu parler de vous. Vous êtes le flic de Californie qui va devenir notre nouveau shérif.

— Je suis inspecteur. Et la rumeur se trompe. Je ne serai pas votre shérif.

— Quel genre d'inspecteur vous êtes ?

S'il l'ignorait, inutile qu'elle le lui dise.

— J'ai eu à traiter toutes sortes d'affaires. Entre autres, il m'est arrivé d'aider des types qui se trouvaient dans votre situation.

— J'ai pas besoin de l'aide d'une femme.

— Bon, Mike… C'est bien Mike, votre nom ?

— Ouais. Et alors ?

— Ce n'était qu'une question. C'est l'un de mes prénoms préférés.

— Ouais, bien sûr, dit-il en ricanant. Je sais ce que vous faites. Vous essayez de m'embobiner.

— Je ne cherche pas à vous embobiner, mais à vous faire comprendre que je suis de votre côté.

La réponse de Mike fut brève et grossière.

— Dans l'immédiat, la situation n'est pas bien grave, reprit-elle d'un ton égal censé calmer le forcené. Tout le monde s'énerve un jour ou l'autre. Je comprends parfaitement cela. Mais ce qu'il faut éviter, c'est que les choses s'enveniment.

Il lâcha un gloussement amer.

— C'est bien ma veine qu'il y ait justement un flic ici aujourd'hui. Tuer un flic, c'est se payer un aller simple pour le quartier des condamnés à mort… Vous êtes armée ?

— Non.

— Levez les bras, retournez-vous et appuyez les mains sur le mur, que je puisse vous fouiller.

Une table massive les séparait. Il n'était pas question qu'elle abandonne ce rempart.

— Fouiller quelqu'un d'une seule main, moi, je n'y arriverais pas.

— Bien joué, mais je lâcherai pas mon flingue. J'ai une autre idée. Enlevez votre chemise.

— Quoi ?

— Vous êtes sourde ? Enlevez ce truc !

Elle cherchait une repartie susceptible de le désarçonner lorsqu'une voix monta de l'extérieur.

— Mike Chauvet ? Jette ton arme, lève les mains et sors.

Génial ! songea Regan. C'était exactement ce qui leur manquait : un type armé d'un mégaphone. Négocier avec un preneur d'otages exigeait une étude personnalisée du problème. Il n'y avait rien de personnel dans un mégaphone.

— Enlevez votre chemise, répéta Mike Chauvet. Sinon, le gosse aura un genou en moins.

— Vas-y, connard ! fit Josh. Te gêne pas.

De mieux en mieux. Josh choisissait bien son moment pour reprendre son attitude d'ado buté.

— Vous n'êtes pas obligé de faire ça, Mike, dit Regan d'une voix calme.

Hélas, le type au mégaphone continuait à crier des ordres. Certains flics regardaient trop la télévision.

Nate freina brutalement derrière les véhicules de police agglutinés devant le tribunal. Jack et Finn jaillirent hors de la voiture avant l'arrêt complet. Nate coupa le moteur, bondit et les rattrapa.

— Nate !

Un policier le rejoignait sans se hâter. Son visage avait quelque chose de familier. Nate lut son nom sur son badge et le reconnut : Steve Tandau avait joué dans l'équipe des South Terrebonne Gators l'année où les Boucaniers de Blue Bayou avaient remporté la finale. Un problème au genou l'avait obligé à renoncer à une brillante carrière.

— Qu'est-ce qui se passe ? demanda Nate.

— Un drame domestique. Tu connais Mike Chauvet ?

— On l'a arrêté pour violences conjugales l'autre jour.

— Eh bien, il est dehors.

— Shannon a retiré sa plainte ?

Il avait pourtant cru l'avoir convaincue de tenir bon.

— Non. D'après ce qu'on m'a dit, il a été libéré sous caution.

— Bon Dieu !

Un policier criait des ordres dans un mégaphone. Nate manquait d'expérience en matière de prise d'otages, mais il doutait que ce soit une bonne idée de hurler comme un sergent instructeur.

— Tu as essayé de lui téléphoner ?

— Oui. Ça ne marche pas. Il a dû arracher les fils.

— Et le gaz lacrymogène ?

— C'est trop dangereux, intervint Finn. Le gaz lacrymogène est peu efficace sur les gens ivres et, à mon avis, ce type a bu. Ça risque de l'énerver un peu plus, sans le neutraliser.

— Bobby, du *Chien assoiffé*, dit qu'il a passé la matinée à siffler des whiskies, signala Dwayne Johnson.

Le jeune homme avait une expression à la fois grave et excitée. Enfin une aventure ! Nate aurait préféré qu'il se fasse les dents sur une affaire de boîtes aux lettres vandalisées.

— Alors, qu'est-ce qu'on fait ?

— Il ne peut aller nulle part, expliqua l'ancien joueur de base-ball. Par conséquent, nous devons attendre, en espérant qu'il nous écoutera, nous ou l'inspecteur qu'il retient prisonnière.

Si quelqu'un était capable de calmer un fou furieux, c'était bien Regan. Mais Nate n'était pas d'humeur à attendre.

— Et s'il refuse ?

— Eh bien, on priera pour qu'il passe devant la fenêtre de côté, afin qu'on puisse l'abattre.

Nate suivit son regard. Un tireur d'élite était posté sur le toit de la maison voisine.

— La plupart du temps, ils finissent par sortir, assura Tandau.

— Combien de temps attendrez-vous ?

— Le temps qu'il faudra.

Nate se tourna vers Finn et quêta du regard un peu plus de précision.

— Ça dépend, dit Finn avec un haussement d'épaules désabusé. J'ai vu des types céder au bout de trente minutes.

— Ce délai est dépassé. D'après ton expérience, combien de temps ça peut durer, au maximum ?

Il y eut un silence lourd de sens.

— Tu as entendu parler de Ruby Ridge ? De Waco ?

— Non !

Nate courut vers la statue équestre du capitaine Jackson Callahan, effleura les naseaux du cheval, puis revint vers le tribunal et monta quatre à quatre les marches du perron.

26

Regan avait l'impression d'avoir repris le contrôle de la situation. Chauvet n'avait pas lâché son arme, mais il ne la braquait plus sur eux.

Elle allait lui suggérer une nouvelle fois de laisser partir sa femme lorsque la porte s'ouvrit. Mike pivota, le canon pointé sur le nouveau venu.

— Qu'est-ce que tu fous là ? Et comment t'es entré ? J'avais verrouillé la porte.

— Je suis le maire, répondit Nate. Mon bureau officiel est dans ce bâtiment. J'ai beau ne pas m'y trouver souvent, j'ai la clé. Quant à la raison de ma présence…

Nate leva les bras pour montrer qu'il ne cachait rien.

— Je viens te proposer un marché. Laisse les femmes et le gamin partir, Mike. Je resterai et nous causerons.

— J'ai rien à te dire.

— C'est dommage, parce que, moi, j'ai quelque chose à te dire, et tu ferais mieux de m'écouter. Je t'aime bien, Mike.

Tant pis pour le mensonge.

— Je veux t'aider à te tirer de là, mais tu dois comprendre qu'il y a dehors des types armés qui, tant que tu retiendras des otages, ne seront pas enclins au pardon.

Mike se tourna brièvement vers la fenêtre. Le tireur d'élite était en dehors de son champ de vision, mais pas les voitures de patrouille, ni les policiers.

— Laisse-les partir, Mike. Il est plus facile de surveiller une personne que trois.

— Pourquoi je devrais t'écouter ?

— Parce que c'est Brittany Callais qui est juge des affaires familiales.

— Et alors ?

— Nous sommes sortis ensemble quand je suis revenu de Tulane et, je ne voudrais pas me vanter, mais lors de la réunion de préparation pour les buffets de Mardi gras, j'ai eu l'impression qu'elle m'avait toujours à la bonne.

Le front de Mike se plissa. On aurait dit un mastodonte à l'esprit lent qui tentait d'analyser cette information.

— Tu dis que tu peux l'amener à passer un marché ?

— Exactement, répondit Nate en évitant le regard de Regan.

D'autres rouages grincèrent péniblement dans le cerveau de Mike.

— D'accord, dit-il enfin. Le flic et le gosse peuvent s'en aller… mais toi et Shannon, vous bougez pas, ajouta-t-il en appuyant le canon de son arme sur la poitrine de Nate.

Regan s'assit sur la table et croisa ses longues jambes.

— Je n'irai nulle part.

Josh – maudit soit ce gamin insupportable ! – se rapprocha d'elle.

— Moi non plus.

Super ! Nate se creusait la tête, en quête d'un autre plan, lorsque la porte s'ouvrit de nouveau.

— Merde, grommela Mike en voyant entrer Jack et Finn. Un Callahan, c'est déjà la plaie, mais trois, c'est trop… Je me rends, acheva-t-il en tendant la crosse de son arme à Regan.

— Tu es fou d'avoir fait ça, grommela Regan.

Ils étaient dans la cuisine de Beau Soleil, où Jack,

le cuisinier de la famille, avait préparé des huîtres farcies, un poulet grillé et du riz.

Dani avait entamé la réserve de pralines prévue pour les festivités du lendemain. Matt, son fils, était à l'étage et regardait pour la centième fois *Le Seigneur des anneaux*. Holly, Ben et Josh, qui ne semblait pas traumatisé par les événements de la journée, jouaient bruyamment sur le terrain de basket-ball que Jack avait fait aménager dans le parc.

— Tu n'avais rien à faire dans cette histoire, insista Regan.

— Je suis le maire de Blue Bayou, et tout ce qui s'y passe me regarde.

— Il aurait pu te tuer, espèce d'idiot.

— Je t'aurais manqué, *chère* ? demanda-t-il en se penchant vers elle pour lui donner un bref baiser.

— C'était irresponsable, répéta-t-elle pour la énième fois.

— Ça a marché, répliqua Nate. En plus, j'avais du renfort.

Les trois frères Callahan échangèrent un sourire complice. À croire que la scène du tribunal n'avait pas présenté plus de danger que leurs jeux d'enfants !

— Au moins, maintenant, on sait d'où vient Josh et pourquoi il est parti.

Vu tout ce que le garçon avait subi, elle ne s'étonnait pas de le voir encaisser cette journée mouvementée sans dommage.

Grâce aux quelques mots qu'il avait lâchés avant l'irruption de Mike Chauvet et à plusieurs coups de téléphone à la police et aux affaires familiales de Floride, ils avaient appris que le gamin avait été placé dans une famille d'accueil après la mort par overdose de sa mère. Le maquereau de celle-ci, furieux d'avoir perdu son gagne-pain, avait décidé de remplacer la mère par le fils, qu'il avait kidnappé et tenté de prostituer.

— Il était persuadé d'avoir tué ce monstre et devait être terrifié, murmura Dani.

— Pour le bien de Josh, je suis soulagé que ce salaud n'ait eu qu'une commotion cérébrale, dit Nate. Mais s'il est condamné à perpette, je ne serai pas mécontent.

— Je ne comprends toujours pas pourquoi personne ne recherchait Josh, intervint Julia.

Finn et sa femme étaient revenus pour la fête de Mardi gras. La beauté et l'élégance naturelle de l'actrice avaient d'abord intimidé Regan, mais elle avait rapidement découvert que Julia était quelqu'un de gentil et d'attentionné, et le récit de ses aventures durant le tournage à Katmandou leur avait agréablement changé les idées.

— L'aide sociale à l'enfance perd des centaines d'enfants tous les ans, expliqua Finn. L'agence de Floride est l'exemple type de ce qui ne marche pas dans le système. Personne ne se sent responsable de ces enfants et, du coup, ils n'ont pas de mal à disparaître.

Regan approuva d'un hochement de tête. Lorsqu'elle patrouillait, elle tentait de convaincre les enfants des rues de s'adresser à des institutions à but non lucratif et leur distribuait des cartes téléphoniques prépayées, pour qu'ils puissent appeler au secours quand ils en avaient besoin.

— On ne peut pas le laisser retourner là-bas, s'écria Shannon, qui maintenait non seulement sa plainte contre son mari, mais avait pris rendez-vous avec un avocat pour entamer une procédure de divorce.

— Ce garçon ne rentrera pas en Floride, décréta le juge Dupree d'un ton autoritaire.

— Tu es sûr d'avoir eu raison de laisser Josh à Beau Soleil ? demanda Regan à Nate, comme ils rentraient en ville.

— Il voulait y passer la nuit. Il avait l'air en forme, et après tout ce qu'il a subi, c'est bon pour lui de se retrouver avec des enfants de son âge.

— Sans doute, dit-elle en posant une main sur la cuisse de Nate.

Il la prit et la serra.

— Tu veux aller à l'hôtel ou chez moi ?

— À l'hôtel. C'est plus près.

Qu'avait donc cette femme pour le rendre muet et empoté ? Lorsqu'ils pénétrèrent dans la suite, la seule idée de l'emmener au lit alluma un incendie dans son ventre – sensation intense due soit à l'amour, soit à une énorme grippe.

— Tu es bien silencieux, murmura-t-elle.

— C'est le plaisir d'être avec toi, dit-il avec un sourire hésitant. Et l'idée que la vie peut être vraiment drôle.

— C'est vrai qu'aujourd'hui, on a bien rigolé.

— Ce n'est pas ce que je voulais dire. Si je n'avais pas décidé de rénover le bureau du shérif, je n'aurais pas entrepris de ranger le débarras, je n'aurais pas trouvé ce journal intime...

— Tu ne serais pas venu à Los Angeles, ni moi ici, et nous ne serions pas sur le point de passer le reste de la nuit à faire l'amour comme des fous.

— Je suis déjà fou, mon ange, dit-il en la prenant par la taille. Fou de toi.

Elle lui décocha un regard langoureux, celui auquel s'exerçaient les belles du Sud dès le berceau. Cela ne correspondait pas vraiment au caractère de Regan, mais il ne vit aucune honte tamiser l'éclat doré de ses yeux.

— J'en arrive presque à te croire, Callahan.

— Tu dois me croire, parce que c'est la vérité.

Il l'attira à lui et l'embrassa. Lorsque leurs langues se mêlèrent, il eut le plus grand mal à ne pas la jeter sur son épaule pour l'emmener jusqu'au lit.

— Je crois que j'ai fait une erreur, gémit-il.

— Laquelle ? demanda-t-elle avant de lui mordiller le menton.

— Je n'aurais pas dû demander qu'on t'installe dans cette suite.

— Pourquoi ? Je ne la mérite pas ?

— Chérie, tu mérites l'hôtel tout entier, mais dans une chambre, le lit est plus près de la porte.

— Eh bien, commençons ici...

Elle tira sur le tee-shirt de Nate, le sortant du jean.

— ... et traversons la suite peu à peu.

Ses doigts errèrent sur la poitrine musclée de Nate, puis descendirent vers sa taille.

— On ne t'a jamais dit que cinq boutons sur une braguette, c'était trop ?

Elle défit le premier bouton métallique avec une dextérité qu'il admirerait plus tard – beaucoup plus tard, lorsque sa peau ne serait plus en feu. Le deuxième bouton céda.

Quand elle s'en prit au troisième, le sang qui battait dans les tempes de Nate se rua dans son bas-ventre. Au quatrième, il eut l'impression de ne plus pouvoir respirer.

Lorsque les doigts de Regan se refermèrent sur son sexe, le désir l'étreignit douloureusement.

— Il n'y a rien de subtil chez les hommes, dit-elle en le caressant. Quand vous désirez une femme, vous ne pouvez vraiment pas le cacher.

— Chez les femmes, ça se devine aussi, balbutia-t-il, le souffle court.

— C'est vrai, murmura-t-elle.

Elle le déshabilla, sans cesser de l'asticoter, tout en se dérobant à ses caresses, ainsi qu'il l'avait fait avec elle la veille.

Vaille que vaille, ils parvinrent jusqu'à la chambre. Nate s'étendit sur le lit et regarda Regan se dévêtir dans la lumière argentée de la lune.

Elle s'allongea, vêtue seulement d'un sourire malicieux, et lui caressa la poitrine.

— J'aime ta peau, dit-elle, et ton goût.

Sa langue dessina un cercle autour d'un sein, puis descendit sur le nombril.

Bien qu'il eût deviné ses intentions, Nate fut surpris par la violence du désir qui le submergea lorsqu'elle le prit dans sa bouche. Il s'apprêtait à l'avertir qu'il ne pourrait en supporter davantage lorsqu'elle se mit à genoux et saisit quelque chose sur la table de chevet.

— J'ai une surprise pour toi.

— Tu as fait des courses, dit-il comme elle déchirait l'enveloppe du préservatif.

— Oui, mais ce n'est pas ça la surprise. Regarde.

Comment faire autrement ? se demanda Nate, tandis qu'elle prenait le préservatif entre ses lèvres. Elle n'allait quand même pas... Non. Cet inspecteur était sexy en diable, mais ce n'était pas le genre de femme à... Seigneur ! Elle s'inclina vers lui et, sans l'aide de ses mains, lui enfila le préservatif.

Il l'agrippa par la taille, la souleva, puis l'abaissa sur lui. Ils restèrent immobiles une seconde, corps et regards soudés. Puis ils commencèrent à bouger. L'enserrant des genoux, elle le chevaucha follement, jusqu'à ce que tous deux basculent dans la volupté.

— Où diable as-tu appris à faire ça ? demanda-t-il quand il eut repris son souffle.

Blottie contre lui, elle avait l'air satisfait et espiègle du chaton qui vient de lamper un bol de crème.

— Quand je travaillais aux mœurs, nous avons fait une descente dans un bordel. Le propriétaire avait installé un studio de tournage au premier étage, et l'une de nos pièces à conviction était une cassette qui enseignait aux filles diverses méthodes pour persuader leurs clients d'utiliser un préservatif.

— Si je n'en avais pas déjà été convaincu, ce petit truc m'aurait fait changer d'avis, dit-il en lui caressant le dos. J'imagine qu'il faut s'entraîner beaucoup.

L'idée qu'elle s'était exercée avec quantité de mâles de Californie ne l'enchantait pas, mais, n'ayant rien d'un moine lui-même, il se reprocha cette pointe de jalousie.

— Pas tellement, répondit-elle avec un sourire qui l'émut. Mais ce matin, le garçon du *room service* m'a regardée bizarrement quand je lui ai demandé des fruits pour la troisième fois.

— Tu veux dire que…

— Plus jamais je ne pourrai manger de banane.

Il pouffa de rire et l'embrassa.

— Quel sacrifice ! Peut-être pourrions-nous trouver un moyen de te récompenser ?

— Eh bien, puisque tu en parles, j'ai toujours rêvé de faire l'amour dans une baignoire.

Cette perspective déclencha en Nate un étonnant regain d'énergie. Il souleva aussitôt Regan dans ses bras et l'emmena dans la salle de bains.

27

Avec les festivités de Mardi gras, Regan eut encore une fois la preuve que le sud de la Louisiane était un monde à part. Première bizarrerie : Nate lui fit quitter l'hôtel alors que l'aurore commençait tout juste à ouvrir ses doigts de rose au-dessus du bayou.

— Qu'est-ce que c'est que cette fête qui commence avant l'aube ? demanda Regan, qui n'avait pas dormi plus de deux heures.

Sans, d'ailleurs, qu'elle ait à regretter la façon dont ils avaient occupé la nuit.

— Une fête exceptionnelle, assura-t-il. Est-ce que je ne t'ai pas promis que tu passerais le meilleur moment de ta vie ?

— Ce n'est pas possible. Le meilleur moment, c'était cette nuit.

Il rit, se pencha vers elle, et, sans quitter la route des yeux, l'embrassa.

— Le *courir*, c'est quelque chose d'unique. Personne ne sait exactement quand ça a commencé, mais nos ancêtres le pratiquaient avant la guerre de Sécession. Il s'inspire de la fête de la quémande du Moyen Âge français, l'unique moment de l'année où les manants pouvaient se moquer impunément des seigneurs et de la royauté. Ils revêtaient des costumes bizarres et parcouraient la campagne en chantant et en demandant l'aumône. Nos coureurs font la même chose, sauf qu'ils dansent et chantent pour obtenir « une 'tite poule bien grasse » et tous les ingrédients nécessaires pour le *gumbo* du soir. Aujourd'hui, ce n'est que l'occasion de renouer avec la tradition, mais j'imagine qu'autrefois, certains avaient vraiment besoin que les agriculteurs les plus prospères leur offrent de quoi festoyer.

Lorsqu'ils arrivèrent à Beau Soleil, une foule s'y était déjà rassemblée. Beaucoup de femmes et d'hommes étaient à cheval, d'autres étaient assis sur les plateaux arrière de pick-up. Des rangées de bancs étaient disposées sur des remorques que tiraient deux tracteurs. Des guirlandes aux couleurs de Mardi gras, vert, pourpre et doré, flottaient dans la brise.

L'humeur était déjà à la fête. Les vêtements bigarrés rappelaient les costumes que les paysans d'autrefois se fabriquaient à l'aide de morceaux de tissus de toutes les couleurs. Beaucoup étaient coiffés de chapeaux coniques, semblables aux hennins des dames de l'époque médiévale, tandis que d'autres se cachaient derrière des masques d'animaux ornés de fourrure ou de plumes. Les gens se mélangeaient, échangeant les dernières nouvelles, dont, supposa Regan, certaines concernaient les événements de la veille au tribunal. Les chants et les danses avaient commencé, et quelques participants avaient visiblement arrosé leur petit déjeuner.

— Ne t'inquiète pas, dit Nate en voyant Regan froncer légèrement les sourcils. C'est au capitaine de veiller à ce que les choses ne dérapent pas.

Regan suivit son regard. Elle remarqua Josh, vêtu d'un costume d'Arlequin, qui bavardait avec Holly, Ben et d'autres enfants qu'elle ne connaissait pas, puis le juge Dupree qui, assis sur un cheval gris, portait une mitre d'évêque et semblait très bien contrôler la situation.

— La ville n'aurait pu mieux choisir.

— Il est capitaine depuis avant ma naissance, à l'exception des années qu'il a passées au pénitencier d'Angola, après s'être fait piéger par des truands qui voulaient transformer Beau Soleil en casino. C'est bien de l'avoir de nouveau parmi nous.

Il agita la main à l'adresse du juge, qui lui rendit son salut d'un hochement de tête.

— Il n'a pas l'air de s'amuser.

Le juge, la mine sévère, promenait son regard sur la foule.

— Détrompe-toi. Comme c'est son premier *courir* depuis sept ans, je suis sûr qu'il jubile. Mais pour ça, il est comme Finn. C'est dans son for intérieur qu'il danse.

Nate salua son frère aîné qui, sans aller jusqu'à se déguiser, avait renoncé à son costume sombre pour un tee-shirt noir et un jean bien repassé.

Regan choisit de s'installer sur une remorque plutôt que de monter à cheval. Bien que Nate eût sûrement préféré se pavaner en tête avec les autres, il tint à rester avec elle, afin de lui expliquer le déroulement des festivités.

— *Capitaine, capitaine, voyage ton flag*, chantait le chœur en français. *Allons se mettre dessus le chemin*.

— Capitaine, agite ton drapeau, traduisit Nate. Mettons-nous en route.

La colonne s'ébranla dans les chants. Beaucoup de ces chansons étaient en français, et certaines semblaient dater du Moyen Âge. Lorsqu'on entonna *La Bataille de La Nouvelle-Orléans*, Regan put enfin mêler sa voix aux autres.

Ils arrivèrent devant une petite maison en bois nichée dans un bosquet de chênes.

— Tout le monde doit rester ici, dit Nate tandis que le juge, toujours à cheval, s'approchait de la maison en portant le drapeau blanc qui symbolisait le *courir*.

Une femme et un homme apparurent sur le seuil. Après une brève discussion, le juge se retourna vers le groupe en agitant son drapeau.

— Maintenant, il faut gagner de quoi festoyer.

L'un des tracteurs roula jusque devant la maison, et

tout le monde s'empila sur sa remorque. Des violo-
nistes et des accordéonistes se mirent à jouer pendant
que les autres dansaient, chantaient et quêtaient une
contribution pour le *gumbo* du soir. Après avoir reçu
un sac d'oignons et des chapelets de saucisses, ils
repartirent.

— *Capitaine, capitaine, voyage ton flag. Allons chez
le voisin.*

La balade se prolongea ainsi durant quatre heures,
chaque étape donnant lieu à une fête à la fois spon-
tanée et respectueuse de la tradition. De temps à
autre, quelqu'un lançait un poulet vivant qu'il fallait
rattraper. Souvent, lorsqu'ils s'arrêtaient, des jeunes
garçons grimpaient aux arbres.

— Je ne sais pas pourquoi, dit Nate comme Regan
l'interrogeait. J'ai lu un bouquin très sérieux dont l'auteur attribue ça à un rite de la fertilité, associé sym-
boliquement à l'arbre de la vie. Ou bien c'est juste
pour se défouler. Ce que ne mentionne pas ce professeur d'université, c'est que le Mardi gras est censé
fournir la dernière occasion de s'amuser avant le
carême, et il est difficile de s'ennuyer quand on
grimpe aux arbres.

Cette explication était aussi bonne qu'une autre, se
dit Regan en voyant Josh et Ben escalader un vieux
chêne. Tandis que le *courir* aux costumes multicolores progressait dans le paysage gris de l'hiver, Regan
sut que, dût-elle vivre cent ans, elle n'oublierait jamais
cette journée.

De retour à Beau Soleil, ils furent accueillis par
ceux qui avaient choisi de se lever à une heure plus
raisonnable. Les provisions récoltées furent plongées
dans d'immenses chaudrons installés sur de grands
feux. Des plats apportés par des voisins s'entassaient
sur les tables.

Le soleil, qui se levait tout juste lorsque Regan
s'était extirpée du lit, sombrait à présent dans un
incendie pourpre. Des feux allumés pour parer à la

fraîcheur du soir jaillissaient des étincelles qui dansaient comme des lucioles orange ; la fumée tourbillonnait au-dessus des nombreux barbecues ; les pieds des danseurs soulevaient des nuages de poussière. L'humeur était à la joie, la nourriture délicieuse et abondamment assaisonnée de Tabasco.

— J'ai l'impression que je ne pourrai plus jamais manger quoi que ce soit, dit-elle tandis qu'elle dansait avec Nate sur le rythme lent d'une ballade.

— C'est le problème de la cuisine cajun, répondit-il en l'embrassant sur le front. Quatre jours après en avoir mangé, on a de nouveau faim.

Elle rit, en se blottissant contre lui. Elle avait réussi à ne pas penser à sa mère de la journée, mais maintenant que la fête touchait à sa fin, les questions revenaient l'assaillir.

Selon le journal intime, Linda Dale et son amant projetaient de quitter Blue Bayou. Mais seraient-ils restés en Louisiane ?

— Un *dix* pour tes pensées, murmura Nate en lui mordillant le lobe de l'oreille.

— Un *dix* ? Qu'est-ce que c'est ? Si c'est encore un truc à manger ou à boire...

— Non, fit-il en riant. Le *dix* était une monnaie française. C'est de là que vient le mot Dixie.

Regan doutait qu'il y eût un autre endroit aux États-Unis, à l'exception peut-être de la Nouvelle-Angleterre, où l'on se cramponnât autant au passé.

— Je me demandais ce qui se serait passé si les choses avaient tourné différemment il y a trente et un ans. Crois-tu que nous nous serions rencontrés plus tôt ?

— Sans doute pas.

Regan, qui s'attendait à un scénario très imaginatif, fut surprise.

— Il y a une chose que m'ont enseignée les aventures de Jack et Finn, c'est qu'on ne peut échapper à son destin. Nous étions destinés à nous rencontrer de cette façon, à ce moment précis. Si je t'avais rencontrée plus tôt, j'aurais pu ne pas t'apprécier.

Il rejeta un peu la tête en arrière et lui sourit.

— On m'a souvent reproché d'être superficiel.

— À tort, affirma-t-elle en l'étreignant. C'est ce que tu voulais faire croire, afin de conserver le rôle que tu avais décidé d'assumer dans ta famille.

— Quel rôle ?

— Celui du bouffon.

— Le bouffon ?

Qu'est-ce qui était pire ? Être un bouffon ou Peter Pan ?

— Le type qui avait un drôle de chapeau et des clochettes au bout des chaussures ?

— Non. L'homme sage de la cour qui disait la vérité, même déplaisante, d'une façon amusante, alors que celui qui l'aurait dite autrement aurait risqué sa tête.

Nate réfléchit quelques secondes.

— Et mes frères, comment les vois-tu ?

— Oh, c'est plus facile avec eux. Ils sont à peu près ce qu'ils paraissent être. Jack est le mauvais garçon à moitié assagi et doté d'un cœur d'or. Finn, c'est le roc.

La caresse des doigts de Regan sur sa nuque éveillait son désir. Mais tout l'excitait chez elle. Il était presque sûr qu'il aurait eu envie d'elle rien qu'en l'entendant lire ses droits à un suspect. Bon, mieux valait chasser ces pensées avant de donner aux braves gens de Blue Bayou un nouveau sujet de commérage.

— On ne peut pas rouler une diplômée en psychologie, admit-il.

Son regard balaya la foule.

— Il y a du monde. Plus que l'année dernière.

Bien que cela lui ait coûté, il avait laissé Regan danser avec presque tous les hommes de la ville, y compris Cal, étonnamment preste pour un homme de son âge.

— Beaucoup de gens ont voulu voir les travaux que tu as réalisés à Beau Soleil, dit-elle.

— Sans doute. Pendant que tu aidais Dani à glacer le gâteau du roi, Toni m'a expliqué qu'elle songeait à faire faire un lifting à St. Elmo. Il lui faudra sans doute attendre d'être la patronne.

— Cette maison n'a pas besoin d'un lifting, mais d'une transplantation cardiaque... La présence de Mme Melancon ce soir me surprend.

Caledonia montait la garde à côté de la frêle silhouette assise sur la terrasse.

— Elle n'a jamais manqué un Mardi gras. Et ce soir, elle a l'air plus lucide que d'ordinaire.

— C'est vrai. Tout à l'heure, elle chantait une chanson française. La musique permet parfois de rétablir la communication alors que d'autres méthodes ont échoué.

Sur l'estrade, les Swamp Dogs entonnaient une version émouvante de *You are my sunshine*. Regan pensa de nouveau à sa mère.

— C'est possible, dit Nate, qui posa les mains sur les reins de Regan pour l'attirer plus étroitement contre lui. Si on s'éclipsait un instant ? Il faut que je prenne des mesures pour une moulure de l'une des chambres d'amis.

La moulure avait été posée la semaine précédente, mais Nate n'avait pas trouvé de meilleure excuse. Le désir le torturait plus encore que le jour où, à treize ans, il était tombé sur les *Playboy* que Finn cachait dans la cabane.

Regan éclata de rire.

— J'aime qu'un homme prenne son travail au sérieux.

Ils s'apprêtaient à monter les marches de la véranda lorsque Charles Melancon les intercepta.

— Me ferez-vous l'honneur de cette danse, mademoiselle Hart ?

Instinctivement, Regan consulta Nate du regard. L'air résigné, il haussa les épaules. Réprimant un soupir, elle sourit à Charles. Il ne s'agissait que d'une danse, après tout. Ensuite, Nate et elle auraient le reste de la nuit pour eux.

— Alors, vous vous amusez ? demanda Charles en l'entraînant dans une série de pas compliqués.

— Oh, oui, énormément… Pardon, fit-elle comme elle lui marchait sur le pied.

Il dansait beaucoup mieux qu'elle, mais sans doute avait-il plus d'entraînement.

— C'est ma faute. Il y a trop de monde pour que j'essaie de vous épater avec des pas sophistiqués, dit-il en ralentissant l'allure. Pour beaucoup de gens, le carnaval de Mardi gras évoque Rio ou La Nouvelle-Orléans, mais je trouve que celui de Blue Bayou est exceptionnel.

— Je suis bien d'accord, répondit-elle, tout sourires.

C'est à ce moment-là que Bethany Melancon bondit de son rocking-chair comme un diable de sa boîte, ses cheveux blancs hérissés.

— Espèce de putain ! hurla-t-elle en pointant un doigt décharné sur Regan.

Elle cracha, puis dévala les marches et se rua sur la jeune femme, les poings levés.

— Tu n'as rien à faire ici. Je ne te laisserai pas ruiner ma famille !

— Tout va bien, madame Bethany, s'écria Nate en la retenant. Calmez-vous.

Jack et Finn traversèrent rapidement la foule et vinrent s'interposer entre Regan et la vieille dame, qui continuait à hurler en français. Ses ongles déchiraient vainement l'air.

— Tout va bien, répéta Nate d'un ton apaisant.

— Je ne te laisserai pas kidnapper mon fils, Linda Dale ! cria-t-elle en anglais.

Il fallut une seconde à Nate pour enregistrer l'information. Il ne fut pas le seul. Le silence se fit, et tous les regards se portèrent sur le visage livide de Charles Melancon.

Aussitôt, la fête prit fin. Les gens rassemblèrent leurs affaires et s'éloignèrent en murmurant, l'écho de leurs voix se répandant dans le bayou.

Eve Ancelet s'approcha.

— Ma trousse est dans ma voiture. Tâchez de la calmer pendant que je vais chercher un sédatif.

— Emmenez-la à l'étage, suggéra Dani. On peut la coucher dans une chambre d'amis.

— Je vais accompagner ma mère, dit Charles.

Mais Caledonia arracha la vieille femme des bras de Nate.

— Vous feriez mieux de rester ici, monsieur Charles. Vous avez causé assez d'ennuis comme ça.

Elle souleva sa maîtresse aussi aisément qu'une poupée de chiffon et précéda Dani dans la maison.

Le cœur battant très fort, Regan suivit les autres, qui se rassemblaient dans la bibliothèque.

— Vous voulez bien nous donner quelques explications ? demanda Nate à Charles, dont le visage avait viré du blanc au gris.

— Le passé m'a rattrapé, répondit l'homme, qui semblait avoir pris vingt ans en quelques minutes.

— Le passé, autrement dit moi, suggéra Regan.

Il poussa un soupir las.

— Vous ne le croirez sans doute pas, mais d'une certaine façon, je suis soulagé que la vérité éclate enfin.

Quelle vérité ? Regan l'ignorait toujours.

— Le mieux serait que vous commenciez par le début, dit-elle.

— Je suis tombé amoureux, déclara-t-il d'une voix douloureuse.

L'air accablé, il ne ressemblait plus au président du Rotary Club, aimable et sûr de lui, qu'elle avait rencontré au *Cajun Cal's Café*. Pas une seule fois il n'avait regardé sa femme, laquelle ne manifestait aucun étonnement.

— Pour la première fois de ma vie, j'étais sincèrement et profondément amoureux, reprit-il.

— De Linda Dale, compléta Regan.

— Oui. Je suis tombé amoureux d'elle dès le premier soir où je l'ai vue, dans un cabaret de La Nouvelle-Orléans. J'y avais invité des clients. Ce n'était pas une star, mais tous les hommes présents dans la salle auraient bien aimé être celui qui la raccompagnerait chez elle après son numéro.

— Et vous avez été l'heureux élu, devina Nate.

— Oui.

— Alors que vous étiez marié, ne put s'empêcher de dire Regan qui, pourtant, savait tenir sa langue lors des interrogatoires.

— Ce mariage était un arrangement financier que j'avais accepté sur l'insistance de ma mère. L'amour n'était pour rien dans le contrat qui me liait à ma femme, expliqua-t-il en regardant enfin Toni. Pas plus à l'époque que maintenant.

— Le contrat précisait que tu ne ferais pas de moi une femme bafouée. Ce soir, tu l'as rompu, déclara Toni Melancon en se levant de son fauteuil avec la grâce apprise dans les pensions pour jeunes filles de bonnes familles. J'appellerai mon avocat dès demain matin.

Le silence accompagna sa sortie. Regan inspira à fond et replongea dans les eaux dangereuses.

— Le nom de l'homme dont parle Linda Dale commence par un J.

— Mon père était Charles Melancon senior. On m'a appelé Junior toute ma jeunesse. Mon père était mort depuis déjà vingt ans lorsque j'ai laissé tomber ce surnom.

Regan se rappela que, d'après Nate, le vieux Melancon était un homme autoritaire. Il avait dû être difficile de grandir dans son ombre, surtout à une époque où la famille commençait à perdre pouvoir et influence.

— Que s'est-il passé après que vous avez ramené Linda chez elle ?

— Nous avons fait l'amour. Toute la nuit.

Son expression et son regard s'adoucirent à ce souvenir.

— Et ensuite ? insista Regan, qui connaissait déjà cet épisode grâce au journal de sa mère.

— Je lui ai expliqué ma situation. Mes responsabilités envers ma mère et les actionnaires. Le fait que je ne pourrais jamais me libérer pour l'épouser.

— J'imagine que l'idée de rester votre maîtresse ne l'enchantait pas.

— Pour être franc, cela me tracassait plus qu'elle. Linda était une personne généreuse, qui comprenait les responsabilités d'un entrepreneur. Elle a accepté la vie que je lui proposais.

— D'où sa décision de quitter La Nouvelle-Orléans et de s'installer à Blue Bayou.

— Oui. Je croyais qu'en la voyant souvent, ce serait plus facile. Mais en réalité, c'était atrocement pénible. Plus nous passions de temps ensemble, plus je voulais être avec elle. Au bout d'un moment, j'ai compris que mes regrets et l'amertume que m'inspirait ma situation d'homme marié menaçaient d'anéantir notre amour. C'est alors que j'ai pris une décision radicale.

— Vous l'avez tuée ? s'écria Nate en entourant d'un bras protecteur les épaules de Regan.

— Non ! Bien sûr que non ! protesta Charles en bondissant sur ses pieds. Je l'aimais, nom de Dieu ! J'ai décidé de quitter Blue Bayou et de commencer une nouvelle vie avec Linda. Lorsque j'en ai parlé à ma mère, elle s'y est violemment opposée.

— Parce que si vous partiez avec votre maîtresse, votre femme divorcerait en emportant sa fortune.

— Oui. Ma mère m'a dit que je ne valais pas mieux que mon père. J'avais promis à Linda de revenir après cette discussion, mais j'étais dans un tel état de fureur que j'ai roulé jusqu'à La Nouvelle-Orléans, où j'ai picolé, de bistrot en bistrot, tout le week-end.

Regan ne parvenait pas à le plaindre. Lui, au moins, était vivant.

— Qu'est-il arrivé à Linda ? demanda-t-elle.

Le regard haineux de Bethany Melancon lui revint soudain à l'esprit.

— C'est votre mère qui l'a tuée ?

— Oui, avoua-t-il en passant les doigts dans ses cheveux gris. Enfin, non.

— Oui ou non ? insista Regan.

— Les deux. Ma mère ne conduisait pas. Elle n'a jamais eu besoin d'apprendre. Il y avait toujours un chauffeur pour l'emmener ici ou là. Mais, bien sûr, les domestiques parlent, et cette nuit-là, elle ne voulait pas que le personnel sache où elle allait…

— Alors, elle a demandé à Caledonia de l'emmener, acheva Nate.

— Oui. Elle ne m'avait pas cru quand je lui avais dit que Linda m'aimait autant, sinon plus, que je l'aimais. Elle était persuadée que cette « croqueuse de diamants de bas étage », comme elle l'appelait, n'en voulait qu'à mon argent. Elle a donc emporté un paquet d'actions pour acheter Linda.

— Laquelle les a refusées, dit Regan, qui en savait assez sur sa mère à présent pour le deviner.

Son expérience des enquêtes criminelles lui permit de se représenter la scène. La vieille femme, qui devait avoir l'âge de son fils aujourd'hui, avait probablement adopté avec Linda le ton froid et méprisant d'une duchesse s'adressant à un manant. Mais elle était tombée sur la seule personne au monde que l'argent des Melancon ne pouvait acheter.

Exaspérée, elle s'était mise à crier, de la même façon qu'elle l'avait fait ce soir, à hurler comme dans le cauchemar de Regan.

Linda avait dû garder son calme. Sa petite fille dormait dans la chambre voisine. Elle avait peut-être même tenté de contourner Bethany, d'ouvrir la porte pour appeler Caledonia à l'aide. Il avait dû y avoir des coups, une bousculade. La pièce était petite, et sans doute encombrée de meubles.

— C'était un accident, conclut-elle.

— C'est ce qu'a dit ma mère, confirma Charles. Linda est tombée, et son crâne a heurté le coin de la table basse. Caledonia est capable des pires mensonges pour protéger ma mère, mais j'ai cru à leur histoire... J'y crois toujours. Ma mère était affolée. Elles ont décidé de faire passer la mort de Linda pour un suicide. Toutes deux ont transporté le corps dans le garage. Elles l'ont mis dans la voiture, ont tourné la clé de contact et sont parties.

— Aucune d'elles n'a pensé qu'elles laissaient une enfant de deux ans seule dans la maison ? demanda Nate, incrédule et furieux.

— C'est...

Charles s'interrompit, cherchant le mot exact.

— ... le pire de la tragédie, acheva-t-il.

Nate s'en voulait. S'il s'était tu, s'il avait laissé Regan en paix à Los Angeles, elle aurait continué à croire que son père était un héros de guerre, et non cet homme qui avait froidement choisi de garder le silence et de renoncer à son enfant.

— Mettons les choses au clair, Melancon, dit Regan. Ne vous inquiétez pas, vous n'êtes pas obligé de vous découvrir tout à coup une fibre paternelle. Je me suis débrouillée trente-trois ans sans père, et...

— Quoi ? s'exclama-t-il, sincèrement surpris. Je ne suis pas votre père, mademoiselle Hart. Vous étiez déjà née lorsque j'ai fait la connaissance de Linda.

Ce fut au tour de Regan d'être surprise. Cependant, elle tint bon, avec une constance que Nate admira.

— Elle avait donc eu une autre relation avant de vous rencontrer, dit-elle.

— Sûrement plusieurs, même. Et je ne lui en ai jamais tenu rigueur.

— Quelle grandeur d'âme! grommela Nate.

— Je l'aimais, répéta Charles. Et vous aussi, je vous aimais, ajouta-t-il en regardant Regan dans les yeux. Je n'avais jamais pensé avoir d'enfant – Toni avait clairement décrété dès le début qu'elle n'en voulait pas –, mais je vous ai aimée comme si vous étiez ma fille.

— Savez-vous avec qui Linda avait vécu avant de vous rencontrer?

— Non. Mais, même si je le savais, ça ne vous donnerait pas le nom de votre père.

— Pourquoi donc?

Il eut un regard attendri que Nate ne lui avait jamais vu.

— Parce que, inspecteur, Linda Dale n'était pas votre mère biologique.

28

— Je... je ne comprends pas, balbutia Regan, qui sentit le sang déserter son visage et le bras de Nate se resserrer autour d'elle.

Ses enquêtes lui avaient appris à faire face à l'inattendu. Mais, cette fois, elle avait l'impression d'avoir pénétré dans une maison hantée dans laquelle, à mesure qu'elle suivait le dédale des pièces et des couloirs, des lutins et des fantômes se jetaient sur elle.

— Il est évident, pourtant, que je suis la fillette que la police a découverte dans la maison, après que Boyce eut trouvé le corps.

L'image de Linda Dale effondrée sur le siège de sa voiture resterait longtemps gravée dans son esprit, et elle souffrait de ne pouvoir l'adoucir avec des souvenirs plus heureux.

— Et je possède toujours l'éléphant en peluche.

— Gabriel, dit Charles Melancon avec un léger sourire. Il venait d'une boutique du Quartier français. Vous l'adoriez. Lorsque je suis rentré chez moi après ce week-end de beuverie et que j'ai appris la mort de Linda, mes premiers soupçons se sont portés sur Toni. Elle ne m'aimait pas, mais était très contente d'être Mme Charles Melancon. Sa famille avait fait fortune grâce à la traite des Noirs, ce qui, même ici, était considéré comme honteux. Rentrer dans la mienne lui apportait la respectabilité dont elle rêvait.

— Et lui permettrait de devenir la châtelaine de Blue Bayou, dès que votre mère ne pourrait plus porter la couronne.

— Exactement, approuva-t-il. C'est une bonne analyse, compte tenu que vous n'êtes ici que depuis peu.

— J'apprends vite. Quand avez-vous compris que votre mère avait tué Linda ?

— Des décennies plus tard. Caledonia et elle ont soigneusement gardé le secret. Ce n'est que lorsque ma mère a commencé à divaguer que j'ai découvert la vérité.

— Ça a dû être douloureux d'apprendre que votre mère avait tué la femme que vous aimiez, commenta Nate.

— Oui, mais moins que de penser que Linda s'était suicidée parce qu'elle se croyait trahie.

— Comment savez-vous qu'elle n'était pas ma mère ? demanda Regan.

— Elle me l'avait dit. Nous nous disions tout.

Regan réfléchit. Pourquoi une femme célibataire dont la carrière n'était pas favorable à la maternité avait-elle assumé la responsabilité d'un très jeune enfant ? La réponse qui lui vint à l'esprit la bouleversa.

— Elle était ma tante, c'est ça ?

Charles hocha la tête.

— Karen Hart était votre mère biologique. Elle avait épousé votre père alors que tous deux étaient étudiants en droit. Ils avaient prévu d'ouvrir ensemble un cabinet d'avocats, mais votre père, voyant qu'il allait être envoyé au Vietnam, s'est engagé dans les Marines. Une fois là-bas, il a découvert qu'il aimait la police militaire et a décidé qu'à son retour aux États-Unis il travaillerait dans les forces de l'ordre. Ce qui n'était pas conforme aux projets que Karen avait faits.

« Elle a découvert sa grossesse peu après avoir demandé le divorce. Elle voulait avorter, mais Linda l'a convaincue de poursuivre sa grossesse jusqu'au bout et de lui donner l'enfant. Karen n'était pas la seule à avoir un caractère volontaire. Linda pouvait se montrer très persuasive. Et elle savait ce qu'elle voulait – vous. C'était aussi une femme très maternelle. À mon avis, vous l'avez rendue plus heureuse qu'elle ne l'avait jamais été.

Voilà enfin quelque chose de réconfortant, se dit Regan.

— C'est moi qui ai appelé Karen pour lui dire ce qui était arrivé, reprit Melancon. Elle est venue vous chercher. Je lui ai demandé de rester en contact, car nous avions été très proches, et je savais que la seule mère que vous aviez eue vous manquerait. J'ignore si Karen a douté du suicide de Linda et s'est méfiée de moi. En tout cas, elle a refusé, en disant qu'elle ne voulait pas vous embrouiller les idées. Elle m'a prévenu que si j'essayais de vous contacter, elle ferait tout ce qu'elle pourrait légalement pour ruiner non seulement ma réputation et mon entreprise, mais aussi ma vie privée. Je l'ai crue.

Karen en aurait été fort capable, effectivement.

— Mais ce qui m'a retenu d'insister, c'est que j'ai estimé qu'elle avait raison. Mieux valait vous laisser ignorer les circonstances qui avaient entouré les deux premières années de votre vie.

Il poussa un long soupir, comme s'il était soulagé d'avoir enfin révélé la vérité.

— Je comprends que tout cela vous choque, dit-il, en maître de la litote. Mais je vais vous répéter ce que j'ai dit à Karen : j'aimerais rester en contact. Si vous pensez que c'est possible.

— Je ne sais pas, avoua Regan. Il faut d'abord que je réfléchisse à tout ça.

Il hocha la tête.

— Je comprends. Maintenant, je vais aller chercher ma mère et la ramener à la maison.

En matière de meurtre, la prescription n'existait pas. Et même s'il s'agissait d'un tragique accident, la femme qui se reposait à l'étage avait pris une vie. Néanmoins, Regan ne tenta pas de le retenir.

Nate la ramena en silence à l'hôtel. Regan lui en fut reconnaissante, car elle ne se sentait pas la force d'entretenir une conversation.

Un peu plus d'une heure après que Bethany Melancon avait interpellé Regan en l'insultant, ils entraient dans la suite.

— Quand on dansait, tout à l'heure, je me suis dit que je n'oublierais jamais cette journée, déclara-t-elle. Mais là, grâce à Charles Melancon et à sa mère, c'est sûr.

— Quelle histoire !

— À qui le dis-tu, soupira Regan.

— Que vas-tu faire ?

— Il n'y a pas grand-chose à faire. À quoi bon rouvrir l'enquête ? Mme Melancon est incapable de se défendre, et Caledonia est une vieille femme qui n'a pas besoin d'être accusée de complicité.

— Linda devait être quelqu'un d'exceptionnel, pour se charger ainsi du bébé de sa sœur.

— Oui, sûrement, acquiesça Regan, encore sous le choc. Je dois aussi remercier ma mère de m'avoir portée jusqu'au bout, alors qu'elle aurait pu avorter.

— Moi aussi, je l'en remercie... mais je me reproche d'avoir ouvert cette boîte de Pandore.

Il s'interrompit. Son vocabulaire habituel ne lui permettait pas d'exprimer ce qu'il ressentait.

— Je vais bien, ne t'inquiète pas.

Il en doutait en ce qui concernait l'instant présent, mais était certain qu'elle finirait par surmonter le choc de ces révélations.

— À un moment donné, entre la prise d'otages et les événements de ce soir, commença-t-il d'un ton qui se voulait désinvolte, je me suis dit que la meilleure solution pour réparer cette erreur serait que je te consacre le reste de ma vie.

Il la sentit se crisper. Mauvais signe.

— Oh, Nate…

— Je t'aime, Regan.

— Mais non, voyons.

— Mais si. J'allais te le dire tout à l'heure, puis les choses ont pris un tour un peu étrange.

— Pour un euphémisme, c'en est un.

Elle secoua la tête et regarda le bayou par la fenêtre.

— C'est la pleine lune, dit-elle.

— Oui, et c'est vraiment joli.

— Les gens ont tendance à se comporter bizarrement lorsque la lune est pleine. J'ai vite appris qu'il ne fallait pas prévoir un week-end de congé à ce moment-là. Les homicides sont plus nombreux, et quand je patrouillais…

— Ce que j'éprouve n'a rien à voir avec la pleine lune, protesta-t-il en prenant le visage de Regan entre ses mains. Je t'aime, Regan, et je veux t'épouser.

Voilà. Il l'avait dit et y avait survécu. Il se sentait même mieux.

— C'est trop tôt.

— Bon, d'accord. Je sais que les femmes aiment que les fiançailles durent, afin d'avoir le temps d'organiser un grand mariage, et bien que j'aie hâte de partir en voyage de noces – à propos, Jack recommande Kauai –, je suis ouvert à tout ce que ton petit cœur souhaite…

— Nate, coupa-t-elle, je ne parle pas du délai nécessaire à l'organisation d'un mariage, mais du temps qu'il faut pour tomber amoureuse.

— Oui, oui. Moi aussi, je me disais ça, avant, mais depuis que je t'ai rencontrée, je pense que l'amour choisit tout seul son moment. Quand ça y est, ça y est. Et voilà, nous y sommes.

— C'est du désir.

— Il y a du désir aussi. Tant mieux, non ? demanda-t-il en lui caressant les cheveux. C'est merveilleux de savoir que je te désirerai encore quand nous serons vieux et que nous regarderons nos petits-enfants...

— Nos petits-enfants ?

— Cette idée me plaît. Mais si tu ne veux pas d'enfants, eh bien, pas de problème.

L'idée d'une maison remplie de petites filles ressemblant à Regan, qui habilleraient leurs poupées Barbie en uniforme de policier et leur feraient arrêter Ken, l'enchantait. Il aurait tout le temps de la convaincre.

— Il est trop tôt pour parler de cela, insista-t-elle. Nous ne nous connaissons pas depuis assez longtemps pour penser au mariage. Nous avons nos vies, nos métiers...

— On n'a pas besoin d'entrepreneurs en Californie ?

— Comment ?

— Déménager pour la femme qu'on aime est une tradition familiale.

Ce serait sans doute un déchirement, mais il serait capable de vivre à Los Angeles s'il le fallait. Pour Regan.

— Mon père a quitté Chicago pour ma mère. Finn s'est installé en Californie pour Julia. Et je suis prêt à faire de même si tu veux continuer à enquêter à Los Angeles.

Elle le regardait comme s'il suggérait qu'ils imitent Bonnie et Clyde et se mettent à cambrioler des banques.

— En plus, reprit-il, ça ferait du bien à Josh de se mettre au surf.

— Tu vas l'adopter ?

— Oui. Mais ne crois pas que je te demande en mariage pour lui donner une mère.

— Non, fit-elle en écartant d'un geste de la main cette supposition. Ça ne m'est pas venu à l'esprit... En ce qui concerne Josh, tu prends une bonne décision.

— Merci, dit-il d'un ton un peu sec.

— Même si c'est sur un coup de tête.

— Monsieur Coup de Tête, c'est moi.

Cela sonnait mieux que Peter Pan. Il aurait aimé être différent pour plaire à Regan, mais il savait bien qu'on ne pouvait changer sa nature profonde. Cela lui fit comprendre qu'il avait eu tort d'espérer qu'elle tombe dans ses bras et accepte en pleurant sa proposition. Elle n'était pas du genre à se laisser porter par les événements. Les dieux, qui avaient manifestement le sens de l'humour, l'avaient fait s'éprendre d'une version féminine de Finn Callahan.

— Je ne sais même pas qui je suis, murmura-t-elle en détournant les yeux.

— Tu es la personne que tu as toujours été. Ton schéma familial est perturbé, mais une famille classique t'attend, dit-il en ouvrant les bras. Le clan Callahan te semble peut-être un peu grand pour une personne qui a grandi en solitaire, mais nous avons la place d'accueillir un nouveau membre.

Les yeux de Regan, qui étaient restés secs lorsqu'elle avait appris la vérité sur la vie et la mort de Linda, s'emplirent de larmes. Nate fut fortement tenté de la prendre dans ses bras et de chasser ses doutes d'un baiser.

— Écoute, *chère*, je te laisse volontiers tout le temps que tu veux pour te décider, mais il y a quelque chose que tu dois savoir. Quand j'ai appris que Mike te retenait prisonnière et que j'ai craint de te perdre, j'ai compris qu'une des raisons pour lesquelles j'avais passé ma vie à éviter toute relation sérieuse était que j'avais perdu deux personnes très chères et que je ne voulais plus revivre cela.

« Mais je ne le regrette pas, puisque cela m'a permis de t'attendre. Je t'aime, Regan. Au point d'accepter le risque de te perdre, puisque l'autre terme de l'alternative est de ne pas t'avoir du tout. Et cela est inacceptable.

— Bon sang, Callahan...

Une larme coula sur la joue de Regan. Il l'essuya du pouce.

— Un jour, en parlant d'argenterie, tu as dit que j'étais comme ta mère. Mais c'est faux. À en croire Dani, elle était un mélange de Donna Reed et de mère Teresa. Je suis loin de leur ressembler.

— Ça tombe bien, parce que je ne veux ni l'une ni l'autre. C'est toi que je veux. Le point commun que tu as avec ma mère, c'est que tu es assez courageuse pour te fier à ton instinct, même s'il ne colle pas à la norme. Ça n'a pas dû être facile pour elle d'aller à l'université à une époque où les gens d'ici ne voyaient dans les études qu'un prétexte pour ne pas travailler, puisque l'instruction ne servait à rien à la ferme ou dans une raffinerie. Et elle n'était d'aucune utilité dans l'éducation des enfants, la tâche habituelle des femmes.

« Mais ma mère a tenu bon et est allée à l'université. Pire encore, elle s'est aventurée dans le Nord. Enfin, pour couronner le tout, elle a épousé un Yankee, ce qui a dû faire jaser. Mais tu sais quoi ?

— Quoi donc ?

— Elle s'en fichait. Parce qu'elle avait confiance en elle, et en mon père. Et jamais, jamais, elle n'a cherché à le changer.

— Elle a bien fait, car il est impossible de changer qui que ce soit.

— C'est vrai. Et voilà encore une preuve que nous sommes faits l'un pour l'autre : tu n'essaies pas de me changer.

— Pourquoi le ferais-je ?

— Je ne sais pas, vu que je suis quasiment parfait, dit-il pour détendre l'atmosphère. Mais toutes les femmes que j'ai rencontrées en éprouvaient rapidement le besoin.

— L'échec était assuré, commenta Regan.

Elle ne connaissait personne qui fût plus à l'aise dans sa peau que Nate.

— Je n'ai jamais voulu te changer, c'est vrai.

— Tu vois ? Nous sommes parfaitement assortis. Tu es intelligente, forte, courageuse, franche...

— Un vrai boy-scout, quoi.

— Tu m'as interrompu avant que j'arrive au meilleur. Tu es aussi belle, sexy en diable, et je ne peux pas m'approcher de toi sans avoir envie de faire ceci.

Cédant à la tentation, Nate inclina la tête et l'embrassa passionnément.

— Tu ne veux pas qu'on s'enfuie et qu'on se marie tout de suite ? demanda-t-il lorsqu'il eut repris son souffle.

— Non, voyons.

La réponse ne le surprit pas, mais cela valait la peine d'essayer.

— Bon. À plus tard, chérie.

S'il ne partait pas tout de suite, il n'y arriverait jamais. Et un jour, dans six mois ou dans soixante ans, elle lui reprocherait de lui avoir arraché son consentement.

— Passe-moi un coup de fil quand tu auras pris ta décision.

Rester impassible face à l'expression choquée de Regan lui coûta. Quitter la suite fut encore plus difficile.

— Nate ?

Il s'arrêta sur le seuil, ferma brièvement les yeux, rassembla son courage et se retourna lentement.

— Tu as déjà changé d'avis ?

— Je veux offrir mes actions à des œuvres locales. Indique-m'en quelques-unes.

Il réprima un soupir. Quel imbécile il était d'avoir imaginé un revirement aussi rapide !

— Je t'enverrai une liste.

— Merci.

— Ce n'est rien. En tant que maire, je peux t'assurer que la ville te sera extrêmement reconnaissante.

Il partit sans se retourner. Et se prépara tristement à une longue attente solitaire.

Rien n'était plus pareil. Son travail, qui lui pesait déjà avant son départ, devenait de plus en plus frustrant au fil des jours. Elle n'avait rien à reprocher à son nouvel équipier, sinon de ne pas être Vanessa.

Elle avait toujours aimé la Californie, mais la vue de la piscine de son immeuble ne remplaçait pas celle du bayou et des hérons bleus, et le soleil perpétuel de Los Angeles l'ennuyait.

Elle avait reçu une lettre de Charles Melancon et l'avait appelé. Voir en lui un père de substitution était impossible, mais peut-être pourraient-ils un jour être amis.

Hormis une lettre de la mairie de Blue Bayou, qui la remerciait de sa généreuse contribution à diverses œuvres, elle n'avait pas eu de nouvelles de Nate. Elle aurait pu penser qu'il l'avait oubliée si, une semaine après son retour à Los Angeles, un message de Dani sur son répondeur ne lui avait pas suggéré d'appeler Nate.

En bon flic, elle redouta aussitôt le pire. Elle composa le numéro et tomba sur le répondeur.

— Bonjour. Josh et moi sommes à l'entraînement de base-ball. Si vous désirez un stand au festival cajun, appelez Jewel Breaux au 504-555-1112. Il se fera un plaisir de noter votre réservation. Si vous appelez au sujet du prochain conseil municipal, il aura lieu lundi soir à 19 h 30. La couleur des gradins du terrain de base-ball sera soumise au vote. Si vous voulez faire faire des travaux, laissez un message et je vous rappellerai dès que possible. Et si c'est Regan qui appelle… je t'aime toujours, *chère*.

Le cœur de Regan battait follement tandis que la barque se faufilait sur les eaux drapées de brume.

— Merci infiniment, Jack.

Un mois s'était écoulé depuis la fête de Mardi gras. Un orage tropical avait inondé la route qui menait à la maison de Nate, obligeant Regan à demander de l'aide.

Elle distingua le sourire de Jack dans l'obscurité.

— Les gens qui ont toujours vécu dans le bayou peuvent aisément s'y perdre la nuit, alors une étrangère comme toi… Les secours ne t'auraient retrouvée qu'au matin. Et qui sait si tu n'aurais pas renoncé à épouser mon petit frère ?

— Je ne changerai pas d'avis.

— Je suis vraiment content d'entendre ça, *chère*. Car Nate ne changera pas d'avis non plus.

— Je sais.

Elle l'avait appelé tous les jours depuis trois semaines, en choisissant délibérément les moments où il devait être absent. Le message du répondeur était toujours différent, à l'exception de la dernière phrase. Elle avait fini par comprendre qu'elle l'aimait depuis longtemps, peut-être même depuis le jour où il était venu à Los Angeles.

Elle avait déjà perdu trente longues journées et trente nuits encore plus longues. Il était grand temps d'écouter son cœur.

— C'est très gentil aussi de prendre Josh pour le week-end.

— C'est charmant, une petite famille de trois personnes, mais il arrive qu'un homme et une femme aient besoin d'un peu d'intimité.

La maison apparut au détour d'un virage. Jack coupa le moteur et laissa l'embarcation dériver vers le ponton. Une lumière accueillante éclairait les fenêtres. Pour la première fois, Regan comprit ce que rentrer à la maison voulait dire.

— J'imagine que tu n'as jamais assisté à un mariage cajun ? demanda-t-il en nouant l'amarre.

— Non, répondit Regan, que l'idée d'un mariage, quel qu'il soit, terrifiait encore plus qu'une émeute. En fait, je pensais à une petite cérémonie très tranquille. Juste la famille et les amis les plus proches.

Le rire sonore de Jack fit décoller un trio de hérons des roseaux. Ils s'envolèrent dans le ciel nocturne, leurs ailes se détachant sur la pleine lune.

— Un mariage cajun tranquille, ça n'existe pas. Cela fait des semaines que toutes les femmes de Blue Bayou organisent les festivités.

— Elles étaient sûres que je dirais oui ?

— Nous étions tous persuadés que vous étiez faits l'un pour l'autre et que tu ne tarderais pas à t'en rendre compte, dit-il en déposant sur le ponton le sac de voyage de Regan. Tu ne veux pas que je le porte jusqu'à la maison ?

— Non, merci. Ce n'est pas lourd. Merci pour tout.

— Tout le plaisir est pour moi, assura-t-il en l'embrassant sur la joue. Bienvenue dans la famille Callahan, *chère*.

Elle attendit sans bouger que l'embarcation ait disparu après le coude que formait la rivière. À elle de jouer, maintenant.

Elle sortit son portable et composa le numéro qu'elle connaissait par cœur. Nate répondit dès la première sonnerie.

— Bonjour, dit-elle. J'appelle à propos du poste de shérif. S'il est toujours disponible, je suis en ville… enfin, plus exactement, je suis sur l'embarcadère… et j'aimerais prendre rendez-vous pour un entretien.

La porte s'ouvrit brutalement, et la silhouette de Nate se détacha sur la lumière. Regan eut l'impression que son cœur allait s'envoler.

— Je cherche aussi un endroit où m'installer, poursuivit-elle dans le téléphone. Aussi toute suggestion que pourra me faire le maire de Blue Bayou sera-t-elle la bienvenue.

Il approchait à grandes enjambées. Elle prit son sac et avança à sa rencontre, sans cesser de parler.

— Comme j'ai renoncé à mon héritage et que la municipalité n'a pas les moyens de me payer autant que la ville de Los Angeles, j'aimerais bien qu'on m'accorde une prime de bienvenue. Par exemple, un abonnement annuel pour assister aux matchs des

Boucaniers. On m'a dit qu'il y avait un nouveau joueur très doué dans l'équipe.

Ils n'étaient plus qu'à quelques pas l'un de l'autre.

— C'est Regan à l'appareil, ajouta-t-elle avant d'éteindre son téléphone.

Comment avait-elle pu se priver si longtemps de lui ? se demanda-t-elle en lui tendant les lèvres.

— Et je t'aime. Pour toujours.

Découvrez les prochaines nouveautés
de la collection

Amour et Destin

Des histoires d'amour riches en émotions déclinées en trois genres :

Intrigue   *Romance d'aujourd'hui*   *Comédie*

Le 19 août   *Romance d'aujourd'hui*
Le choix de Dana de Michele Albert (n° 7780)

Dana Belmaine, détective privée à la Nouvelle-Orléans, est spéciali-
sée dans la recherche d'antiquités volées. Le richissime Steven Car-
michael l'engage pour retrouver une ancienne boîte égyptienne
contenant une mèche de cheveu de Néfertiti. Le voleur a même laissé
sa signature : une carte à jouer… Son enquête conduit Dana auprès
du séduisant professeur Jack Austin, archéologue réputé. Mais pourquoi cet homme jouerait-il les gentlemen cambrioleurs ?

Le 26 août   *Intrigue*
Au nom d'Archer de Mariah Stewart (n° 7781)

Amanda tient une petite boutique d'antiquités. Quand son collabora-
teur puis sa voisine sont assassinés, le FBI comprend le danger qui la
menace. Pourtant, Archer, l'homme qui l'avait auparavant harcelée,
est toujours en prison. Lorsque les coups de fils anonymes et les fleurs
commencent à arriver, elle comprend que quelqu'un reprend là où
Archer s'était arrêté…

Ce mois-ci, retrouvez également
les titres de la collection

Aventures et Passions

Le 1ᵉʳ juillet
L'Étoile de Jaïpur
de Patricia Cabot (n° 7613)

Jeremy, duc de Rawlings, retrouve son Angleterre natale après quelques années passées aux Indes. Ses victorieuses batailles à l'étranger le ramènent auréolé de gloire. Notamment grâce à son célèbre sauvetage de l'Étoile de Jaïpur... C'est donc en homme accompli que Jeremy retrouve Maggie, celle qu'il voulait épouser en dépit des conventions sociales. Mais leurs retrouvailles ne se font pas sans étincelles car l'Étoile de Jaïpur n'est autre qu'une magnifique princesse indienne qui a suivi le jeune homme dans la froide Angleterre...

Le 8 juillet
Un baiser diabolique
de Liz Carlyle (n° 7692)

Malgré son emploi du temps surchargé, le duc de Walrafen lit les virulentes lettres de la gouvernante de son oncle, Aubrey Montfort, et s'en amuse. Elle insiste pour qu'il prenne plus à cœur les intérêts et la santé du vieil homme. Mais lorsque ce dernier est retrouvé mort et que l'on soupçonne un meurtre, ce n'est plus drôle. Walrafen part enquêter sur place et découvre avec fascination une jeune femme belle et altière qui a tout d'une aristocrate et rien d'une gouvernante.

Le 8 juillet
Impétueuse Elizabeth
de Pamela Britton (n° 7693)

Lucien St. Aubry a toujours été entouré par la mort. Ses parents, son meilleur ami, puis son frère aîné sont décédés et la haute société a fini par croire qu'il portait malheur. Le pire c'est qu'il est accusé du meurtre de son frère... Lors d'un bal, cédant à une inspiration soudaine, Lucien décide de séduire la jeune lady Elizabeth Montclair, simplement parce qu'elle le déteste. Mais lorsqu'ils sont surpris dans une situation compromettante, il doit l'épouser.

NOUVELLE
COLLECTION

Amour et Mystère

Sous le charme d'un amour envoûtant

Le 8 juillet
Quand surviennent les ténêbres
de Shannon Drake (n° 7695)

Au cours d'un voyage en Écosse, Jade visite un cimetière avec un groupe de touristes. L'excursion tourne soudain au cauchemar lorsque l'occupante de la tombe principale, Sophie de Brus, se réveille et se jette sur eux ! Heureusement, un homme mystérieux, Lucian, se porte à leur secours.

Un an plus tard, à la Nouvelle-Orléans, Lucian, qui n'est autre qu'un vampire, réapparaît dans la vie de Jade. Parce qu'elle ressemble à s'y méprendre à la femme qu'il a aimé des siècles plus tôt, elle est en danger.

NOUVELLE
COLLECTION

Passion intense

Quand l'amour vous plonge dans un monde de sensualité

Le 8 juillet
Caresses interdites

de Bertrice Small, Thea Devine (n° 7694)

Veuve depuis peu, la jeune Lucinda entend en profiter mais, son frère n'est pas de cet avis. Pour la punir, il la fait emmener dans une propriété isolée où un maître masqué doit lui faire entendre raison grâce à des jeux coquins... Contre toute attente, Lucinda capture le cœur de son geôlier.

Pour éponger les dettes de son père, Drue est obligée d'épouser Court, mais elle affirme que ce sera toujours sans amour. Court décide alors de la soumettre grâce à des jeux amoureux qui ne tardent pas à les faire succomber tous les deux.

Deux nouvelles historiques et sensuelles par les maîtres incontestés du genre.

7688

Composition Chesteroc Ltd
Achevé d'imprimer en France (Manchecourt)
par Maury Eurolivres
le 1er juin 2005.
Dépôt légal juin 2005. ISBN 2-290-34561-X

Éditions J'ai lu
84, rue de Grenelle, 75007 Paris
Diffusion France et étranger : Flammarion